Mhairi McFarlane est devenue journaliste après avoir fait des études d'anglais à l'université de Manchester. Elle vit à Nottingham. Ses deux premiers romans parus chez Milady, *Parce que c'était nous* et *Comme si c'était toi* connaissent déjà un succès retentissant.

Du même auteur, chez Milady, en grand format :

Parce que c'était nous
Comme si c'était toi
C'est pas moi, c'est toi

Chez Milady, en poche :

Parce que c'était nous
Comme si c'était toi

CE TEXTE EST ÉGALEMENT DISPONIBLE
AU FORMAT NUMÉRIQUE

www.milady.fr

Mhairi McFarlane

Comme si c'était toi

Traduit de l'anglais (Grande-Bretagne) par Odile Carton

Milady

Milady est un label des éditions Bragelonne

Titre original : *Here's Looking at You*

ISBN : 978-2-8112-1541-5

Bragelonne – Milady
60-62, rue d'Hauteville – 75010 Paris

E-mail : info@milady.fr
Site Internet : www.milady.fr

À Helen,
cette camarade de classe qui est une sœur pour moi.

Remerciements

Pfiou, préparez-vous, c'est un gros morceau, comme pourrait (devrait) le dire le comte De Vici. Tout d'abord, mes remerciements infinis à Ali Gunn et Doug Kean chez Gunn Media – qui, en plus de former à eux deux l'équipe d'agents idéale, m'ont fait passer de merveilleuses soirées.

Énormes remerciements à ma talentueuse éditrice Helen Bolton pour son dur travail et sa patience durant le virage serré que représente un second roman dans l'apprentissage du métier d'écrivain, ainsi qu'à tout le monde chez Avon et HarperCollins, pour leur enthousiasme et leurs compétences. Keshini Naidoo, vous êtes une merveille supplémentaire, qui m'a permis d'achever HLAY dans les meilleures conditions.

Mes loyaux premiers lecteurs – mon frère Ewan et mes amis Sean Hewitt, Tara et Katie de Cozar (qui ne ressemblent en rien aux sœurs Alessi), et Tim Lee – merci du fond du cœur pour vos encouragements, sans lesquels j'aurais laissé tomber.

Mes remerciements spéciaux à la brillante historienne Lucy Inglis – excusez-moi de vous appeler « historienne » – pour les tuyaux sur Théodora. Toute ma gratitude également à Jeremy Fazal pour ses renseignements sur Barking, et à mon père pour le vocabulaire italien. Désolée pour les gros mots dans le reste du livre, papa. Oh, et il faut que je remercie mon agent artistique Mark Casarotto, sinon il risque de faire la tête.

Les gens drôles dont les mots d'esprit ont été volés et/ou adaptés sont : Jenny Howe, Alex Wright, Martyn Wells, Natalie Jones, Matt Southall, Rob Hyde et Sam Metcalf. Désolée, les copains. Poursuivez-moi en justice ou faites moins de « lol ».

J'ai eu la chance de rencontrer des gens incroyables ces dernières années, autant pour l'inspiration que pour leur merveilleuse compagnie. Je remercie particulièrement, la main sur le cœur, Bim Adewumni, Tom Bennett, Sarah Ditum, James Donaghy, David Carrol, Dan Gilson, James Trimbee, Andy Welch et Jennifer Whitehead.

J'ai une famille élargie composée de parents du côté de mon mari et d'amis, qui m'ont toujours apporté leur soutien ; croyez en ma profonde et sincère gratitude, bien que je n'aie pas la place de tous vous citer ici.

Remerciements géants à Alex et M. Miffy. Vous en avez supporté *beaucoup*.

Et merci à vous, si vous avez acheté ce livre. Ça me semble toujours un miracle, que je ne prends pas pour acquis.

PROLOGUE

Collège-lycée Rise Park, East London, 1997
Dernier jour de l'année scolaire

— Mesdames et messieurs, M. Elton John !

Affublé d'énormes lunettes en fil chenille et d'un costume de canard, Gavin Jukes s'avança à grandes enjambées sous les acclamations de la foule en délire. Enfin, aussi grandes que le lui permettaient ses palmes en mousse jaune canari : disons plutôt qu'il se dandina avec décontraction. Il s'assit au clavier – ce qui ne fut pas non plus chose aisée avec sa queue rembourrée – et commença à frapper silencieusement les touches en feignant de chanter *Are You Ready for Love*.

Debout dans les coulisses dans une robe de grossesse couleur pêche en polyester style années 1970, Aureliana ajusta la ceinture sur la jupe plissée et tapota sa coiffure bouffante maintenue avec de la laque.

Elle prit une profonde inspiration, inhalant l'odeur de caoutchouc des chaussures de sport, les effluves de déodorant Impulse et les relents d'hormones adolescentes qui imprégnaient le gymnase de l'école.

Le thème de la soirée Mock Rock qui clôturait l'année de terminale était simple mais avait toujours un succès fou : chaque élève devait se déguiser en star de la pop – plus le costume était loufoque, mieux c'était – et chanter en play-back sur un vieux tube.

Dieu merci, Gavin fit fureur.

En dépit des graffitis débiles qui éreintaient Gavin Jukes, l'accusant d'être une «grosse pédale», il avait courageusement choisi d'interpréter un chanteur homosexuel à l'extravagance légendaire. Et il recevait cet accueil enthousiaste ?

Aureliana Alessi se prit à espérer : peut-être que cette fois ce ne serait pas d'elle, la fille zarbi qui mangeait des lasagnes pas ragoûtantes dans des Tupperware pour le déjeuner au lieu du classique sandwich de pain de mie, que les autres riraient, mais de son numéro.

C'était comme si le lycée n'avait été qu'un spectacle, où tous les élèves jouaient simplement un rôle, et où les méchants et les héros venaient saluer ensemble à la fin.

Même Lindsay et Cara, ses adversaires les plus acharnées, vêtues pour l'occasion de mini-jupes et de bottes compensées façon Agnetha et Anni-Frid de ABBA, l'avaient consciencieusement épargnée ce jour-là.

Les membres de leur assemblée de sorcières sifflaient en douce, dans des bouteilles de Coca, de la vodka Minkoff – dont Aureliana n'aurait pas refusé une lampée – et la toisaient de leurs yeux lourdement maquillés de Rimmel, gardant néanmoins leurs distances.

La magie du Mock Rock tenait peut-être au fait que les plus jeunes considéraient les élèves populaires plus âgés comme des rock-stars. À l'exception de James Fraser. Lui, *tout le monde* le considérait comme une rock-star. Aureliana lança un coup d'œil au garçon. Tout irait bien puisqu'elle monterait sur scène avec lui, se rassura-t-elle.

James Fraser. Il lui suffisait d'entendre prononcer son prénom pour avoir l'impression que la paroi de son estomac se dissolvait.

La semaine précédente, elle avait séché son cours de sport et filé à la bibliothèque. Elle était plongée dans un roman à l'eau de rose quand il s'était approché d'elle.

— Salut, Aureliana. Tu ne devrais pas être en E.P.S. ?

Ce n'est que les jours suivants qu'elle se demanda s'il était bien sage de monter sur scène, elle, la grosse, l'étrangère, la tête de Turc de Rise Park, avec lui, le dieu canon, objet de tous les fantasmes. Ne risquait-elle pas de payer cher ce privilège en se faisant lyncher par les pires salopes du bahut ? Finalement, elle en était arrivée à la conclusion qu'elle ne les reverrait plus jamais après et qu'elles n'oseraient pas gâcher le grand moment de James Fraser.

Aureliana s'était attendue à ce que James veuille répéter, mais il ne le lui proposa à aucun moment, et elle ne voulut pas paraître insistante. Il savait ce qu'il faisait, comme toujours.

Peut-être auraient-ils dû tout de même se mettre d'accord sur leurs costumes. Aureliana supposa que l'idée était qu'ils y aillent à fond. Elle s'était plaqué les cheveux en arrière en une coiffure qui évoquait plus ou moins celle d'une soprano, et couvert le visage de fond de teint. James, à ce qu'elle voyait, s'était contenté de se dessiner une fine moustache. Mais, après tout, à quoi s'était-elle attendue ? Difficile de l'imaginer avec un justaucorps décolleté et des poils postiches sur le torse.

Gavin était en train de saluer. Bon sang. On y était. Le grand moment était arrivé. James la rejoignit d'un pas tranquille. Debout à côté de lui, jamais elle ne s'était sentie aussi importante et spéciale.

L'animateur du Mock Rock, M. Towers, donna le signal de la musique. De la glace carbonique se répandit dans un doux sifflement et les premières mesures de la chanson *Barcelona* retentirent.

Ils s'avancèrent sur la scène sous des acclamations et des applaudissements assourdissants. Aureliana contempla le parterre de visages ravis, ce qui lui donna un aperçu exaltant de ce que c'était que vivre dans la peau de James Fraser, quand la simple vue de votre personne provoquait une telle excitation, une telle ferveur.

Ô joie, ô miracle.

James Fraser, le dieu de Rise Park, lui adressait la parole pour la première fois. À elle.

Il connaissait son prénom. Pas seulement les surnoms dont on l'affublait – le « Galion italien » ou « Pavarôti ».

Et il connaissait son emploi du temps ?

James affichait un sourire désinvolte. Aureliana ne l'avait jamais vu d'aussi près.

C'était comme de rencontrer son idole – comme si, après des heures passées à ressasser le moindre détail de sa vie, on se retrouvait soudain en face d'elle, en chair et en os. Et quelle chair ! Cette peau incroyablement blanche, qui semblait illuminée de l'intérieur, telle la cire d'un cierge d'église se consumant doucement, la flamme rayonnant au travers. Il avait des cheveux sombres et brillants comme une marée noire et des yeux bleu-violet.

Une fois, elle avait même entrepris de le dessiner au feutre dans son journal *Forever Friends*. L'essai n'avait pas été concluant – on aurait dit un mauvais sosie d'Elvis. Elle s'était rabattue sur ses cœurs et ses fleurs habituels, avec en légende : « AA + JF 4EVA ».

— C'est pas moi qui vais te le reprocher. Ça craint, l'E.P.S.

Aureliana émit une sorte de coup de klaxon incrédule et hocha vigoureusement la tête. James le sportif détestait secrètement l'E.P.S., lui aussi ? C'était la preuve qu'ils étaient faits l'un pour l'autre.

— Je me demandais… Le Mock Rock. Faire Freddie Mercury et la chanteuse d'opéra pourrait être marrant ? Un duo, toi et moi ? Ça te branche ?

Aureliana hocha la tête. Il avait prononcé les mots « toi et moi ». Ses rêves devenaient réalité. À cet instant précis, il aurait aussi bien pu dire : « J'ai l'intention de me jeter par la fenêtre. Ça n'a pas l'air très haut… Toi et moi, ça te branche ? », elle l'aurait suivi.

CHAPITRE PREMIER

A nna échappa au froid du morne automne en se glissant dans la chaleur moite du restaurant. À l'intérieur, le bourdonnement des conversations et les pulsations de la musique confirmaient que le week-end avait commencé.

— Une table pour deux, s'il vous plaît! cria la jeune femme, sentant les palpitations du trac et de l'appréhension, accompagnées d'une touche de scepticisme.

Elle était passée maître dans l'art des rencards foireux.

À force de pratique, Anna savait choisir des lieux animés sans connotation romantique afin de diminuer la pression. Et la nouvelle mode des plats à partager qui arrivaient les uns après les autres était une bénédiction. Avec le traditionnel entrée-plat-dessert, il n'y avait rien de pire qu'un rendez-vous poussif, où l'on se savait condamné à l'abrutissant aller et retour de «vraiment?» et «Tu es d'où?» jusqu'au: «Juste un café pour moi, s'il vous plaît».

Bien sûr, on pouvait se contenter d'aller boire un verre et sauter le dîner. Sauf qu'Anna avait définitivement renoncé à l'alcool à jeun depuis une regrettable soirée où elle s'était réveillée au terminus de la Central Line avec un souvenir fragmentaire de comment elle était arrivée là, un seau à glace en plastique en forme d'ananas à la main et son téléphone portable chargé de onze textos d'une incohérence et d'une obscénité croissantes.

La serveuse, d'une jeunesse et d'une coolitude intimidantes, nota son nom et la conduisit jusqu'au sous-sol baigné dans la pénombre.

Là, coincée au milieu d'hommes en costume manifestement venus directement après leur journée de travail et agglutinés devant le bar, Anna se demanda si ce soir-là serait le grand soir.

Par « le grand soir », elle voulait dire celui qu'elle imaginait que le témoin mentionnerait dans son discours, debout dans la magnificence du *Old Rectory*, illuminé par un rayon de soleil démultiplié par les fenêtres à meneaux.

Pour ceux d'entre vous qui l'ignorent, Neil et Anna se sont rencontrés par Internet. On m'a dit que Neil avait été séduit par son sens de l'humour désopilant et le fait qu'elle ait pris l'initiative de lui commander un verre sans qu'il le lui ait demandé. (Pause – éclats de rire clairsemés.)

Elle parvint enfin à passer sa commande pour elle et son compagnon, moitié hurlant, moitié gesticulant, et trouva un coin où attendre.

Elle se fit intérieurement la leçon : franchement, en gros, un rencard par Internet est un entretien d'embauche pour un coup d'un soir. C'était suffisamment stressant comme ça sans en plus presser la touche d'avance rapide mentale jusqu'à des noces imaginaires. Anna n'était absolument pas obsédée par l'idée de se marier ; elle avait simplement envie de rencontrer « le bon ». Elle avait trente-deux ans : le salaud prenait tout son temps. À tel point qu'elle le soupçonnait de s'être perdu en route et d'avoir accidentellement épousé une autre femme.

Elle scanna la foule à la recherche d'un écho fantomatique du visage qu'elle avait vu en photo. Non seulement il faisait sombre, mais en plus Anna était habituée aux dissemblances entre les photos des profils et la réalité. Dans le sien, elle avait tâché de contrebalancer quelques clichés flatteurs avec un portrait réaliste afin de s'épargner l'horrible perspective de voir le visage de l'inconnu qu'elle devait rencontrer se décomposer à son arrivée. Les hommes, estimait-elle, faisaient preuve de plus de pragmatisme : une fois qu'ils vous avaient attirée dans leur chambre, leur charisme pouvait prendre le relais.

— Bonjour. Anna ?

Elle parvint à pivoter de quatre-vingt-dix degrés et découvrit un homme à l'air joyeux et inoffensif, aux cheveux bruns clairsemés, qui lui souriait avec ravissement dans l'obscurité. Elle remarqua qu'il portait une veste Berghaus. Des vêtements de randonnée sur quelqu'un qui n'était pas en train de faire une randonnée. Mmm.

Parmi ses premières impressions, Anna eut quelques doutes au sujet des goûts vestimentaires de Neil. Je suis heureux de vous révéler que c'est elle qui a choisi sa tenue aujourd'hui, autrement il aurait probablement prononcé ses vœux en Gore-Tex…

Il semblait néanmoins accessible et digne de confiance, avec son sourire découvrant ses dents du bonheur – pas un problème pour elle ; Anna ne se laissait aucunement tourner la tête par les jolis garçons. Elle s'en méfiait même carrément.

— Neil, dit-il en lui serrant la main tout en se penchant pour un rapide baiser sur la joue.

Anna lui tendit le Negroni qu'elle avait commandé à son intention.

— Qu'est-ce que c'est ? demanda Neil.

— Du gin et du Campari. Une de mes boissons favorites, qui puise ses racines dans la terre de mes ancêtres.

— Je crains d'être un buveur de bière.

— Oh.

Anna reprit le verre, se sentant un peu bête.

Bon sang, tu ne pouvais pas le boire, histoire d'être poli? songea-t-elle. Puis : *Peut-être en rirons-nous un jour.*

Apparemment, Anna a été choquée de découvrir que Neil ne buvait pas de cocktails. Il a d'ailleurs ensuite fait une super bonne impression en disparaissant pour aller se chercher une bière. Toujours plus sain d'annoncer la couleur, hein, Neil? (Pause – nouveaux éclats de rire clairsemés.)

Anna avala son Negroni d'un trait et attaqua rapidement le second. À cet instant précis, alors qu'une chanson de Madonna des années 1980 tambourinait à ses oreilles, elle se sentit la parfaite incarnation du Célibat À Londres. La situation lui était par trop familière – cet intense sentiment de solitude dans une salle tellement bondée qu'elle ne devait pas être loin d'enfreindre les règles de sécurité anti-incendie, doublé de l'impression que sa vie se déroulait ailleurs, alors qu'elle se trouvait soi-disant en plein cœur d'une capitale dynamique, au centre de tout…

Non! Vite, des pensées positives. Anna invoqua le mantra qu'elle s'était répété des milliers de fois : combien de couples racontent, au cours de dîners en ville, la sempiternelle histoire de leur rencontre, expliquant qu'ils n'avaient pas ressenti la moindre attirance pour l'autre au départ? Qu'ils ne s'étaient même pas *appréciés*?

Elle ne voulait pas être cette femme qui, munie de sa liste de qualités requises, ne voit toujours que les points sur lesquels échouent ses prétendants. Comme quand, mesurant l'espace dont on dispose pour un nouveau réfrigérateur, on se lamente de devoir faire des compromis sur les dimensions du congélateur.

De plus, il ne lui avait pas fallu beaucoup de rencards Internet pour comprendre que le coup de foudre auquel elle aspirait tant n'existait tout simplement pas. Comme sa mère le disait toujours, il faut frotter les bâtons pour obtenir une étincelle.

— Désolé. Deux ou trois comme ça et je tomberais de sommeil. Panne de courant, expliqua Neil en revenant avec sa Birra Moretti.

Anna souhaitait de toutes ses forces qu'il se révélerait agréable et la soirée amusante.

— Oui, je regretterai probablement de ne pas avoir suivi votre exemple demain, cria-t-elle par-dessus la musique.

Neil sourit, et Anna eut l'impression que, si elle y mettait vraiment du sien, elle pourrait faire en sorte que ça marche.

Neil était rédacteur pour un magazine de business et technologies et semblait, si elle se fiait à leurs échanges précédents, du genre convenable, présentable et fiable dont on s'attendrait à ce qu'il soit équipé d'une femme, d'enfants et d'un golden retriever.

Ils n'avaient échangé que quelques mots en ligne. Anna avait renoncé au jeu de la séduction prolongé par billets doux électroniques depuis une déception cuisante avec Tom l'Écossais, un écrivain dont l'esprit, le charme et les allusions littéraires l'avaient sérieusement séduite en l'espace de quelques mois, durant lesquels elle avait vécu dans l'attente de ses messages. Quand ils s'étaient finalement mis d'accord pour se rencontrer, elle n'était plus très loin de tomber amoureuse. C'est alors qu'il lui avait avoué en s'excusant :

a) un court séjour dans un hôpital psychiatrique de haute sécurité ;

b) l'existence d'une « sorte de femme ».

Après cela, Anna avait changé de « sorte d'adresse » Gmail.

L'alcool commençait à faire effet, et elle se surprit à rire aux anecdotes de Neil sur l'univers des tournées de conférences des gourous de l'escroquerie financière qui vous expliquaient comment vous remplir les poches.

Quand arriva le moment de gagner leur table et de commander une surabondance de plats afin d'éponger l'alcool ingurgité – boulettes de viande, calamars et pizza –, Anna en était à se dire que Neil était peut-être exactement le genre de candidat auquel il fallait qu'elle donne sa chance.

— Anna, ça ne sonne pas très italien, fit remarquer Neil tandis qu'ils piquaient des anneaux de calamar frits et les plongeaient dans un petit pot d'aïoli.

— C'est le diminutif d'Aureliana. J'ai changé de prénom après le lycée. Trop… fleuri, je suppose, dit-elle en plaçant une main en coupe sous sa fourchette, le calamar faisant une tentative tardive de retourner à la mer. Ça ne me correspondait pas franchement.

— Ah, non, c'est sûr, dit Neil.

La jeune femme jugea sa remarque quelque peu présomptueuse.

De sa main libre, elle se toucha néanmoins involontairement les cheveux, noués comme d'habitude en un chignon négligé. Peut-être aurait-elle dû soigner un peu plus sa coiffure. Et se maquiller au lieu de se contenter de baume à lèvres coloré appliqué à la hâte dans le métro.

Annonce la couleur, se raisonnait-elle toujours.

Inutile de se déguiser en poupée et de décevoir l'autre ensuite.

— Au fait, les boulettes de viande de porc au fenouil sont les meilleures, dit-elle. Je les ai toutes essayées et je peux confirmer.

— Vous venez souvent ici ? demanda Neil d'un ton léger.

Pendant quelques secondes, Anna ne sut plus où se mettre.

— Assez régulièrement. Avec des amis, et parfois des hommes.

— Pas de problème. Nous avons plus de trente ans. Ne vous sentez pas obligée de jouer les vierges effarouchées avec moi, dit-il.

Anna trouva assez déplaisant qu'il pointe ainsi du doigt son embarras. À moins qu'il ne s'agisse d'une piètre tentative de la mettre à l'aise.

La conversation cala au milieu d'une chanson de Prince qui passait à plein volume, une de celles où, frénétique, il poussait sa voix dans les aigus pour dire qu'il voulait faire des cochonneries à une dame.

— En fait, je suis poly, dit Neil.

Quoi ? En fait il s'appelle Polly ?

— Pardon ?

La fourchette immobilisée à mi-parcours, Anna se pencha brusquement pour compenser le brouhaha ambiant.

— Comme dans polygame. J'ai plusieurs partenaires en même temps, qui sont toutes au courant de l'existence des autres, expliqua-t-il.

— Ah oui. Je vois !

— Ça vous pose un problème ?

— Absolument aucun ! assura Anna avec peut-être un peu trop d'enthousiasme tout en s'affairant sur ce qui restait dans son assiette et en pensant : *Ça mérite réflexion.*

— D'après moi, la monogamie n'est pas naturelle, mais je me rends compte que c'est ce que beaucoup de gens recherchent. Cela dit, je suis prêt à essayer si la bonne personne se présente, dit-il en souriant.

— Ah.

Trop aimable.

— Peut-être devrais-je également préciser que je suis branché D/s tranquille. Je suis hétéro, mais pas plan-plan.

Anna grimaça un sourire, brûlant de rétorquer : « Désolée, je ne parle pas le pervers. »

Qu'était-elle censée faire de ces informations ? Décidément, les blind-dates accéléraient les confidences personnelles.

— Je veux dire, je ne suis pas *à fond* dans le milieu, poursuivit Neil. J'ai quand même essayé le figging. Mais bon, on est loin du Gorille rasé, ha, ha, ha.

Il évoquait le rasage et des animaux dans le boudoir. Et des figues, si c'était bien de cela qu'il s'agissait dans « figging ». Anna n'était même plus déçue. « Déception », c'était la sortie d'autoroute précédente. Elle traversait un moment d'ahurissement sévère et, à ce rythme, elle prendrait probablement la prochaine sortie vers « Pause salvatrice ».

— Vous ? demanda Neil.

— Quoi ?

— Vous avez des penchants particuliers ?

Anna ouvrit la bouche pour répondre et hésita. Dans d'autres circonstances, elle aurait balancé un : « Ça ne vous regarde absolument pas », mais il s'agissait d'un rencard, donc, logiquement, si, cela le regardait.

— Euh… Mmm. Le sexe normal.

— Le sexe normal.

Bon sang. Elle n'était pas assez préparée et bien trop lucide. Cela lui rappela un entretien bidonnant qu'elle avait passé pour un job d'été dans un cinéma ; on lui avait demandé : « Si votre personnalité était une garniture de sandwich, que seriez-vous ? » Elle avait eu un blanc, avant de répondre : « Du fromage. » « Du fromage ? C'est tout ? » « C'est tout. » « Parce que… ? » « C'est normal. » Fromage normal et sexe normal. Mais qu'est-ce qu'elle fichait sur Internet… ?

Neil l'examina par-dessus le bord de son verre.

— Oh. OK. En voyant votre profil, je ne sais pas pourquoi, j'ai cru que vous vous présentiez comme hétéronormative mais que vous pouviez être du genre fluide.

Anna refusa d'admettre qu'elle ne comprenait pas le sens des mots-clés de cette phrase.

— Désolé si je mets les pieds dans le plat, poursuivit le jeune homme, mais je crois vraiment aux mérites de l'honnêteté. Je suis convaincu que la plupart des relations échouent du fait des mensonges, de l'hypocrisie et de la volonté de chacun de paraître autre chose que ce qu'il est. Il vaut carrément mieux d'entrée de jeu dire : « Je Suis Comme Ça » et être totalement ouvert plutôt que de dire « Waouh » au quatrième rencard. (Neil leva les mains et lui adressa un grand sourire rassurant.) La douche dorée, vous en pensez quoi ?

Et maintenant, mesdames et messieurs, si vous voulez bien remplir vos verres... Trinquons à l'heureux couple, Neil et Anna. Et toi, la mariée effarouchée, cul sec ! Tu seras bien contente d'avoir la vessie pleine tout à l'heure. (Applaudissements.)

CHAPITRE 2

— OK, j'ai mis l'inspecteur Google sur le coup, il va élucider cette histoire de Gorille rasé, annonça Michelle en plissant les yeux sur l'écran de son iPhone, une Marlboro Light dans l'autre main, dont la fumée montait en volutes dans la salle à manger déserte.

Jamais Anna n'aurait pu tenir le choc et endurer tant de rencards foireux sans la perspective de courir retrouver ses amis à la fin de la soirée.

Si leurs horaires de travail ne leur permettaient pas de sortir le soir, Michelle et Daniel étaient les compagnons idéaux du dernier verre pour la route.

On pouvait déguster la «cuisine britannique traditionnelle relevée de la touche du chef» de Michelle à *L'Office*, au rez-de-chaussée d'un immeuble classé d'Upper Street, dans Islington. Avec ses chandeliers anciens, ses palmiers en pots et ses boiseries crème, le restaurant évoquait un décor de série dramatique de la BBC, où l'on imaginait se nouer des liaisons en temps de guerre avec des hommes nommés Freddy, et où l'on n'aurait pas été surpris d'entendre des phrases du genre : «Quelle regrettable affaire…»

Daniel travaillait pour Michelle depuis longtemps. Responsable de salle, il était de ces maîtres d'hôtel vaguement célèbres, décrits dans *Time Out* comme un «personnage». Le mot «personnage» aurait pu être un euphémisme pour «gros con prise de tête», mais Daniel était doté d'un charme véritable et d'une excentricité authentique, laquelle tenait en partie à son apparence : avec ses épais cheveux blond vénitien coiffés sur le côté, sa barbe touffue et ses lunettes à fort grossissement qui lui faisaient des yeux de personnage de dessin animé, il évoquait un croisement entre un lion des Looney Tunes et un professeur de l'Université Ouverte. Il s'habillait comme un crapaud de Beatrix Potter de costumes en tweed démodés et s'exprimait avec une intonation malicieuse et précieuse digne d'Alan Bennett jeune.

Les trois amis se retrouvaient souvent pour boire des coups après la fermeture du restaurant, allongés sur les canapés mis à disposition des clients qui attendaient une table, pendant que les bougies trapues coulaient sur les tables. Michelle conservait son allure professionnelle avec ses Crocs blanches réservées à la cuisine, ses cheveux coiffés en un carré court et brillant, du même rouge que le poulet tandoori servi dans les restaurants indiens, ramenés derrière les oreilles. Elle avait de gigantesques yeux noisette, une bouche généreuse et une silhouette sculpturale, la poitrine s'avançant telle une proue. Un top model d'un autre siècle, coincé à une époque où on la qualifiait de beauté, mais « imposante ».

— Ce n'est peut-être pas une perversion, opina Daniel qui balayait à l'autre bout de la salle. Peut-être sommes-nous les seuls à ne pas faire le gorille rasé, le poulet dansant et le… lapin chasseur.

— J'ai eu un temps le lapin chasseur au menu, et je peux t'assurer que, vu la quantité de sang impliquée dans la préparation, tu n'aimerais pas du tout y voir un euphémisme sexuel, répliqua Michelle, qui louchait toujours sur son écran.

Daniel abandonna son balai et les rejoignit.

— Aujourd'hui, une cliente m'a demandé pourquoi je ne portais pas de filet à cheveux, marmonna-t-il en se servant du porto d'une des bouteilles posées sur la table basse.

— Quoi ? Qui ? J'espère que tu lui as demandé si elle se croyait chez Findus…, gronda Michelle.

—Pour tes cheveux, mais pas pour ta barbe? demanda Anna.

—Si. Elle m'a déclaré que ça n'était pas hygiénique non plus.

—Un filet à barbe? Forcément, il n'y a rien de plus rassurant que de voir quelqu'un te servir à dîner avec un masque de chirurgien, s'énerva Michelle. Attends. C'était qui? La table cinq, avec la végétalienne, l'intolérante au gluten et celle qui voulait remplacer le fromage par plus de salade dans sa salade au stilton et aux noix?

—Ouaip.

—Ça alors, j'en étais sûre! Tu parles d'un trio de peine-à-jouir…

—Remplacer le fromage…? répéta Anna.

Elle aurait pu faire un effort de réflexion, mais, à ce niveau-là de la soirée, elle était assez soûle.

—Américanisme. Une tendance exaspérante. Les gens se comportent comme s'ils commandaient un sandwich – sans mayo, option cornichons…, expliqua Michelle.

—Je crains que nous ne vivions effectivement à l'ère de l'enculage de mouches, et nous ne pouvons pas y faire grand-chose, acquiesça Daniel.

Avec son zézaiement doublé d'un accent du Yorkshire, cela donna « enculaze de mousse », si bien qu'il aurait tranquillement pu faire cette déclaration dans une émission grand public de la BBC. Voilà le secret de Daniel pour désamorcer les crises, songea Anna : quoi qu'il dise, il s'exprimait toujours avec douceur.

Michelle fit glisser son doigt jusqu'en haut de l'écran de son téléphone.

—J't'ai eu! Le Gorille rasé… Oh, là, là, souffla-t-elle en lisant. Je ne suis pas sûre que nos grands-pères aient fait la guerre pour ça.

— Il a bien dit que ça n'était *pas* son truc? demanda Daniel.

— Dan, réfléchis, enfin. C'est une tactique tout à fait classique pour préparer le terrain : on lance d'abord le sujet sur le ton de la plaisanterie, expliqua Michelle en secouant la tête. Bon. T'es prête? Il s'agit d'une pratique sexuelle répugnante où il est beaucoup question de sperme…

Elle présenta l'écran à Anna, qui loucha, lut et fit la grimace.

— Tu veux que je regarde « figging » ? demanda Michelle.

— Non! Ça ne m'intéresse absolument pas et ça ne m'intéressera jamais! Tout ce que je demande, c'est de rencontrer un homme agréable qui voudra coucher normalement avec moi *et avec moi seule*. C'est donc tellement démodé?

— Ce qui n'a jamais été à la mode ne peut pas se démoder, glissa Daniel en tirant légèrement sur le revers de sa veste, tandis qu'Anna lui donnait une légère bourrade.

CHAPITRE 3

— Mais, enfin, où sont passés l'amour et le mystère ? poursuivit Anna en tendant son verre pour qu'on le lui remplisse. Mr Darcy disait : « Oserai-je vous avouer, madame, ô combien ardemment je vous vénère et vous aime. » Pas : « Oserai-je vous avouer, madame, que j'ai un faible pour ce… truc de projection de sperme. »

— Anna n'est pas née à la bonne époque, approuva Michelle. Ça manque de formalités et d'amoureux transis faisant la cour aux damoiselles. Mais, tu sais, si tu vivais au temps de Jane Austen, tu aurais des dents comme des Rice Krispies et sept enfants dont tu aurais accouché sans péridurale. Le revers de la médaille. Qu'est-ce qui t'avait attirée dans le profil de ce Neil ?

— Mmm. Il m'avait semblé sain et assez sympathique, répondit Anna en haussant les épaules.

Michelle écrasa son mégot dans la tasse de café Illy qui lui tenait lieu de cendrier. Elle n'arrêtait pas d'arrêter de fumer, et replongeait immanquablement entre deux tentatives.

Anna et Michelle avaient un peu plus de vingt ans quand elles s'étaient rencontrées chez Weight Watchers. Anna avait réussi haut la main, Michelle avait été recalée. Un jour, le leader dynamique de la secte avait aboyé : « Un esprit fort dans un corps sain ! » Ce à quoi Michelle avait répliqué bien haut, avec son accent du West Country : « C'est Cindy Crawford qui parle à Stephen Hawking » ; puis, dans un silence choqué : « Fait

28

chier, je me barre, j'ai envie d'un Big Mac. » Cette semaine-là, Anna manqua sa pesée et gagna une meilleure amie.

— « Sain et assez sympathique »… ? Tu ne mets pas la barre très haut. J'ai embauché des serveurs qui valaient mieux que ça.

— Ché pas. Je viens de passer la soirée avec un homme qui parlait de pisser sur ses partenaires comme de jouer au tennis et qui m'a demandé ce que j'aimais au lit. Alors tu m'excuseras si je choisis sain et sympathique. Essaie donc les rencontres par Internet, tu verras que tes attentes culbuteront aussi.

Michelle disposait d'un vivier d'hommes qu'elle appelait quand elle avait envie d'une culbute. Un type marié lui avait autrefois brisé le cœur et elle avait décidé de ne plus s'exposer à d'autres déceptions.

— Mais c'est exactement là que je veux en venir, mon chou. Si M. Douche dorée était quelqu'un de « sain », pourquoi ne pas tenter le coup avec M. Excitant ?

— À supposer qu'il accepte de me rencontrer, je n'ai aucune envie de m'infliger la déception de M. Excitant au moment où il me voit.

Il y eut un bref silence. Frank Sinatra braillait *Strangers in the Night* dans la chaîne hi-fi maintenue en un seul morceau grâce à du ruban adhésif, sous la caisse enregistreuse.

— Bon, on lui dit ? demanda Michelle en regardant Daniel. Allez, merde, je me lance. Anna, la modestie est une qualité charmante. Mais pas l'autodénigrement, surtout si ça va jusqu'à se faire du mal. Tu es foutrement géniale. De quelle déception parles-tu ?

Anna soupira et se laissa aller en arrière dans le canapé.

— Ah, là, là. C'est sympa de me dire que je suis géniale, sauf que je ne le suis pas. Sinon je ne serais pas célibataire depuis toujours.

La grand-mère anglaise d'Anna, Maud, citait un affreux dicton sur la folie solitaire de la femme romantique qui rêve au-dessus de ses moyens : « Elle ne voulait pas d'un marcheur, mais les coureurs ne s'arrêtaient pas. »

À onze ans, Anna en avait eu des frissons.

— Qu'est-ce que ça veut dire ? avait-elle demandé.

— Que certaines femmes s'estiment trop bien pour les hommes qui veulent d'elles, mais que, comme elles ne sont pas assez bien pour les hommes qu'*elles*, elles veulent, elles finissent seules.

Maud avait été une rabat-joie finie dans tous les domaines. Mais une rabat-joie pouvait avoir raison plusieurs fois par jour.

— D'où sors-tu cette idée que tu pourrais ne pas être assez bien ? demanda Michelle.

— Probablement du lycée.

Silence. Michelle et Daniel connaissaient toutes ses histoires, bien sûr, jusqu'à celle du Mock Rock. Et ils savaient ce qui s'était passé ensuite. Un silence tendu s'installa, si tant est que quoi que ce soit puisse être tendu quand on est complètement abruti par l'alcool à 1 heure du matin.

Michelle eut la délicatesse de changer de sujet.

— Je ne suis pas sûre que traîner avec nous te fasse du bien. Nous ne sommes d'aucun secours. Je suis une célibataire indécrottable et Dan est… casé.

Michelle prononça ce mot avec une pointe de scepticisme, et il y eut un autre silence.

Daniel sortait avec Penny la Mollasse depuis presque un an. Elle chantait dans un groupe de violon folklorique, Les Non-Dits, et souffrait du syndrome de fatigue chronique. Michelle doutait profondément de ce diagnostic, et prétendait qu'il s'agissait en fait du syndrome de la Grosse Flemme. Daniel avait fait la connaissance de Penny à l'époque où elle travaillait comme serveuse à *L'Office*. L'ayant virée pour incompétence notoire, Michelle estimait avoir le droit d'exprimer son opinion – peu flatteuse – à son sujet.

— Bien sûr que vous m'aidez. Vous m'aidez à cet instant précis, protesta Anna.

— Au fait…, commença Michelle en agitant un bol sur la table. Tu as entendu parler de l'Omelette Arnold Bennett, n'est-ce pas ? Eh bien, voici les Œufs écossais maison du buffet d'Arnold. Sers-toi.

Malgré son mordant, Michelle était d'une gentillesse et d'une générosité infinies. Ce jour-là, elle avait pris en charge le buffet de funérailles d'un ancien client.

— Ça fait une heure que je bave dessus, mais je culpabilisais à l'idée de manger les œufs d'un mort, expliqua Daniel.

— Ils ont été servis à une veillée funèbre, Daniel, dit Michelle. Personne n'assiste à sa propre veillée funèbre. Ce ne sont donc pas les œufs d'Arnold.

— Oh, d'accord. Œuf-xcusez-moi.

Daniel attrapa un œuf et mordit dedans comme dans une pomme.

— Le frère d'Arnold est passé me les rapporter. Il m'a répété les derniers mots d'Arnold. Enfin, ses avant-derniers mots, pour être exacte. Ses tout derniers mots furent : « Pas de limonade, Ros ». Mais ça n'est pas aussi profond. Vous êtes prêts ? C'est assez intense.

Anna la regarda avec des yeux vitreux et hocha la tête.

Michelle fit tomber la cendre de sa cigarette d'une pichenette.

— Il a dit qu'il regrettait d'avoir perdu autant de temps à avoir peur.

— Peur de quoi ? demanda Anna.

Michelle haussa les épaules.

— Il n'a pas précisé. Les terreurs de l'existence, je suppose. Nous avons peur de toutes sortes de choses qui ne nous tueront pas, non ? Des choses que nous nous efforçons d'éviter toute notre vie. Et puis, quand la fin approche, nous comprenons que ce que nous aurions dû redouter, c'était de passer notre temps à essayer de les éviter.

—La peur de la peur elle-même, résuma Daniel en se frottant la barbe où de la chapelure s'était logée.

Anna réfléchit. De quoi avait-elle peur? D'être seule? Pas vraiment. C'était son état naturel, vu qu'elle avait été célibataire presque toute sa vie d'adulte. De ne jamais tomber amoureuse, peut-être. Attendez, non, ce n'était pas exactement de la peur. Plutôt de la déception ou de la tristesse. Alors autour de quel genre de peur son existence était-elle en orbite? Ha. Comme si elle ignorait la réponse à cette question.

Celle de redevenir cette fille, un jour.

Elle songea au mail qui était apparu dans sa boîte de réception la semaine précédente. Elle en avait eu des sueurs froides.

—Certaines peurs sont fondées, objecta Anna. Comme ma peur du vide.

—Ou ma phobie des chats chauves, renchérit Daniel.

—Tu peux m'expliquer ce que ta phobie des chats chauves a de rationnel? demanda Michelle.

—Les félins cachent tous leurs secrets dans leur fourrure. Ne faites jamais confiance à un chat qui n'a rien à perdre.

—Ou ma peur d'assister à la réunion des anciens élèves de mon lycée jeudi prochain, ajouta Anna.

—Quoi? dit Michelle. Ça ne compte pas! Tu dois y aller!

—Et pourquoi ferais-je une chose pareille?

—Pour leur dire: allez vous faire foutre, regardez-moi maintenant: vous n'avez pas réussi à me briser. Ce serait l'occasion de tuer le démon une bonne fois pour toutes. Tu ne trouverais pas ça jouissif?

—Je me fiche de ce qu'ils pensent de moi aujourd'hui, rétorqua Anna avec humeur.

—Justement. Y aller le prouve.

— Pas du tout. Ma présence suggérerait plutôt que je suis furax.

— Faux. Et, écoute, s'*il* est là…

— Il ne viendra pas, l'interrompit Anna qui sentit l'air lui manquer à cette idée. Impossible. Il est bien au-dessus de tout ça.

— Alors tu as encore moins de raisons de te défiler. Tu veux terminer comme Arnold, à te demander à quoi aurait ressemblé ta vie si tu ne l'avais pas passée à avoir peur ? Ce spectacle, au lycée, ce truc à la *Glee* où ils ont été abominables. Tu ne les as jamais revus après, pas vrai ?

— Ouais.

— Alors ça n'est pas fini. Tu as encore des comptes à régler avec le passé. C'est pour ça que tes souvenirs ont encore prise sur toi.

— Par Crom ! s'exclama Daniel en se redressant, le regard braqué sur la baie vitrée du restaurant.

Anna et Michelle se retournèrent. Sur le trottoir, un homme d'une trentaine d'années riait aux éclats. Pantalon et caleçon en berne, il regardait par-dessus son épaule, probablement vers des gens derrière lui.

— Il nous montre son bazar ! s'exclama Anna.

— C'est le roi et le conseil privé, ajouta Daniel.

Hypnotisés, ils virent parmi la foule un peu plus loin les flashs de téléphones portables qui se déclenchaient, clignotant comme des lucioles.

— Je crois qu'il montre ses fesses à ses copains et que nous en subissons les désagréables dommages collatéraux, opina Michelle.

L'homme perdit l'équilibre et tituba en avant, atterrissant dans un bruit sourd mais puissant contre la vitre.

— Eh, eh, eeeh !

Michelle bondit sur ses pieds et fonça vers lui, frappant la vitre de ses phalanges.

—Ces fenêtres coûtent 5 000 livres, mec! Cinq mille!

Dans une scène digne d'un film burlesque, le type bourré, toujours le service trois pièces à l'air, se rendit compte qu'il y avait une femme de l'autre côté de la fenêtre. Il poussa un cri et partit à toutes jambes, en essayant tant bien que mal de remonter son jean.

Ramollis par l'alcool, Anna et Daniel s'évanouirent presque de rire.

Michelle les rejoignit et se laissa retomber dans le canapé. Elle alluma une nouvelle cigarette avec son briquet.

—Va dire à tous ces connards ce que tu penses d'eux, Anna. Sérieusement. Montre-leur que tu n'as pas peur d'eux et que tu t'es remise de leurs brimades. Pourquoi pas? Si tu les évites, tu perds un temps précieux à avoir peur de rien. Ne laisse pas la peur l'emporter.

—Je crois que c'est au-dessus de mes forces, répondit Anna qui riait encore. Je crois vraiment que c'est au-dessus de mes forces.

—C'est exactement pour ça que tu dois y aller.

CHAPITRE 4

D ans le silence clément du bureau désert, James fut assailli par des effluves écœurants de bière blonde renversée, aux relents d'urine caractéristiques.

L'odeur provenait des restes de la session mouvementée de bière-pong de la veille au soir. Sous prétexte de laisser libre cours à leur inspiration, l'équipe des créatifs, composée de hipsters urbains, se lâchait totalement. Face au désordre qu'elle laissait derrière elle, la femme de ménage avait commencé à contre-attaquer, clarifiant tacitement ce qui relevait de sa juridiction. Les jeux d'alcool popularisés par les étudiants nord-américains n'en faisaient manifestement pas partie.

James sentit l'irritation le gagner face à cette grève du zèle, aussitôt supplantée par la culpabilité. Harris, le manager, passait un savon à la femme de ménage chaque fois que leurs chemins se croisaient, et James se demandait comment il pouvait encore se regarder dans la glace.

Elle a l'âge de ta mère, porte des leggings informes et gagne sa vie en dépoussiérant ton bureau. À moins d'être un vrai salaud, tu devrais plutôt t'en tenir à lui laisser un renne en chocolat Lindt et un billet de vingt livres pour Noël.

Sauf que, de toute évidence, Harris *était* un vrai salaud.

Cela faisait six mois que James rêvait que quelqu'un débarque chez Parlez pour remonter les bretelles de ses collègues. Pas lui, évidemment. Quelqu'un d'autre.

Quand il avait commencé dans l'entreprise – une agence de conseil en marketing numérique et multicanal offrant des stratégies dynamiques et sur mesure pour donner vie à votre marque –, il avait cru avoir trouvé une sorte de Walhalla dans EC1. C'était le genre d'endroits dont n'importe quel conseiller d'orientation aurait soutenu à des ados de seize ans qu'ils n'existaient pas.

La musique à plein volume se superposait au vacarme des conversations ; des visiteurs aux tenues branchées entraient et sortaient sans rien demander à personne ; quant à ses collègues, ils n'hésitaient pas à se précipiter chez un caviste du quartier quand l'envie les prenait soudainement de boire des cocktails à plus de soixante degrés.

Chacun faisait son travail à un moment, entre deux visionnages de clips sur YouTube où l'on voyait des chatons affublés de nœuds papillons faire du skateboard, les parties de Subbuteo et les discussions sur la nouvelle série américaine du moment que tout le monde téléchargeait illégalement.

Et puis un jour, tout d'un coup, aussi brutalement que si quelqu'un avait appuyé sur un interrupteur, ce chaos stimulant s'était transformé pour James en douce torture. Les conversations lui semblèrent soudain ineptes, la musique abrutissante et le défilé nonchalant de visiteurs *fashion* horripilant. Et il avait fini par accepter la loi immuable selon laquelle un déjeuner arrosé = un mal de crâne à l'heure du thé. Parfois, c'était tout ce qui empêchait James de se lever et de hurler : « Eh ! Vous n'avez pas un bureau où vous êtes censés travailler ou une maison où on vous attend ? Parce que ceci est un *lieu de travail* ! »

Il avait l'impression d'être un adolescent auquel ses parents auraient confié la maison pour lui donner une leçon, et il avait vraiment envie de les voir rentrer de vacances, chasser les squatteurs et préparer le dîner.

Alors qu'il croyait avoir réussi à dissimuler ses sentiments, Harris avait récemment commencé à l'asticoter, manifestement doté des antennes des brutes qui, au lycée, cherchent à s'assurer de votre loyauté. Ce jour-là, Ramona, la punk écossaise aux cheveux roses qui se baladait toute l'année le ventre et le piercing au nombril à l'air, était en train de pincer Harris aux épaules pour le faire hurler, quand celui-ci avait surpris la grimace de James.

— Arrête, arrête! À cause de toi, James nous déteste! avait-il crié à la jeune fille. Tu ne peux vraiment pas nous encadrer, hein? Avoue. Tu nous détestes, pas vrai?

James ne voulait pas paraître homophobe, mais, à force de travailler avec Harris, il en était venu à penser que la caricature de la follasse peau de vache n'était pas devenue un stéréotype par hasard.

Et ils avaient beau travailler dans un sous-sol de Shoreditch doté d'un Babyfoot, ils n'échappaient pas aux travers insignifiants et mesquins de la vie de bureau. La porte du réfrigérateur était recouverte de magnets retenant des petits mots secs commençant tous par: «Merci de ne pas…» Les bouteilles de lait en plastique étaient marquées au feutre indélébile du nom de leur propriétaire. Et les gens prenaient vraiment mal que quelqu'un utilise leur tasse. James avait envie de mettre un mot sur la sienne: «Si vous avez une tasse attitrée, vérifiez votre âge. Vous êtes peut-être protégé par les lois sur le travail des enfants.»

James s'enjoignit de profiter de ce rare interrègne de paix avant l'arrivée de tous ses collègues. L'impression de calme dura le temps que mit son fond d'écran à apparaître.

C'était assez affligeant d'avoir un diaporama de votre magnifique épouse sur un ordinateur portable que vous emportiez au bureau, il le savait. Il y avait bien glissé quelques photos du chat, mais, franchement, il ne trompait personne. C'était de la frime pure et simple.

Sauf que, quand cette épouse vous avait quitté, le défilé de clichés s'était changé en un manège d'arrogance, de moquerie et de douleur. James aurait pu en changer, mais il n'avait informé personne de leur séparation et ne voulait éveiller aucun soupçon.

Il suffisait qu'il délaisse son ordinateur un instant et parle à quelqu'un, puis qu'il se tourne de nouveau vers l'écran, pour découvrir une autre version d'Eva Kodak dans toute sa splendeur. Lunettes de soleil à monture blanche, queue-de-cheval et barrettes enfantines à Glastonbury, devant un camping-car. Boucles blond platine, une touche de rouge à lèvres vermillon, mordant de ses dents blanches la queue d'un homard lors d'un dîner d'anniversaire chez *J Sheekey*.

Ébouriffée, tête du réveil, perchée sur le rebord d'une fenêtre du *Park Hyatt* de Tokyo au lever du soleil, vêtue d'une veste et d'un pantalon American Apparel, recréant *Lost in Translation*. Classique chez Eva – sa vanité dévorante jouée comme une blague entendue.

Et, bien sûr, la photo « jeunes fiancés » avec James. Une journée de canicule, un pique-nique Fauchon sur la rive du lac Serpentine et, enfouie dans le panier en osier, une bague en bonbon en forme de cœur sur laquelle était imprimé « Sois Mienne » dans une minuscule boîte bleue de chez Tiffany (elle avait choisi la vraie plus tard). Eva arborait une coiffure tressée en couronne à la Heidi et ils se serraient l'un contre l'autre dans le cadre, les joues rosies par le champagne et le triomphe. James contempla le grand sourire qui lui barrait le visage – celui d'un imbécile heureux.

Il eut soudain la sensation que les tissus de sa poitrine et sa gorge s'étaient durcis, la même que quand elle l'avait fait s'asseoir et lui avait annoncé que ça ne marchait pas pour elle, qu'elle avait besoin d'air et qu'ils avaient peut-être précipité les choses.

Il soupira et vérifia qu'il avait bien apporté toutes ses tablettes Apple de tailles différentes. Un voleur se serait facilement fait 3 500 livres en le détroussant.

Son portable sonna. Laurence.

— Jimmy. Ça baigne ?

Mmm. « Jimmy » n'augurait rien de bon. Jimmy était un alter ego désinvolte que Loz n'invoquait que quand il voulait quelque chose de James.

— La réunion d'anciens élèves, ce soir.

— Ouaip ?

— T'y vas ?

— Pourquoi m'infligerais-je une chose pareille ?

— Parce que ton meilleur pote t'a supplié d'y aller en échange de te payer des coups toute la soirée, et qu'il t'a promis qu'à 21 heures vous auriez mis les voiles ?

— Désolé, mais non. Rien que d'y penser, j'ai un prolapsus de l'âme.

— L'image est un peu violente…

— Tu te rends compte que, vu nos âges, tout le monde va vouloir frimer avec ses gamins ? On ne va entendre parler que des « jeux d'imagination » de Myrtille. Brrrr.

— T'as l'air d'avoir oublié notre lycée. Je m'attends plutôt à tomber sur Tyson Grobras en liberté conditionnelle.

— Pourquoi tiens-tu tant à y assister ? demanda James.

— Simple curiosité.

— Curiosité de savoir si tu trouveras quelqu'un à mettre dans ton lit.

— Tu n'as pas envie de découvrir si Lindsay Bright est toujours aussi canon ?

— Beurk, non. Je parie qu'elle a l'air d'une conservatrice du Surrey.

— Mais version cochonne, genre Louise Mensch. Oh, allez. Qu'est-ce que tu vas faire un jeudi soir, maintenant que tu es tout seul ? À part regarder la télé en calbute ?

James grimaça. Sa poubelle Brabantia débordait d'emballages de plats individuels surgelés.

— Pourquoi ma télé porterait-elle un caleçon ? éluda-t-il aussi mollement qu'il se sentait.

—Ouarf ouarf.

Le téléphone de James indiqua un double appel. Eva.

—Loz, j'ai un appel. Je te rappelle dans une minute pour réitérer mon refus.

Il pressa une touche pour raccrocher et prendre l'autre ligne.

—Salut. Comment va? dit-elle.

Sarcastique, James imita son ton désinvolte.

—Salut. À ton avis?

Soupir.

—J'ai les gouttes auriculaires de Luther. Il faut que je te les apporte et que je te montre comment les lui administrer.

—Est-ce qu'elles se mettent dans les oreilles?

Opter systématiquement pour l'ironie amère n'était probablement pas la meilleure tactique, James en avait conscience. Malheureusement les mots lui échappaient toujours avant qu'il n'ait eu le temps de leur faire passer un contrôle de sécurité.

—Est-ce que je peux passer ce soir?

—Ah, ce soir, je ne peux pas. Occupé.

—Occupé à quoi?

—Excuse-moi, mais ça te regarde?

—C'est juste que, vu le ton que tu prends avec moi, James, je te soupçonne de te montrer particulièrement peu coopérant.

—Je vais à une réunion d'anciens élèves.

—Une réunion d'anciens élèves? répéta Eva, incrédule. Je ne t'aurais pas cru intéressé par ce genre de chose.

—Je suis un homme plein de surprises. Il faudra donc que tu passes à un autre moment, pour Luther.

Une fois qu'ils eurent raccroché, James s'accorda de savourer le plaisir acerbe d'avoir remporté une petite bataille dans la guerre. Le sentiment de satisfaction dura trois bonnes secondes, jusqu'à ce qu'il se rende compte qu'il lui faudrait désormais assister à cette réunion.

Il pourrait mentir, mais non. Cela méritait une petite référence isolée sur les réseaux sociaux, en guise de preuve fortuite – une photo, un « Moi aussi, ça m'a fait plaisir de te revoir » à un nouveau contact Facebook –, histoire de faire savoir à Eva qu'elle ne le connaissait pas aussi bien qu'elle le croyait.

— B'jour !

Ramona se débarrassa de son cache-oreilles orné de têtes de moutons.

— Rhâââ, qu'est-ce qui m'a pris de boire un mercredi ? J'agonise, j'te jure.

— Ha, dit James en pensant très fort : *Je t'en prie, épargne-moi les détails.*

Naturellement, il passa le quart d'heure suivant à l'écouter raconter sa soirée, qu'elle répéta ensuite à chaque nouvel arrivant. Qui aurait cru que boire du vin servi dans des gobelets en plastique d'une contenance d'un demi-litre pouvait vous soûler ?

CHAPITRE 5

Anna tapa « Gavin Jukes » dans le moteur de recherche de Facebook, espérant que son nom serait suffisamment rare pour être facile à débusquer. Elle n'était pas tout à fait sûre de ses motivations. Disons qu'elle avait besoin de quelqu'un qu'elle pourrait saluer en toute sécurité – à condition qu'il vienne.

Elle trouva son profil, le deuxième en partant du bas, reconnaissant le long nez et le menton sur la photo. Elle cliqua sur sa page. Le cliché était un portrait de famille. Une femme, trois enfants. Finalement, les hommes n'étaient pas son truc. Vit à : Perth, Australie.

Bien joué, Gavin.

Quand il était question de Rise Park, elle comprenait la tentation de partir si loin que, si on faisait un pas de plus, on commençait à se rapprocher.

Sur son bureau, le téléphone sonna.

— Un paquet pour vous ! trilla le joyeux Jeff à l'accueil.

Anna raccrocha et dévala l'escalier. Jeff était en train de poser le colis sur le comptoir de la réception. Il s'agissait d'une grande boîte noire peu profonde ornée de lettres embossées, maintenue fermée par un large ruban en satin. L'emballage proclamait subtilement, mais sans laisser planer le moindre doute : « J'ai fait une folie. »

— Quelque chose de joli ? dit Jeff avant de marmonner : Ça ne me regarde pas, bien sûr.

Il rougit visiblement à l'idée qu'il puisse s'agir d'une tenue affriolante de chez Agent Provocateur, avec des ouvertures à fanfreluches et des sangles terminées par des boucles.

Bien que ce ne soit pas le cas, Anna s'empourpra à son tour, sachant qu'elle ne pouvait le détromper sans nourrir ses soupçons. C'était comme d'utiliser le box qui pue dans des toilettes publiques et de ne pas pouvoir ensuite prévenir la personne suivante, sous peine de lui faire croire que vous tentiez un double bluff caca.

—Une robe, se dépêcha-t-elle de répondre. Pour une… soirée.

—Ah, dit Jeff en évitant son regard. Sympa.

Manifestement, dans la tête du jeune homme, elle portait déjà un masque d'opéra au nez pointu façon *Eyes Wide Shut*, et dansait lascivement sur *Windowlicker* d'Aphex Twin.

Elle regagna son bureau, tenant la boîte à plat sur ses paumes, à l'horizontale. Elle devait ressembler à un livreur de pizzas.

Le département d'histoire de l'University College de Londres s'étendait sur une rangée de maisons de ville géorgiennes, aux hauts plafonds et énormes fenêtres à guillotine. C'était un lieu de travail magique. Dans ses accès de sentimentalisme, Anna y voyait une compensation spirituelle pour l'époque de sa scolarité – le rêve après le cauchemar. Le bâtiment sentait les tapis anciens et de grandes lampes rondes diffusaient une lumière dorée qui donnait l'impression de vivre à l'intérieur d'un souvenir chaleureux.

Anna poussa la porte de son bureau avec son dos, heureuse que personne ne l'ait aperçue. Elle aurait été bien embarrassée d'entendre un collègue s'écrier : « Oooh ! Enfile-la, qu'on voie. »

Anna avait peut-être perdu du poids depuis ses années lycée, faisant désormais une taille parfaitement standard, mais elle ne pensait et n'agissait pas pour autant comme la femme mince qu'elle était devenue. Elle nourrissait toujours une profonde aversion pour les magasins de vêtements. L'avènement du shopping sur Internet avait été une révélation. Elle préférait largement faire ses essayages dans son bureau.

Ainsi, quand elle s'était rendu compte qu'il lui faudrait une robe pour la réunion – non, pas une simple robe, mais une tenue absolument renversante, véritable doigt d'honneur vestimentaire –, elle était allée directement sur le site d'un couturier très cher et avait dépensé en un clic le prix d'un joli week-end.

Elle ôta le couvercle et écarta dans un bruissement le papier de soie au milieu duquel reposait la robe hors de prix. Cela ne faisait pas beaucoup de tissu pour… Bon, elle n'allait pas s'éterniser sur le montant de sa dépense.

Anna la déposa précautionneusement sur un fauteuil et vérifia que la porte de son bureau était fermée à clé. Puis elle s'extirpa de sa tunique Zara informe et passa la robe du soir. Elle l'ajusta en tenant très précautionneusement le tissu entre le pouce et l'index, comme s'il s'était agi de soie d'araignée, puis remonta la fermeture Éclair d'une taille rassurante, avec seulement une légère inspiration.

Mmm. Elle pivota dans un sens, puis dans l'autre, face au miroir. Pas tout à fait la transformation qu'elle escomptait. Une robe noire reste une robe noire. Elle battit des bras et regarda les manches en mousseline de soie diaphane flotter un instant. « La danse des canards » résonna dans sa tête.

Sur le mannequin du site Internet, au visage aussi pâle et inexpressif qu'un robot d'Isaac Asimov, la robe fourreau noire Prada avait le chic de Rita Hayworth sirotant un cocktail au bar du *Waldorf-Astoria*. Sur elle, Anna la trouvait un peu vulgaire. Elle se vit chanteuse sur un bateau de croisière, interprétant *Unbreak My Heart* pendant que les convives se régalaient de leur veau en croûte et ses pommes de terre sautées.

Perdue dans la contemplation de son reflet, elle ne put s'empêcher de se rappeler cet autre jour, cette autre robe. Et cette autre fille.

Finalement, elle décrocha son téléphone.

— Michelle. Je n'irai pas à la réunion. C'est de la folie. Et je ressemble à Severus Rogue dans cette robe.

— Bien sûr que tu y vas. Tu vas voir, après, tu te sentiras incroyablement légère. Comme après un lavage d'intestin. Barry! Prépare ce calamar au lieu de jouer aux marionnettes! Désolée, je parlais à mon apprenti.

— Je ne peux pas, Michelle. Et s'ils se moquent de moi?

— Ça n'arrivera pas. Et, à supposer qu'ils osent, au fond de toi, tu n'as pas envie de revivre ce moment, histoire de les envoyer tous se faire foutre?

Anna ne voulait pas admettre ce qu'elle redoutait vraiment. Et si elle s'effondrait, en larmes, obligée de reconnaître qu'elle était toujours Aureliana, malgré les diplômes en plus et les kilos en moins?

— Est-ce que cette robe que tu ne vois pas me va bien?

— S'agit-il de la Prada dont tu m'as envoyé le lien? BARRY! Enlève ça de cette saucisse! Tu te crois où, putain? Chez Aardman Animations? Il n'y a pas moyen qu'elle ne t'aille pas. Ton problème, en fait, c'est que tu seras tellement canon que tous les regards seront braqués sur toi.

— Toc-toc! Demande d'autorisation d'entrer dans ton antre! chantonna Patrick à travers la porte.

— Michelle, il faut que j'y aille.

— Exactement. Il *faut* que tu y ailles.

Anna rit et grogna à la fois.

— Entre! cria-t-elle.

Qualifier d'antre la pièce honteusement désordonnée qu'occupait Anna au deuxième étage était parfaitement justifié.

En tant qu'enseignante, spécialiste de la période byzantine, elle bénéficiait de l'indulgence qu'on accorde à la figure du Professeur Maboule. En matière de ménage et de rangement, elle en abusait. Les livres s'empilaient sur les dossiers, qui s'entassaient sur encore plus de livres. Le chaos ambiant était néanmoins une insulte à la beauté de la pièce, et Anna en éprouvait une certaine culpabilité.

Le bureau de Patrick se trouvait à l'autre bout du couloir. Il enseignait le commerce de la laine sous les Tudor. Ils avaient commencé à l'University College de Londres à peu près en même temps et partageaient leur passion pour leur travail, ainsi que la capacité d'en rire et de parler de tout à fait autre chose, qualité peu commune dans le monde universitaire. La plupart de leurs collègues étaient incroyablement sérieux. Vivre dans les sommets de l'intelligence pouvait manifestement entraîner des dysfonctionnements dans le domaine du quotidien. Comme le disait Patrick, tous ces brillants enseignants avaient des cerveaux de la taille de planètes mais étaient incapables de cuire un œuf.

Patrick commençait souvent sa journée en apportant une tasse de thé à Anna. Il buvait la sienne assis sur le fauteuil de bureau bleu vif – après l'avoir débarrassé d'une pile de boîtes de classement, du manteau d'Anna et de divers éléments qu'elle utilisait pour ses cours.

Patrick tendit sa tasse à Anna.

— Juste ciel ! Nouvelle robe ? s'exclama-t-il en regardant Anna poser son thé.

— Ah, ouais.

Elle se retourna pour lui faire face et se planta mains sur les hanches, jambes légèrement écartées, tel un plombier s'apprêtant à annoncer le tarif de la réparation d'une chaudière particulièrement capricieuse.

— C'est pour l'exposition Théodora ? Je croyais que l'inauguration avait lieu plus tard…

— Non, malheureusement. Réunion d'anciens élèves, ce soir. J'hésite encore à y assister. Le lycée a été une période sombre pour moi.

Patrick plissa les yeux.

— Oh. Bon. Alors pourquoi y aller ?

— D'après une amie, ce serait un acte de rébellion. Elle est folle, non ? Je ne crois pas en être capable. C'est une idée à la con. Oh, tu veux bien me rendre un service ? Tu peux arroser Boris ? demanda Anna en indiquant du menton une bouteille de lait remplie d'eau écumeuse posée sur le rebord de la fenêtre à côté d'un gros yucca visiblement fatigué. Je doute que Prada et arrosage fassent bon ménage.

Le jeune homme versa obligeamment trois centimètres de liquide grisâtre dans la terre de Boris.

Patrick avait des cheveux auburn coupés net, et son allure frêle et sous-alimentée donnait l'impression qu'il avait été extirpé d'une coquille plutôt que du ventre d'une femme. En guise d'uniforme, il portait invariablement un pull col V fin et une veste en velours côtelé moutarde avec des renforts en cuir aux coudes. Il prétendait être devenu un tel cliché du monde universitaire qu'il transcendait la caricature et incarnait le modèle original.

Il leva les yeux vers un portrait qui ornait un mur du bureau d'Anna.

— Demande-toi ce que ton héroïne, l'impératrice Théodora, déciderait à ta place.

— Elle les ferait tous assassiner ?

— Deuxième meilleure option : sois belle à tomber, proposa Patrick.

CHAPITRE 6

Debout dans la cage d'escalier d'un pub particulièrement miteux de l'est de Londres, Anna considérait une pancarte accrochée au mur avec de la Patafix, proposant deux options écrites en Comic Sans MS.

Fête de départ de Beth ->
<- Réunion des anciens élèves de Rise Park

Zut. Dommage qu'elle ne connaisse pas Beth. Ce prénom évoquait quelqu'un de jeune qui s'apprêtait probablement à faire le tour du monde. Il s'agissait manifestement d'une soirée karaoké, car une très mauvaise interprétation de *Patience* de Take That filtrait du quartier général de Beth.

Avec encore dans les boyaux le grésillement acide de la vodka orange qu'elle avait bue avant de partir pour se donner du courage, Anna gravit à contrecœur les marches grinçantes et usées, puis parcourut le couloir où flottait une odeur de renfermé, jusqu'à la porte indiquée. Elle sentait son pouls battre dans son cou, aussi anxieuse que si elle avait déambulé dans la maison hantée d'une fête foraine, le corps tendu dans l'attente d'être surprise. Sous la mousseline de soie du grand couturier milanais, la jeune femme suait ferme.

Une autre inspiration, plus profonde. Anna se remémora les paroles de Michelle : c'était une démonstration de force. Elle ouvrit la porte et fit un pas dans la pièce. L'endroit était presque désert. Quelques personnes qu'elle ne reconnut pas lui jetèrent un bref regard avant de se replonger dans leurs conversations. Dans tous les scénarios (nombreux) qu'elle avait envisagés, une galerie de visages familiers se tournaient pour la dévisager, avec en fond sonore le grincement de l'aiguille d'un tourne-disque sur un microsillon. Mais non. Rien.

Ceux dont elle redoutait le plus la présence n'étaient pas encore arrivés – à supposer qu'ils viendraient. Elle essaya de définir si elle se sentait soulagée ou déçue. Bizarrement, les deux émotions se mélangeaient.

Au-dessus du bar, une bannière affaissée annonçait une réunion d'anciens élèves : 16 ANS APRÈS NOS 16 ANS !!!!!! Allons bon, des points d'exclamation. C'était comme si un hyperactif agitait des maracas sous votre nez.

Anna commanda un verre d'un vin blanc qui avait la température d'un bain tiède et alla faire tapisserie sur le côté gauche de la salle. Elle estima les autres à une unité d'alcool de circuler plus librement et de l'aborder. Elle allait finir son verre et déguerpir. Voilà, elle avait mis la tête dans la gueule du lion. Fait. Et elle méritait un bon point pour avoir relevé le défi seule. Elle ne s'expliquait pas très bien cette nécessité de venir, mais c'était ainsi. Comme quand le héros d'un film d'action grogne : « C'est quelque chose qu'il faut que je fasse pour moi. »

Elle ressentait une profonde désillusion – mais était-ce vraiment étonnant ? À quoi s'attendait-elle ? À ce que tout le monde fasse la queue pour lui présenter des excuses ?

Sur le mur opposé, on avait disposé un assortiment de photos sur de grandes feuilles de papier à dessin. Au-dessus, des lettres enfantines en forme de bulles annonçaient : *Promo 97*. Anna savait qu'elle n'y apparaissait pas. Personne ne l'aurait invitée à se serrer – serrer étant le mot-clé – dans les photos prises avec l'appareil photo jetable.

Sous le pêle-mêle, on avait installé un buffet d'amuse-gueules figés auquel personne n'avait commis l'imprudence de toucher. Une fois les convives suffisamment bourrés, quelques pauvres pâtisseries finiraient peut-être par être englouties, mais les crudités étaient purement décoratives.

La pièce se remplit sans discontinuer. De temps à autre, apparaissait un fantôme du passé – personne de bien important, seulement la version étrangement vieillie d'un visage qu'Anna se rappelait vaguement avoir aperçu parmi les groupes qui peuplaient la cantine, la cour de récréation ou le terrain de sport. Une ancienne élève se détachait du lot : Becky Morris, une fille potelée qui lui avait pourri la vie en terminale, histoire de bien marquer qu'elles n'avaient rien en commun. Anna remarqua qu'elle avait toujours l'air aussi malveillante, quoique plus fatiguée.

Étrangement, au lieu d'en tirer une satisfaction diabolique, Anna se sentit diminuée par la plate médiocrité de tous ces gens.

Comment avait-elle pu se laisser rabaisser ainsi ? La banalité du mal, le magicien qui s'agite derrière le rideau à Oz… En comparaison, Anna avait l'impression de porter un masque d'Halloween inversé, circulant parmi eux sous les traits d'une semblable, un visage normal couvrant l'horreur comique cachée sous la surface.

Attendez… Était-ce… Se pouvait-il… NON. Si. *C'était*.

Blotties dans le coin opposé se tenaient Lindsay Bright et Cara Taylor. C'était tellement étrange de les regarder. Anna les reconnut instantanément, bien que la vivacité de ses souvenirs se soit émoussée, à la façon des photographies qui perdent leurs couleurs avec le temps.

Autrefois dotée d'une crinière blonde, Lindsay avait désormais les cheveux mi-longs, châtain clair – les racines apparentes auraient eu besoin d'être retouchées. Si elle s'était épaissie à la taille, sa robe près du corps révélait d'interminables jambes bronzées aux U.V. Sa moue hautaine d'adolescente lui avait laissé des rides et une expression maussade permanente. En fermant les yeux, Anna pouvait revoir la Lindsay d'autrefois dans sa jupe de hockey, mâchant un chewing-gum, aussi désinvolte et glamour que menaçante.

Les cheveux sombres de Cara étaient coupés court, et elle avait le teint cireux et les traits tirés de l'ado qui fumait en cachette et qui n'a jamais arrêté. Elle avait autrefois la charmante habitude de frapper Anna derrière les mollets avec une règle en la traitant de sale gouine.

C'était donc ça, la révélation censée la libérer ? Les terrifiantes et éblouissantes princesses de glace d'autrefois avaient disparu. Restaient deux femmes un peu usées par la vie, prématurément vieillies et que vous n'auriez pas remarquées si elles vous avaient dépassé en poussant un Caddie au supermarché. Anna n'arrivait pas à savoir ce qu'elle ressentait. Elle aurait été en droit de jubiler, mais elle s'y refusait. Ses découvertes ne changeaient rien.

Lindsay et Cara lancèrent un regard dans sa direction. Anna sentit son cœur tambouriner dans sa poitrine. Qu'allait-elle bien pouvoir leur dire ? Pourquoi n'avait-elle rien préparé ? Et que dit-on à ses anciens tourmenteurs ?

« Vous est-il arrivé ne serait-ce qu'une fois de vous mettre à ma place ? Vous n'avez jamais eu honte de vous ? Comment avez-vous pu faire ça ? »

Mais Anna comprit en sondant leur regard qu'elles ne l'avaient pas reconnue. Les yeux de Lindsay et Cara glissèrent sur elle, et elles continuèrent de discuter. Anna en conclut qu'elles s'étaient probablement contentées de jeter un coup d'œil à l'unique autre femme élégante dans la pièce.

Et là, tandis que les minutes s'égrenaient, Anna eut une illumination. Ils ignoraient qui elle était. Voilà pourquoi personne ne lui adressait la parole. Elle avait tellement changé qu'ils ne la reconnaissaient pas. Or ils ne prendraient jamais le risque d'admettre qu'ils l'avaient oubliée.

La porte de la salle s'ouvrit de nouveau et deux hommes entrèrent, avec l'air de penser que la cavalerie était arrivée.

Manifestement, la cavalerie ne fut pas particulièrement ravie du spectacle.

Quand ils se tournèrent vers elle, elle eut l'étrange impression que son souffle se coinçait dans sa gorge, que son cœur s'écrasait contre sa cage thoracique, que tous les sons lui parvenaient de très loin…

Chapitre 7

James avait dû tomber bien bas pour s'infliger une épreuve pareille uniquement dans le but de marquer un misérable point contre Eva.

Coincé dans cette salle sans fenêtre à l'étage d'un pub minable, il contempla, atterré, les ballons en forme de poire à moitié ratatinés qui pendaient deux par deux de-ci, de-là, et ne put s'empêcher de les comparer à des espèces de testicules aux couleurs criardes. Comme toujours avec la gaieté forcée, l'effet était pathétique. Les murs étaient tapissés jusqu'à une plinthe de papier peint texturé couleur foie. Dans l'air flottait une odeur de renfermé et de tabac froid datant d'avant l'interdiction de fumer dans les lieux publics. Le genre de pub où il ne mettait jamais les pieds.

Contre un mur, sur une table montée sur des tréteaux et habillée d'une nappe en papier, s'alignaient des assiettes de mini-Babybel, des bols de chips et des saucisses cocktail ratatinées. En guise de tribut à l'équilibre alimentaire, des bâtonnets de concombre, de céleri et de carottes flétris avaient été disposés comme des rayons de soleil autour de pots de guacamole de supermarché, de tarama rose chewing-gum et d'aïoli fluorescent.

Il n'y a qu'un sociopathe pour manger de l'aïoli en société, songea James.

Dispersés dans la pièce, les convives s'étaient grossièrement divisés en deux groupes, hommes d'un côté et femmes de l'autre, comme revenus à la grande époque de la puberté, quand les genres ne se mélangeaient pas. Observant les hommes, il en reconnut un grand nombre, bien que leurs traits semblent s'être amollis, fondant et glissant vers le bas. Les tignasses aussi avaient migré vers le sud, du cuir chevelu au menton.

James se sentit parcouru d'un frisson de joie mauvaise à l'idée de ressembler encore au lycéen qu'il avait été, malgré quelques kilos en plus.

Il fit l'objet de nombreux regards scrutateurs, rapides mais durs ; il savait pourquoi. Si ses anciens camarades avaient découvert qu'il s'était laissé aller, ses oreilles auraient sifflé toute la soirée.

Ha ! Au bar, il avait salué Lindsay Bright, qui l'avait royalement ignoré ! Elle avait beau être une sorte d'ex-petite copine, elle ne pouvait quand même pas lui en vouloir encore pour des choses qui s'étaient passées dix-sept ans auparavant ? James frissonna en pensant qu'ils auraient pu avoir un gamin en train de passer son bac.

En revenant avec deux pintes de Foster's, Laurence hocha la tête en direction de Lindsay.

— Eh ben, on peut pas dire qu'elle se soit bonifiée comme le bon vin, marmonna-t-il. Tout en lèvres et en cul, comme un mauvais hamburger. Dommage.

— On peut y aller, alors ? marmonna James.

Ce foutu Laurence et ses foutus plans drague. Et tout ça pour des femmes auxquelles il avait déjà fait des avances…

— Je doute que tu trouves ton bonheur ici, ajouta-t-il.

— Ouaaais… Non, attends. Nom de… C'est qui, ça ?

James suivit son regard jusqu'à une femme qui se tenait à l'écart. Il se rendit compte qu'il l'avait déjà survolée des yeux à de nombreuses reprises sans vraiment la voir, non qu'elle n'en vaille pas la peine, mais, avec ses cheveux noirs, son teint olivâtre et ses vêtements foncés, elle se fondait dans le décor telle une ombre.

La Femme Mystérieuse était tirée à quatre épingles. James l'aurait bien vue jouer le personnage d'une patronne de trattoria fêtant son divorce dans *EastEnders*. Il imaginait parfaitement Eva lui dire que l'esprit masculin était bien trop rudimentaire pour en apprécier les bienfaits.

Elle était d'une beauté digne d'un film indépendant européen ou d'une publicité pour une marque d'expresso. Longs cils épais, yeux bruns vaguement mélancoliques, sourcils fournis rappelant une courbe calligraphique au stylo-plume, cheveux d'un noir d'encre coiffés en un chignon lâche sur le sommet du crâne. L'un dans l'autre, elle n'était pas spécialement son genre, mais il voyait ce qu'elle pouvait avoir de séduisant. Surtout dans cet environnement morose.

— Oh, il faut absolument que nous allions la saluer. Je suis consterné à l'idée qu'elle ait pu participer à un programme d'échange sans que nous l'ayons initiée aux coutumes de notre pays, déclara Laurence.

— Tu te rends compte que tu arrives à un âge où ton comportement est grotesque ?

— Tu n'es donc absolument pas curieux de découvrir qui elle est ?

James jeta un nouveau coup d'œil à l'inconnue. Son corps trahissait une envie désespérée qu'on la laisse tranquille, le bras qui tenait son verre serré contre son torse. Son identité et sa présence étaient une énigme. Si James avait été seul, il l'aurait peut-être abordée, vu qu'elle représentait l'unique élément de mystère dans la pièce. Par contre, il n'avait aucune envie d'assister à une tentative de séduction de Laurence.

— Je sais qui c'est. C'est la femme du type qui va te mettre son poing dans la figure dans environ un quart d'heure, dit-il d'un ton brusque.

— Pièce rapportée ?

— Évidemment.

Pour James, il ne faisait aucun doute que cette femme était une exotique étrangère. Elle n'avait pas fréquenté son lycée – son radar d'adolescent libidineux n'aurait pas manqué de la détecter. Il s'agissait incontestablement d'une de ces épouses qu'on exhibe comme un trophée, traînée dans cet endroit à contrecœur. Et les femmes présentes ne la connaissaient visiblement pas, ce qui confirmait sa théorie.

— Mariée ou pas, elle est magnifique.

— Pas si canon que ça, et pas mon genre, répliqua James d'un ton sec, espérant décourager Laurence.

Au moment où il prononçait ces mots, l'inconnue regarda dans leur direction.

La Femme Mystérieuse avala la fin de son verre d'un trait et remonta la sangle de son sac à main sur son épaule.

— Oh non, merde! Penelope Cruz s'en va? J'y vais, dit Laurence.

Chapitre 8

Entre vingt et trente ans, Anna avait maintes fois rêvé de rencontrer James Fraser par hasard, imaginant plusieurs répliques cinglantes et pleines d'esprit, reproches amers assénés devant sa femme, ses enfants et ses collègues sur le salaud suffisant et pervers qu'il avait été. Elle terminait généralement sa tirade sous les applaudissements de tous.

Et voilà que ses vieux rêves se réalisaient. Il était là. En chair et en os.

Anna n'aurait eu qu'à faire quelques pas pour pouvoir lui dire ce qu'elle voulait. Mais une seule pensée lui venait à l'esprit.

Beurk. Je ne veux plus jamais fouler le même carré de moquette que toi.

Il était aussi beau qu'autrefois, elle le lui concédait. Toujours les cheveux noir obsidienne, qu'il portait désormais artistement ébouriffés, ayant abandonné cette stupide coiffure tombante que tous les garçons arboraient dans les années 1990. Les contours de sa mâchoire, dignes d'une publicité pour des lames de rasoir, étaient aussi durs que jamais, tout comme son cœur, sans aucun doute.

Sa beauté, qui aurait pu lui valoir un rôle dans un film d'information pour un filtre à eau, ne faisait absolument plus aucun effet à la jeune femme.

Sa tenue très trentenaire et des brouettes branché combinait une chemise à carreaux boutonnée jusqu'au cou, un cardigan gris et des bottes de désert. C'était quoi, cette nouvelle mode de s'habiller comme un grand-père ? Même Anna, avec son boulot auquel on associait une image de vieux schnock, ne se baladait pas chaussée de sandales orthopédiques...

Le sourire supérieur de sa jeunesse avait cédé la place à une expression de mépris permanent. Exactement ce qu'elle avait anticipé : il examinait l'assemblée avec l'expression d'un membre de la famille royale visitant une ferme et auquel on ferait découvrir la porcherie. Pourquoi venir s'il s'estimait tellement supérieur aux autres ? Peut-être avait-il voulu s'assurer qu'il se trouvait encore en haut de l'échelle ?

Et – bon sang – il était toujours accompagné de Laurence Fil-de-fer, bouffon du roi James. Laurence le laconique qui avait un jour vidé son chargeur de railleries à ses dépens. Elle sentit leurs yeux se poser sur elle. Mais, contrairement à ceux des autres, leurs regards ne la survolèrent pas. En fait, quand elle risqua un coup d'œil dans leur direction, elle eut la nette impression qu'ils étaient en train de parler d'elle.

Mortifiée, elle sentit une onde de chaleur remonter le long de son cou, formant comme un col roulé de honte. L'avaient-ils reconnue ?

Cette pensée provoqua une projection de comètes acides dans son estomac, et ses mains se mirent à trembler. Elle eut soudain l'impression d'être nue au milieu d'un espace surpeuplé, un cauchemar devenu réalité.

Au même instant, elle lut sur les lèvres de James Fraser : « Pas si canon que ça, et pas mon genre. »

Incroyable. Elle avait parcouru tout ce chemin, et il trouvait encore le moyen de la mettre en défaut. Sauf que, cette fois, il pouvait aller se faire foutre.

Elle vida son verre d'un trait et se dirigea vers la porte, mais fut interceptée par Laurence qui vint lui couper la route.

— Ne me dites pas que vous partez, dit-il.

— Euh... (Encore une fois, Anna regretta de ne pas avoir préparé quelques répliques.) Si.

58

— Par pitié, mettez fin à notre supplice, et dites-nous au moins qui vous êtes. Mon ami et moi n'en pouvons plus… de ne pas savoir.

Laurence lui adressa un clin d'œil ; il était clair qu'il la baratinait.

Anna lança un regard à James, qui ne semblait pas disposé à lui adresser la parole.

— Anna, se contenta-t-elle de répondre, réfléchissant fébrilement à la manière dont elle allait mener cette discussion.

Elle savait ce qui arriverait si elle lui répondait honnêtement. Il pousserait un ululement incrédule avant de s'extasier sur son apparence d'un ton condescendant et mielleux.

Ensuite il ne manquerait pas de rameuter les autres : « Eh, tout le monde ! C'est Aureliana ! Vous vous souvenez ? » Comme si elle était trop stupide pour décoder le sous-entendu : « Merde ! C'est pas possible ? » Et elle aurait l'impression d'être une bête de foire. Après tout, ils l'avaient toujours traitée comme appartenant à une espèce différente.

Elle n'aurait jamais dû venir.

— Anna ? Anna… ?

Laurence secoua la tête, attendant son nom de famille.

Par bonheur, magiquement, les lettres en Comic Sans MS lui revinrent en mémoire.

— … Je suis censée assister à la fête de départ de Beth, à côté. Je ne me suis pas rendu compte tout de suite de mon erreur, vu que je ne connais presque aucun de ses invités. J'essayais de finir mon verre et de m'éclipser avant qu'on ne me remarque.

Le visage de Laurence se fendit d'un sourire carnassier. Anna devina qu'il était ravi de pouvoir s'engouffrer dans cette brèche conversationnelle.

— La banderole « Réunion d'anciens élèves » ne vous a pas mis la puce à l'oreille ?

— Je… hum. Je porte des lunettes normalement. Impossible de déchiffrer l'inscription.

— Bon, vous venez de régler un pari avec mon ami, dit Laurence avant de lancer à l'intention de son comparse : Tu avais raison ! Elle n'est pas de Rise Park. Nous étions néanmoins d'accord sur le fait qu'il était impossible que nous vous ayons oubliée.

Et avant qu'Anna n'ait pu l'arrêter, il avait fait signe à James Fraser de les rejoindre.

CHAPITRE 9

—James, je te présente Anna. Anna, voici James.
—Bonsoir.

James tendit la main pour serrer celle de la jeune femme, qu'il trouva froide et légèrement moite. Elle lui adressa un regard aussi intense qu'indéchiffrable.

—Anna que voici devrait en fait assister à la fête de départ de Beth, à côté. Une chance pour nous, elle s'est trompée de porte.

Anna semblait mal à l'aise. James essaya de lui transmettre du regard qu'il n'encourageait ni n'excusait le rentre-dedans que lui faisait subir Loz.

—Qui est Beth et où part-elle? demanda Laurence.

—Hum. Ma cousine, répondit Anna.

—Et…?

Laurence fit un moulinet de la main pour l'encourager à poursuivre.

—Et…

Anna balaya la pièce du regard, comme si elle cherchait une échappatoire.

—Elle travaille pour Specsavers, la chaîne d'opticiens. Elle va voyager en Australie. Son avion atterrit à Perth.

La pauvre Anna mourait manifestement d'envie de s'enfuir à la fête de Beth de Specsavers pour massacrer quelques chansons au karaoké. James regrettait terriblement de ne pas avoir rappelé à Laurence qu'essayer de mettre le grappin sur de voluptueuses inconnues, ça pouvait mal se terminer. Même si ça ne l'aurait probablement pas arrêté.

—Attendez, attendez. Je rêve! Vous êtes venue sans vos lunettes à la fête d'une opticienne? s'esclaffa Laurence.

Anna attendit qu'il ait fini de rire. James leva les yeux au ciel, espérant qu'elle interpréterait cela comme des excuses tacites.

—Enfin bref. L'Australie! reprit Laurence. J'ai toujours eu envie d'aller faire un tour dans l'Outback. James ici présent dit que c'est un continent peuplé de buveurs de bière incultes et rasoirs, mais je ne suis pas de son avis.

Oh, mon Dieu, on joue au bon et au mauvais flic, maintenant? Espèce de gros... James avait deux mots à dire à Laurence, certains interdits aux moins de dix-huit ans.

—Pas exactement, protesta-t-il.

Anna le regarda avec une hostilité naissante.

—James travaille pour une agence de communication digitale, il a un tas de clients impressionnants. Moi, je suis dans la vente. Je travaille pour des labos pharmaceutiques. Donc si vous venez à manquer d'Anusol, je suis l'homme qu'il vous faut.

—Loz, si nous laissions Anna aller à sa fête? intervint James, espérant se rattraper en mettant un frein à une discussion sur les hémorroïdes.

La jeune femme lui lança un regard menaçant, comme si elle le soupçonnait de chercher à se débarrasser d'elle.

—J'ai une meilleure idée. Vu qu'il y a plus d'ambiance à une soirée courtepointe chez les Quakers qu'à cette réunion, que diriez-vous de nous incruster à la fête de Beth, où nous

nous ferions un plaisir de vous offrir un verre en guise de remerciements ?

— Loz ! s'exclama James, rougissant, d'un ton sévère.

— Je pense que Beth pourrait y voir un inconvénient, dit Anna.

— Meuh non. C'est bien une soirée karaoké ? Je chante une version époustouflante de *Summer of 69*. Allez. Ce serait marrant, non ?

— Non, dit Anna en souriant. *Bye.*

Elle se glissa par la porte et Loz laissa échapper un sifflement bas.

— C'était une brûlure au deuxième ou au troisième degré ?

— Tu ne peux pas pousser une inconnue à boire un verre avec toi sans risquer qu'elle exerce son libre arbitre et t'envoie paître, dit James en secouant la tête.

Laurence considéra la porte, comme s'il s'attendait à voir Anna réapparaître.

— Tu crois que c'était une invitation à la suivre ?

— Non, Loz. On peut y aller maintenant ?

Laurence haussa les épaules, balaya la pièce du regard et finit sa pinte d'un trait.

Quelques minutes plus tard, ils étaient sur le trottoir devant le pub, hésitant entre aller boire quelques bières de plus ou manger des kebabs. Soudain, Laurence tapota le bras de son ami et désigna la rue un peu plus loin.

Là, à quelques mètres d'eux, la Mystérieuse Anna grimpait dans un taxi.

— T'y crois, toi ? Quelle menteuse…

— Ha, ha !

James aimait le style de la jeune femme.

— Si elle n'allait pas vraiment à cette fête de départ, que faisait-elle à la nôtre ?

— Peut-être que sa rencontre avec toi l'a tellement déprimée qu'elle n'a pas eu le courage de prolonger les mondanités ? avança James.

— Non. Ceci est officiellement bizarre. Peut-être était-elle effectivement une ancienne élève de notre lycée mais qu'elle n'a pas voulu le dire.

Ils suivirent des yeux le taxi qui tournait au coin puis se mirent en route dans le froid piquant, le menton rentré dans le col de leurs manteaux.

— Tu te souviens de filles qui auraient eu des origines espagnoles ? demanda James.

— Nan. Tu sais, son histoire ne tenait pas debout. Il faut s'appeler Stevie Wonder pour ne pas pouvoir lire une banderole aussi grande. OK, qu'est-ce que tu penses de cette explication : un ancien élève de Rise Park est suspecté d'activités terroristes ; elle, c'est une espionne du MI5. Le suspect se terre et la réunion était un piège des services secrets britanniques pour le faire sortir de son trou. Cette Anna est leur meilleur élément, en détachement de Barcelone. Mais, fait décisif, ils ont oublié que, pour passer pour un ancien de Rise Park, il faut avoir l'air de se nourrir exclusivement de hamburgers et de fumer un paquet par jour.

James jeta un coup d'œil à Laurence et se mit à rire.

— Quoi ?

— Oh, je trouve juste bidonnant que tu considères ton scénario plus plausible que d'envisager le fait qu'une femme séduisante n'ait pas envie de te parler.

CHAPITRE 10

—A lors, comment s'est passée la réunion ? demanda Patrick quand Anna déposa une tasse de thé sur sa table.

Le bureau de Patrick était aussi net que ses tenues et, contrairement à Anna, il n'utilisait pas les fauteuils pour pallier la surcharge de ses étagères.

—C'était… curieux.

Anna hésita à lui raconter que personne ne l'avait reconnue, mais elle se rendit compte que, si elle commençait, elle n'en finirait plus.

—As-tu retrouvé un ancien amoureux qui avait fait s'affoler ton cœur d'adolescente ?

Patrick était un célibataire « engagé » – c'est-à-dire résigné. Sa terreur de voir Anna trahir le club des célibataires en trouvant enfin chaussure à son pied n'avait d'égale que la certitude de la jeune femme que ça n'arriverait jamais. Elle but une gorgée de thé, hésitante.

—Tu plaisantes. Pas de cœur qui s'affole à Rise Park, plutôt des cœurs brisés.

Elle préféra changer de sujet.

—Comment va la Guilde ?

—Bien, merci. J'ai passé le week-end à discipliner des sorciers danois adolescents qui faisaient n'importe quoi et à contrer la vague des raids en cours en roulant ma tête sur mon clavier.

—Ça ressemble beaucoup à ce qu'on fait ici, alors. Tu es toujours un panda ?

Patrick savait qu'il pouvait toujours évoquer son passe-temps sans craindre qu'Anna ne le juge. Elle-même n'était pas portée sur les jeux en ligne, mais la solidarité entre *geeks* jouait.

—Je suis toujours en Pandarie. Mais c'est temporaire. Avant, j'étais une orque. Une chamane.

—Ah.

Patrick aimait surtout ce qu'Anna avait appris à appeler les jeux immersifs, comme World of Warcraft. Il tentait régulièrement de persuader Anna d'essayer, mais elle n'était pas très emballée, surtout depuis qu'elle avait appris qu'il portait un casque-micro.

—Mais quand même, dans l'ensemble, tu es contente d'y être allée, à cette réunion ? insista Patrick.

Anna réfléchit. En fait, elle en était surtout revenue perplexe.

—Ça m'a fait l'effet d'une piqûre de rappel. J'ai éprouvé un certain soulagement en pensant aux choses et aux gens que je n'ai plus à supporter. Comme un vaccin de thérapie aversive dans les fesses. Aujourd'hui, avec le recul, j'apprécie encore plus le moindre petit détail de mon boulot.

Son visage s'éclaira d'un grand sourire, que Patrick lui rendit, parfaitement en accord.

—Oh, misère ! J'ai des première année à 10 heures. Ceux-là, je te mets au défi de les apprécier, soupira le jeune homme. Je crois que ce groupe est le pire que j'aie jamais eu.

—On dit ça tous les ans…

—Je sais, je sais… Mais tu crois qu'on était aussi nuls, nous ?

—Nous pouvons difficilement servir de référence, vu que nous sommes tous les deux devenus de vieux professeurs dingos.

—Je suppose que tu as raison. (Patrick termina son thé cul sec.) La semaine dernière, il y en a un qui m'a dit : « Henri VII était génial. Tout simplement génial. » Comme si on pouvait se passer des textes au programme et sortir ses pompons pour un numéro de pom-pom girl. Alors j'ai demandé : « Génial comment ? », et il m'a répondu (Patrick mima le visage inexpressif du type qui plane) : « Ben, génial, quoi. » Tremblez, Simon Schama, la relève est arrivée. Un autre croyait que la parcimonie avait à voir avec la gestion des parcs. Ces deux-là devraient présenter une émission de télé ensemble : *Les Incroyables Aventures historiques de Bill et Ted*…

Anna éclata de rire.

—Je crains de ne pas pouvoir dire la même chose. Mes première année sont des acharnés. Et puis l'expo Opération Théodora ouvre ses portes cette semaine…

—Bien joué. J'ai hâte de voir ça. Après ça, tu devrais être dans les petits papiers de Challis la Vénéneuse.

—J'espère.

Victoria Challis était la directrice de leur département. On ne pouvait pas l'accuser d'être chaleureuse et engageante. Mais elle détenait les clés du conseil votant l'attribution des fonds de recherche et les promotions.

—On se fait un déj' tout à l'heure ? proposa Patrick.

—Oui ! C'est moi qui régale. Ça m'aidera à oublier que je suis de corvée shopping ce soir. Je dois accompagner ma sœur qui prépare son mariage.

Anna attrapa un dossier posé sur le meuble de classement de Patrick et s'en frappa légèrement le front.

—Ah. Vous allez choisir des fleurs, goûter des pièces montées, etc. ?

—Elle cherche sa robe de mariée – non, épargne-moi tes commentaires fleur bleue.

Anna brandit un index menaçant devant l'expression attendrie de Patrick.

—Il y a le facteur «oooh» et le facteur «argh». Si Aggy trouve La Robe et que c'est une meringue, ma tenue de demoiselle d'honneur devra suivre la tendance tape-à-l'œil. Je me vois déjà en soie changeante mandarine ou jaune canari bordée de fourrure imprimée zèbre, un truc swing à la *Santa Baby*. Ma sœur a des goûts très Miami. Elle a déjà prononcé la phrase qui tue : «J'ai vu quelque chose sur les photos du mariage de Ashley et Cheryl Cole…» Vu qu'ils ont divorcé, il s'agit peut-être de l'originale sur eBay.

—Ah. Eh bien. Je suis sûr que tu serais ravissante même dans un sac poubelle.

Anna afficha son Air reconnaissant n° 12.

—Merci. À tout à l'heure.

Patrick sourit et lui adressa un signe de la main quand elle sortit.

Anna regagna son bureau. En s'asseyant devant son ordinateur, elle repéra dans la boîte de réception de son compte mails le nom d'un expéditeur qu'elle ne connaissait pas. Puis elle se rendit compte qu'il s'agissait de Neil de vendredi soir. Elle vit dans la fenêtre d'aperçu qu'il en disait bien plus que nécessaire. Elle entrevit le mot «partenaires». Et une émoticône. Par les claquettes du Christ.

Elle ouvrit le mail et le parcourut. La moutarde lui monta lentement mais sûrement au nez au fur et à mesure de sa lecture.

Chère Anna,

Je suis désolé que vous ayez trouvé que notre rencontre ne provoquait pas les «étincelles» requises. Pour ma part, j'ai passé un excellent moment. Si vous n'y voyez pas d'inconvénient, j'aimerais vous donner mes propres impressions. À mon avis, vous auriez plus de chances de ressentir ces insaisissables étincelles si vous vous

montriez plus ouverte. J'ai trouvé difficile d'avoir une vraie conversation avec vous ; nous ne nous sommes que rarement éloignés des sujets superficiels. En fait, j'ai eu l'impression que l'honnêteté vous intimidait franchement. J'attends de mes partenaires qu'elles aient un peu plus confiance en elles. Et, de façon générale, j'en ai assez des trentenaires qui affirment vouloir rencontrer un homme disponible avant de jouer au jeu de «attrape-moi si tu peux» une fois qu'elles vous savent intéressé. Nous ne sommes plus dans notre première jeunesse et avons passé l'âge de cette comédie. ☺
Cela dit, si vous parvenez à me convaincre que ça en vaut la peine, je suis prêt à refaire un essai.

Amicalement,
Neil

Anna lutta contre la tentation de lui concocter une cuisante riposte. Oh, et puis merde. Elle ouvrit un nouveau mail.

Cher Neil,

Je ne joue à aucun jeu, je décline simplement votre proposition d'un second rendez-vous. Peut-être auriez-vous plus de succès si vous vous absteniez d'émettre des jugements aussi présomptueux et égotistes à l'égard de femmes que vous ne connaissez pas. Ou de faire des remarques aussi grossières sur leur âge. Ou de les soumettre à un interrogatoire sur leurs préférences sexuelles alors que vous vous êtes rencontrés à peine une demi-heure auparavant.

Cordialement,
Anna

Elle cliqua sur « Envoyer » et avala rageusement une gorgée de thé tiède.

Les rencontres *on line* pouvaient transformer un romantique invétéré en sombre cynique. Internet n'était-il pas censé annoncer une ère nouvelle de simplicité et de démocratie dans ce domaine ? Au lieu de cela, il ne faisait que rendre plus explicites encore les classements, ainsi que les gagnants et les perdants de ce jeu.

Telle en était la dure réalité : on pouvait voir que la personne qui n'avait pas répondu à votre message datant de plusieurs jours s'était connectée quelques heures auparavant. Ou remarquer que l'extraordinaire homme d'affaires qui vous avait annoncé qu'il partait s'installer à Amsterdam et se trouvait donc malheureusement dans l'impossibilité de vous rencontrer était manifestement toujours en Angleterre et disponible pour d'autres femmes.

Et constater que, malgré tous les prétendus : « Je recherche des conversations enrichissantes », les inscrits les plus populaires des deux sexes étaient immanquablement des bombes. Fondamentalement, tout se résumait à : « Suis-je sexy ou pas », enrobé de précisions débiles, du style je préfère le chocolat noir et le côté froid de l'oreiller.

Oh, et les hommes avaient tendance à sortir avec des femmes de cinq ans plus jeunes qu'eux.

Certains s'imaginaient qu'Anna auditionnait solennellement, ravie de tester sa valeur sur le marché. Ou se baladait comme si la vie ressemblait à un film de Nora Ephron et que le monde regorgeait de prétendants potentiels avec lesquels vous entreriez en collision par hasard, tenant à la main un sac de courses dont dépasserait une baguette…

Non, Anna était en quête de l'âme sœur qui n'existait probablement pas, à un endroit où l'homme idéal ne se trouvait certainement pas.

Des gens bien intentionnés s'exclamaient : « Tu es bien la dernière personne qu'on imaginerait célibataire ! Le monde est devenu fou ! »

Anna était obligée de les contredire sur ce point. Pour elle, le monde avait toujours été ainsi.

Chapitre 11

Aucune formule conventionnelle ne pouvait décrire la transformation physique qu'avait connue Anna. Si elle minimisait en expliquant : « J'ai perdu du poids », ou : « Je me suis épanouie après l'université », ou : « J'étais un peu le vilain petit canard du lycée », les gens hochaient la tête et répondaient quelque chose du genre : « Oh, moi aussi. Je n'ai vraiment été à mon avantage que vers vingt-cinq ans. »

Mais en arriver à ressembler à quelqu'un d'autre ? Quelqu'un à qui la génétique aurait distribué des cartes totalement différentes ? Ce voyage-là était tellement rare qu'il n'apparaissait en général que dans des comédies sentimentales, à coups de montages et relookings, mettant en scène des top models bonsaïs « déguisées » en salopette, prêtes à se débarrasser de leurs lunettes et à libérer leur crinière bouclée prisonnière d'une barrette.

Anna n'avait pas été une enfant quelconque. Quelconque signifiait ordinaire, moyenne, insignifiante. Au contraire, elle attirait l'œil. Sa silhouette de Bibendum, sa peau grasse, son appareil dentaire, sa tignasse de boucles noires indomptées et ses vêtements gigantesques faits maison (Bon sang, ce qu'Anna avait pu haïr la machine à coudre Singer de sa mère) la faisaient sortir du lot.

Voir un potentiel de séduction dans son futur aurait été considéré comme de l'optimisme aveugle – en insistant sur « aveugle ». Anna avait été, ainsi que les autres élèves de Rise Park n'avaient pas manqué de le lui rappeler, grosse et moche.

Elle perdit le poids à vingt-deux ans. « Le poids » était plus approprié que « du poids », car sa masse était devenue une chose, une entité à part entière. Car Anna était une Fille Forte. Cette caractéristique la suivait partout et la définissait. C'était ce poids sur ses épaules qui la faisait peser vingt-cinq kilos de trop.

La décision de changer s'était imposée brutalement à elle. Peu de temps après avoir commencé son doctorat, elle marchait dans la rue quand le conducteur d'une camionnette blanche lui avait lancé : « Hé, Ozzy Osbourne ! Tu as mangé trop de chauves-souris ? » Elle était rentrée chez elle en larmes.

Intelligente et compétente, elle se montrait rationnelle dans tous les autres aspects de sa vie et réussissait tout ce qu'elle entreprenait. Alors pourquoi était-elle incapable d'ajuster le rapport « calories ingérées/calories utilisées » pour atteindre un IMC moyen ?

Comme beaucoup de gens en surpoids dès l'enfance, quand Anna comprit enfin qu'elle était plus grosse que les autres, cela semblait indiscutable.

Aussi mince et débordante d'énergie qu'un lévrier whippet, sa sœur cadette Aggy tenait de leur mère. Quant à Anna, tout le monde la disait bâtie comme son père. Oliviero était le pater familias italien typique, rondelet, moustache en balai brosse. Il était inscrit chez Central Casting, et les publicitaires faisaient appel à lui pour vendre de l'huile d'olive.

Culpabilisant de savoir son mari si loin de sa patrie ensoleillée, la mère d'Anna cuisinait des recettes de son pays en quantités pantagruéliques, bien qu'il ait lui-même fait le choix de quitter l'Italie en 1973. Et, quoiqu'il adore la Toscane et se plaigne souvent de Londres, il n'exprimait jamais sérieusement le désir de retourner s'y installer.

Elle étendait sa politique d'indulgence à ses filles, qu'elle nourrissait en combinant les ingrédients les plus caloriques des deux cuisines. Fromage, pâtes, ragoûts pour leurs racines italiennes, nuggets de poulet orange Oompa Loompa et frites au four pour leur lieu de vie, Barking. Et de la glace napolitaine du supermarché histoire de théoriquement mélanger les deux.

À dix ans, Anna pesait déjà soixante kilos.

Maigrir était à la fois intellectuellement simple et psychologiquement compliqué. Anna comprit que faire disparaître un tiramisu de chez Marks & Spencer en un quart d'heure ne compensait en rien son exclusion du monde des minces, mais au contraire lui en interdisait l'accès. Elle échangea les glucides bourratifs contre du poisson et des salades, et commença à courir, suant et soufflant de par les rues dans de vieux pantalons de survêtement battant l'air à chaque pas.

Anna s'inscrivit aussi chez Weight Watchers. Elle n'en attendait pas de résultat, mais désirait vérifier l'hypothèse selon laquelle elle était née pour être costaud. Si ça ne marchait pas, elle pourrait barrer « être mince » de sa liste de choses à faire avant de mourir.

Un kilo, cinq kilos... Au fur et à mesure qu'elle perdait du poids, son ancienne identité fondait et une chose étrange se produisit. Elle découvrit qu'elle était jolie. Cette possibilité ne lui avait jamais effleuré l'esprit, ni celui de personne d'autre, elle en était presque sûre.

Jusque-là, ses yeux sombres et expressifs, son nez droit et sa bouche en cœur au pli sarcastique s'étaient perdus dans un visage rebondi comme un coussin, tels des raisins secs et des écorces d'orange confites dans de la pâte à cake. Mais, tandis que les contours de son ossature s'accentuaient, ses traits jusqu'alors indistincts se révélèrent d'une régularité qui la rangea parmi les beautés classiques.

— Aureliana ressemble à une actrice ! pépia sa tante le premier lendemain de Noël où Anna ne releva pas le « défi du plus gros mangeur de pommes de terre sautées » face à son oncle Ted.

74

En l'entendant, Anna afficha un sourire tremblant, puis s'enfuit en pleurant, mais, pour la première fois de sa vie, elle versait des larmes de joie.

Dans un premier temps, la jeune fille alla d'émerveillement en émerveillement. Elle découvrit tout un monde dont elle n'avait jamais soupçonné l'existence, où les représentants du sexe opposé vous adressaient des regards codés et vous couvraient d'attentions spéciales. C'était comme d'entrer dans la franc-maçonnerie, sauf qu'on vous pinçait les fesses au lieu de vous serrer la main.

Encore aujourd'hui, dix ans après, quand un étudiant s'asseyait un tout petit peu trop près alors qu'elle feuilletait son travail, ou que, après une seule consommation dans un café, elle récupérait sa carte de fidélité toute neuve bardée de tampons, elle avait besoin de se rappeler : *Tu es en train de te faire draguer.*

Certains anciens XXL ne s'habituent jamais au fait d'être plus minces et continuent à vouloir acheter des pantalons pour géants de Brobdingnag, ne se rappelant qu'ils passent désormais les portes sans problème qu'en arrivant à la caisse. Anna souffrait du même déficit de la perception. Elle ne s'accoutumait pas à l'idée d'être considérée comme séduisante. « Splendide et peu sûre d'elle, le rêve de tout macho », affirmait Michelle.

Elle avait toujours cru qu'il lui faudrait trouver son bonheur parmi les jeunes gens sérieux qu'elle fréquentait à Cambridge – quotients intellectuels hors normes, visages sévères et chemises soigneusement repassées. Mais, soudain, les portes du royaume de tous les possibles s'étaient ouvertes à la volée devant elle.

Alors ? Qui voulait-elle ? Eh bien, elle n'en avait aucune idée.

Au début, par loyauté envers sa tribu et du fait d'une certaine confusion, elle sortit avec le même genre d'hommes réservés et studieux qu'à l'époque où elle était plus grosse. Ces expériences échouaient toujours de la même manière. Pour commencer, elle était vénérée comme une déesse, comme s'ils n'arrivaient pas à croire leur chance. Puis ils finissaient par comprendre qu'ils ne pourraient effectivement jamais y croire et la relation s'effondrait, érodée par des soupçons corrosifs, cédant sous le poids d'une possessivité démesurée.

Anna avait pris très au sérieux son histoire avec Joseph le Génie, sa seule relation de longue durée. Malheureusement, même si la propulsion à réaction n'avait pas de secrets pour lui, il était incapable de comprendre qu'Anna pouvait sortir sans partir en chasse de son successeur.

Quant aux hommes séduisants et sûrs d'eux qui cherchaient une femme à leur image pour être leur serre-livres assorti, Anna était trop sardonique, elle voyait trop clair dans leur jeu pour faire une bonne partenaire. Elle se hérissait dès qu'elle soupçonnait que c'était sa beauté et non son cerveau qui avait éveillé leur intérêt, et manifestait sa désapprobation par une attitude défensive et une humeur irritable.

Elle avait également constaté des répercussions négatives avec les femmes. Elle mit beaucoup de temps à apprendre certaines des conditions générales associées à l'entrée dans la catégorie « canon ».

Au début, elle ne reconnaissait pas les symptômes de la jalousie quand ils éclataient, et se dépêchait de les éteindre avec des seaux d'autodérision. Pas plus qu'elle ne se joignait aux femmes faisant avec enthousiasme la liste de leurs défauts, ce qui avait parfois été interprété comme la preuve qu'elle s'en croyait exempte. Anna n'avait jamais eu besoin de faire l'inventaire de ses imperfections, puisqu'il y avait toujours eu quelqu'un pour s'en charger à sa place.

Elle n'avait jamais l'impression de cadrer – pas plus qu'autrefois.

Anna était une femme peu commune, unique en son genre, une bizarrerie gênante, c'est pourquoi trouver ce que les gens appelaient allégrement leur « moitié », quelqu'un qui la compléterait, lui paraissait impossible.

Ce n'était pas un hasard si ses meilleurs amis étaient Michelle et Daniel, deux êtres qui accordaient peu d'importance à leur image.

Et même si elle souhaitait désespérément ne pas être définie par les terribles années de sa jeunesse, dans la rue, Anna s'attendait toujours plus à se faire huer que siffler.

CHAPITRE 12

James savait que le moment de rendre des comptes finirait par arriver, et il arriva, un matin, à 11 heures, alors que le *Best of* de Spandau Ballet l'avait laissé dans un état de décrépitude morale avancé.

— Les gars ! La grosse sortie prévue pour le cinquième anniversaire de l'entreprise approche. Je vous enverrai bientôt les infos par mail, lança Harris à la cantonade.

Il portait son tee-shirt ironique portant l'inscription BOB MARLEY sous une photo de Jimi Hendrix et un pantalon cigarette en tartan.

— C'est bon pour tout le monde ?

James avait déjà fait le tour des options qui s'offraient à lui. Il pouvait essayer de gagner du temps et se contenter de confirmer sa présence et celle d'Eva.

Mais, à un moment ou à un autre, il lui faudrait justifier l'absence d'Eva. Un souci gastrique ou une urgence familiale… James se retrouverait à raconter le genre de bobards aussi stressants que casse-gueules.

Jusque-là, passer sous silence leur séparation n'avait été qu'un mensonge par omission ; il s'était contenté d'exécuter des petits slaloms sémantiques quand quelqu'un lui demandait ce qu'il avait fait le week-end.

Là, il aurait besoin de produire des non-vérités actives – rendez-vous chez le médecin, billets d'avion non remboursables pour Stockholm – et de se rappeler qui avait fait quoi, et à qui il en avait parlé. Et quand enfin ils découvriraient la vérité, ils reviendraient en arrière et comprendraient pourquoi Eva ne l'avait pas accompagné. Il voyait déjà Harris, vêtu d'un de ses marcels couleur Play-Doh, lever une main et dire : « Putain, les mecs. C'est pour *ça* qu'elle n'est pas venue à la fête des cinq ans ? J'ai toujours pensé que son histoire de neveux cancéreux était un ramassis de conneries. »

En plus de leur pitié, il lui faudrait endurer leurs moqueries. James trouvait déjà assez insupportable de devoir les mettre au courant ; pas question en plus qu'ils sachent que cela le dérangeait qu'ils sachent.

— Euh… en fait, changement de programme pour moi. Eva et moi, on s'est séparés.

Harris le regarda avec des yeux ronds. Ramona resta bouche bée, le menton touchant presque les lettres en plastique de son collier MONA Tatty Devine. Le silence s'abattit dans la salle, entrecoupé par les grincements produits par une demi-douzaine de sièges dont les occupants se retournèrent les uns après les autres. James entendit même Lexie, la nouvelle jolie rédactrice publicitaire, retenir son souffle. Charlie, le seul autre membre marié de l'équipe, perpétuellement habillé comme s'il arrivait d'un skatepark, grommela un « Désolé, mec ».

— Séparés ? Sérieusement ? s'exclama Ramona, toujours prompte à dire exactement ce qu'il ne fallait pas.

Non, elle est partie en dansant dans ses chaussures de clown, armée d'un pistolet à eau.

— Sérieusement.

— Mais pourquoi… ?

James rassembla les dernières miettes de décontraction qu'il lui restait.

— Ça ne marchait pas. Ça s'est fait en douceur, tout va bien.

Ramona mourait manifestement d'envie de lui demander qui avait largué qui, mais même sa grossièreté légendaire ne le lui permit pas. Ce n'était que partie remise.

—OK… Bon, je ne te réserve donc qu'une seule place ? intervint Harris.

James se débattit avec la perspective d'être étiqueté *loser divorcé*. Pendant quelques secondes seulement.

—En fait, je comptais amener quelqu'un d'autre. Si ça ne pose pas de problème.

La mâchoire de Ramona se décrocha de nouveau.

—Quelqu'un… Il y a déjà quelqu'un d'autre ? Oh. C'est pour ça que… ?

Il avait eu bien raison de s'abstenir de leur dire la vérité jusque-là. Il souffrait le martyre.

—Ça n'a pas aidé, éluda-t-il d'un ton sec et distant de bourreau des cœurs.

James se retourna vers son écran, se félicitant que le travail soit fait, si ce n'était bien fait. Il prendrait son temps pour déjeuner, histoire de leur laisser le temps de digérer la nouvelle avant son retour.

Il ne lui restait plus qu'à dénicher une petite copine pour la soirée. Il pourrait compter sur l'aide de Laurence pour mener à bien cette quête.

CHAPITRE 13

— **B** ienvenue à *La Belle au bois dormant*. Je m'appelle Sue et j'ai le pouvoir d'exaucer tous vos rêves ! pépia la patronne de la boutique.

Anna jugea cette déclaration parfaitement démente. La Belle au bois dormant n'avait-elle pas passé un siècle dans un état végétatif persistant ?

Avec son tailleur jupe et son collier de perles, Sue ressemblait à une députée d'arrière-plan. Malgré ses ronds de jambe et ses discours ampoulés, Anna devina une vendeuse impitoyable.

Pourtant, à ces mots, les yeux d'Aggy et de leur mère brillèrent, et Anna sut qu'elle était une cynique solitaire au royaume des vraies croyantes. Cette boutique était une caverne enchantée pour celles qui souhaitaient remonter l'allée telle une star nominée pour l'oscar de la meilleure actrice.

Le salon baignait dans une lumière tamisée diffusée par des ampoules couleur pêche. Le sol était recouvert d'un impeccable tapis couleur crème, et les murs tapissés d'un papier peint lavande imprimé de libellules. Plusieurs miroirs en pied ovales de style rococo – de ceux dans lesquels les méchantes reines examinent leur reflet – étaient disposés dans la pièce.

Dans l'air flottait un parfum lourd et sucré de freesia, qu'Anna soupçonna de jouer le rôle d'un gaz d'amour censé émousser les capacités intellectuelles des clientes. Des haut-parleurs dissimulés diffusaient la douce voix de Michael Bublé – probablement une technique d'hypnose subliminale.

Donne-moi ton cœur, donne-moi ta main… et passe-moi ta carte bleue… *yeah, baby*, et maintenant signe le reçu…

Sur des portants s'alignaient des robes volumineuses et empesées dont dépassaient tulle, tournures et autres corsets de dentelle, dans un style très «aristocrate avant la Révolution française», histoire de se mettre un peu en scène.

La Belle au bois dormant aurait aussi bien pu s'appeler «Raquez ou sortez». L'endroit était le déclencheur pavlovien de vieux rêves Disney, dans un monde où une carte Visa tenait lieu de baguette magique.

Les futures mariées franchissaient un rideau de perles de cristal et disparaissaient dans un salon d'essayage, pour réapparaître transformées. Anna essaya d'imaginer une cliente y prononcer les mots «Quelque chose de simple» – en vain.

— Vous devez être ma future mariée, dit Sue à Aggy. Tout va vous aller à merveille. Les jeunes femmes au teint de rose font des mariées naturelles. Et puis, avec votre taille trente-huit, en terme de style, le monde vous appartient.

Anna brûlait de dire: «Et les vieilles fripées? Vous n'avez rien à leur refourguer?»

La flatterie fit presque glousser Aggy. Physiquement, Aggy était une version plus anguleuse et petite de sa sœur, mais elle compensait ce qui lui manquait en hauteur et largeur par son volume sonore.

Aggy travaillait dans les relations publiques, où elle se spécialisait dans le management d'événements, un boulot qui lui allait comme un gant. Toute petite, déjà, elle organisait les choses à sa convenance, et n'avait pas son pareil pour caresser les gens dans le sens du poil. On ne risquait pas de la confondre avec un professeur d'université: ce jour-là elle portait une doudoune, des bottes à talons et le sac Alexa de Mulberry. Elle vivait sa vie en majuscules. JE VAIS ME MARIER LOL!!!!

Les deux sœurs n'avaient que deux ans d'écart, mais, à certains égards, c'était comme si un abîme les séparait.

— Vous devez être la magnifique maman de la magnifique mariée ! lança Sue, qui s'adressa à leur mère comme si elle lui servait un œuf à la coque dans la cantine d'un foyer pour handicapés. Et vous sa ravissante sœur, première demoiselle d'honneur !

Judy et Anna se présentèrent chacune à leur tour tandis que Sue leur serrait la main en les dévisageant avec une expression de pure extase.

Aggy avait pris rendez-vous pour une séance d'essayage privée d'une heure, si bien que, alors qu'Anna pestait intérieurement contre la présence pesante de la vendeuse, Aggy, elle, se délectait de son attention exclusive.

Anna secoua les épaules pour se débarrasser de son duffle-coat. Sa famille l'avait étiquetée garçon manqué en comparaison de sa sœur, la Fille par excellence, mais elle y voyait une simplification réductrice. Elle aimait *certains* trucs de fille. Le romantisme – jusque-là exclusivement dans l'art, sinon dans la vie –, les robes, les chaussures et les vins pétillants.

Elle n'en appréciait pas autant qu'Aggy, voilà tout. Elle se passait par exemple volontiers de soirées consacrées à la lecture de *Vogue* en se prélassant sur son canapé, de séparateurs d'orteils, de vernis Essie, de cuillères plongées dans des pots de Peanut Butter Me Up de Ben & Jerry, de séances potins au téléphone arabe, un iPhone blanc vissé à l'oreille. En guise de carrosse-citrouille de Cendrillon, Aggy conduisait une Fiat 500 aux phares ornés de cils en caoutchouc et au pare-chocs doté d'un autocollant dont le message devait faire trembler tous les barons saoudiens du pétrole : « Je roule à la poussière de fée. »

Anna était bien contente d'apprécier son futur beau-frère. La plupart des soupirants d'Aggy ne trouvaient pas grâce aux

83

yeux d'Anna. Heureusement, elle avait choisi Chris, affable et gentiment macho, peintre décorateur originaire d'Hornsey. Sincèrement amoureux d'Aggy, il savait néanmoins la reprendre d'un : « Tu déconnes complètement, Ags. »

Ils allaient fêter leur union dans la splendide salle de bal du *Langham Hotel* à Noël.

Depuis le dîner en famille où Aggy était arrivée avec au doigt un solitaire de la taille d'une brique de verre, et durant lequel sa sœur et sa mère n'avaient cessé de pousser des hurlements hystériques, Anna se sentait un tantinet nerveuse.

La seule chose qu'Aggy avait du mal à gérer était ses propres espérances. Anna se doutait assez de la façon dont le mariage était organisé : Aggy choisissait tout ce qui lui faisait envie (en général, ses goûts la portaient vers ce qu'il y avait de plus cher), partant du principe qu'ils trouveraient plus tard le moyen de tout payer.

Chaque fois qu'elle le voyait, Anna trouvait que Chris avait encore plus un air de chien battu qu'à leur précédente rencontre. Chris aurait été heureux avec un buffet surgelé dans un pub, où il les aurait conduits dans la camionnette de son entreprise, sa toque de trappeur sur la tête, les protège-oreilles battant dans le vent, chantant à tue-tête sur des vieux tubes.

À ce rythme, Anna craignait que sa sœur ne finisse par revoir ses priorités trop tard pour éviter d'endommager sa santé mentale, sa relation et son indice de solvabilité.

— Mais d'abord, des bulles ! lança Sue en désignant un plateau d'argent chargé de trois flûtes et d'une bouteille posé sur une table basse en marbre, à côté d'une pile de magazines mariage et d'un bol rempli d'eau où flottaient des bougies en forme de fleurs de lotus.

Aggy en avait à peine bu une gorgée que Sue s'exclama :

— Venez donc passer la première robe !

Une fois Aggy et la vendeuse disparues derrière le rideau de perles, Anna et sa mère échangèrent un sourire en tapant du pied.

— Tu crois qu'Aggy en a pour longtemps ? finit par demander Anna en examinant des jupes abat-jour.

— Bien sûr, Aureliana, voyons ! Jusqu'à ce que la mort les sépare, enfin !

— Non, je voulais dire…

Elle fut interrompue par Sue imitant le roulement d'un tambour et écartant les perles pour laisser passer Aggy, chancelante sur les talons aiguilles en satin crème prêtés par la boutique. Elle portait une robe dos-nu avec une simple jupe trapèze parsemée de strass Swarovski.

— Oh, ravissant ! s'exclama Judy.

— Anna ? demanda Aggy, incertaine.

— Tes clavicules sont très jolies. Mais j'ai un doute sur les faux diam's de cow-girl. Ça pourrait être pire. Je lui donne trois pantoufles de vair sur cinq. J'ajoute que la coupe met assez en valeur… tes nénés.

— La tendance veut qu'on montre légèrement plus de peau qu'autrefois, expliqua Sue avec un sourire pincé avant d'ajouter d'un ton rassurant à l'intention de sa mère : Rien de mauvais goût. À peine une allusion à ce qui se cache sous la robe.

Anna pencha la tête sur le côté.

— Mmm. J'ai une assez bonne vue sur le côté de ses seins, et j'ai bon espoir de les voir dans toute leur splendeur si elle se penche pour embrasser un enfant d'honneur…

— Ah, non, pas question de me faire reluquer par un vieux pasteur lubrique ! s'exclama Aggy en ondulant du bassin façon *Rocky Horror Picture Show*.

— Agata, le pasteur ne sera pas vieux ! protesta Judy. Cesse immédiatement.

— Nous pouvons l'ajuster, dit Sue en jetant à Anna un regard noir.

— Oh, là, là, l'hallu. (C'était la nouvelle expression d'Aggy.) Je vous ai raconté ce qui est arrivé à ma collègue Clare ? Elle portait une robe bustier. Une demoiselle d'honneur a marché sur la traîne et elle s'est retrouvée nue jusqu'à la taille. Mais Clare m'a dit que ça ne l'avait pas dérangée plus que ça vu qu'elle avait claqué 5 000 livres pour se faire poser des implants salins en République tchèque. Elle a fait genre… (Aggy pointa les deux index vers sa poitrine.) « Régalez-vous, c'est offert par la maison. »

— Je suis sûre que ce ne serait jamais arrivé avec une robe correctement ajustée, intervint Sue. Les baleines devaient avoir un défaut.

Anna et Aggy échangèrent un regard.

— Peut-être que, comme Aggy l'a suggéré, Clare est un peu exhibitionniste. Peut-être qu'elle avait saboté son corsage, avança Anna.

— Possible. Après un verre ou deux, elle devenait carrément impudique. D'après Marianne, servir du vin à Clare, c'était comme d'arroser un Gremlin, raconta Aggy. Il lui arrivait de montrer le tatouage qu'elle s'était fait faire à la limite du bikini : « Maman est pour toujours » en sanskrit. Notre boss a dû lui dire d'arrêter parce que nos collègues plus âgés n'ont encore jamais entendu parler du vajazzling et qu'elle risquait de les choquer.

— Qu'est-ce que ça veut dire : « Maman est pour toujours » ? demanda Anna.

— Sa mère est morte d'une rupture d'anévrisme en plein centre commercial. C'est un hommage.

— Une épitaphe sur sa foufoune, un hommage ? Qui pourrait avoir envie d'une chose pareille ? Maman, ça te plairait que je me fasse tatouer « Judy repose en paix » là, en bas ? demanda Anna.

— Je n'ai aucune idée de ce que je ressentirai une fois morte, répondit sa mère, mais je crois que je préférerais que vous plantiez un figuier en ma mémoire à St Andrews.

— Donc, celle-ci, on laisse tomber ? intervint Sue, désespérée.

Assise à côté de Judy, Anna culpabilisa légèrement de ne pas être capable d'émettre des feux d'artifice de « oooh » et de « aaaah » devant le défilé de robes, mais, après tout, chacun joue le rôle qui lui est imparti dans une famille. Indubitablement, dans la sienne, Anna avait pioché la carte « Voix de la raison ».

Les gens avaient toujours du mal à croire que Judy était leur mère. D'abord parce que, pour cinquante ans et des brouettes, avec ses mèches blondes entretenues à grands frais, elle faisait jeune. Ensuite parce que, originaire de Surbiton, elle avait l'air tout sauf italienne. Elle était démesurément fière de l'héritage continental de ses filles et mettait un point d'honneur à les appeler par leur prénom. Bizarrement, leur père était moins fanatique, décrétant qu'Aureliana et Agata n'étaient « pas traditionnels ».

— Votre mère déclare votre naissance en douce et vous donne ces stupides prénoms – les hormones, soi-disant ! Deux fois ! Incroyable, non ?

Anna le croyait parfaitement. C'était tout à fait le genre de son père de laisser sa mère n'en faire qu'à sa tête.

— Maman. Avec quoi Aggy paie-t-elle tout ça ? chuchota-t-elle.

— Elle gagne bien sa vie. Et elle a de l'argent de côté. Chris aussi.

— Pas tant que ça. Tu n'as pas peur que ça dérape ?

— On ne se marie qu'une fois. Je sais que ce n'est pas ta tasse de thé, mais c'est le plus beau jour de sa vie.

Anna se mordit la langue. Elle aborderait plutôt le sujet avec son père. Il y avait deux factions dans la famille : la retenue et la sobriété d'Anna et son père d'un côté, de l'autre l'insouciance et l'extravagance de sa mère et d'Aggy. Alors que sa sœur se changeait de nouveau, Anna craignit soudain que cette escale à *La Belle au bois dormant* ne soit que la première d'une longue série dans des boutiques londoniennes haut-de-gamme.

Un cri perçant retentit dans le salon d'essayage.

— Aurait-elle perdu sa prothèse de jambe ? plaisanta Anna.

La tête de Sue émergea par le rideau de maison close avec une mimique tout à fait théâtrale.

— Nous avons quelque chose d'assez spécial à vous montrer.

Ce qu'Anna traduisit en : « Je crois bien qu'elle va l'acheter, donc mettez-la en veilleuse, bande de connasses. »

Un sourire penaud aux lèvres, Aggy apparut vêtue de ce qui était indubitablement The Robe. La jupe évasée était composée de couches de tulle scintillant et comme déchiré rappelant la tenue de la Fée Clochette. Quant au corset au format dé à coudre, Anna aurait été bien incapable d'y glisser le buste.

Aggy ressemblait à une danseuse étoile – plutôt ravissante, d'ailleurs.

— Oh, Agata ! souffla Judy avant de fondre en larmes et de sauter sur ses pieds pour la prendre dans ses bras.

— L'est incroyable, m'man, renifla Aggy. J'ai l'impression d'être une princesse.

Anna ne broncha pas, laissant à sa mère le temps de finir de s'extasier, et versa les dernières gouttes du cava dans son verre.

— Tu ne l'aimes pas ? l'interpella Aggy.

— Si. Je porte un toast au travail bien fait. On dirait vraiment que tu vas te marier dans cette robe. Et ce n'est que la seconde. Pas mal. Honnêtement, tu es magnifique. Ça fait « gros mariage », mais de bon goût.

Aggy pirouetta sur elle-même et souleva les couches de tulle du bout des doigts avant de les laisser retomber.

—Il paraît que quand on rencontre « L'Élue de son cœur », on le sait. Eh bien, je viens de la rencontrer.

Anna attendit un peu que passent les roucoulements, soupirs et autres œillades, puis le départ de Sue, qui, aux anges, s'en fut chercher sa paperasse, et demanda le prix de la toilette.

—Trois, répondit Aggy.

La bouche d'Anna forma un O.

—Et demi, ajouta Aggy. Et encore 250 livres. Ça fait 3 750 livres. Sans compter le voile.

—Par les moustaches de Plekszy-Gladz, Aggy! Quatre mille livres pour une robe que tu ne vas porter qu'une seule fois?

—Elle ne te plaît pas? dit Aggy en faisant la moue.

—Je te trouve absolument magnifique. Mais il me semble que tu pourrais être tout aussi magnifique pour moitié moins que ça. Après tout, cette magnificence tient en grande partie à toi. Comme l'a dit Sue, tu serais ravissante dans presque tout.

—Mmm. (Aggy virevolta de nouveau.) Maman?

—Tu ressembles à Audrey Hepburn! Ou à Darcey Bussell dans *Casse-noisette*!

—Bientôt, il te faudra devenir un casse-coffre-fort.

Aggy gloussa.

Anna se trouvait dans une impasse. Si elle persistait à déconseiller l'achat de cette robe, sa sœur et sa mère ne manqueraient pas de l'interroger sur ses motifs. Elles l'accuseraient de laisser son amertume de vieille fille anéantir le bonheur d'Aggy. Pourtant, sincèrement, Anna n'enviait aucunement sa sœur. Avant de rêver de mariage, il lui faudrait avoir envie d'épouser quelqu'un. Pas question de faire passer la robe avant l'homme.

—Je vais me débrouiller pour qu'il y ait des célibataires au mariage. Pour toi, précisa Aggy, comme si elle lisait dans ses pensées.

—Oui. Tu devrais sortir un peu, voir du monde, Aureliana, intervint leur mère, comme si c'était le moment d'aborder le problème d'agoraphobie de sa fille.

—Je sors! protesta Anna.

Aggy avait ramené ses cheveux en un chignon et, de profil, faisait la moue devant le miroir. Judy s'éclipsa et alla s'entretenir avec Sue.

—Je suis allée à une réunion d'anciens élèves, annonça Anna.

—Ah bon? dit Aggy en laissant retomber ses mains, bouche bée, oubliant un instant son reflet. Pourquoi?

—J'ai voulu affronter mes peurs. Cela s'est révélé inutile, vu que mes peurs ne m'ont pas reconnue. Sérieusement, Ags, personne n'a capté qui j'étais. Je ne sais pas si je dois m'en réjouir ou pas. D'après Michelle, cela prouve que cette époque de ma vie est définitivement derrière moi.

—As-tu vu... quelqu'un? demanda Aggy.

—Euh... Oh. James Fraser? répondit Anna avec un rire creux.

—James Fraser!? Qu'est-ce qu'il a dit?

—Rien. Il ne m'a pas reconnue non plus. Toujours aussi imbu de sa personne – incroyable. J'ai eu envie de lui dire: tu te rends compte que tu n'as été un héros qu'à seize ans? Aujourd'hui, tu n'es personne.

—Bien vu. Est-il toujours aussi bandant?

—À condition d'aimer les cardigans et les cancers de la personnalité.

—Quoi? Il ressemble au chasseur de Bugs Bunny, maintenant? Impossible!

Aggy posa une main sur sa hanche et pivota – avec quelque difficulté dans cette robe digne d'un songe.

Anna sourit.

— Il est aussi infect et arrogant qu'autrefois, mais oui, toujours à tomber. Et c'est manifestement tout ce qui compte.

— Voilà ! Il ne vous reste qu'à verser des arrhes, annonça Sue en refaisant son apparition, triomphante, leur mère sur les talons.

Aggy demanda à Judy de lui apporter son sac à main Alexa. Elles partirent, baignées de l'amour de Sue, Anna affreusement mal à l'aise face aux dépenses de sa sœur.

Dehors, le temps était exécrable. Après avoir précipitamment salué leur mère qui devait se dépêcher d'aller prendre son bus pour Barking, Anna essaya de raisonner sa sœur.

— Ça te reviendra beaucoup moins cher de demander à une couturière de reproduire le modèle, tu sais.

— Marianne l'a fait. Honnêtement, le résultat n'est jamais aussi réussi, et tu passes la journée à penser à l'autre robe.

— Si tu passes la journée de ton mariage à penser à une robe, c'est que quelque chose ne va pas, de toute façon.

Aggy avait tendance à faire la sourde oreille à ce genre de remarque.

— Ta robe de demoiselle d'honneur est la prochaine sur la liste, ma biche ! On en profitera pour passer la journée ensemble, se faire un déj' quelque part…

— OK. Mais rien de ridicule, promis ?

— Ben voyons ! Tu n'auras jamais été aussi belle de toute ta vie.

— Tu places la barre assez bas, plaisanta Anna, un grand sourire aux lèvres.

Aggy parut hésiter à dire quelque chose, ce qui ne lui ressemblait guère.

— Je n'étais pas au courant, tu sais. Pour le Mock Rock. Et je leur ai dit d'arrêter.

— Mais bien sûr, je le sais. Ne t'inquiète pas.

Anna sentit une bouffée familière de douleur et de honte l'envahir. Elle avait eu beau rassurer Aggy des milliers de fois, lui jurant qu'elle ne lui en voulait pas de s'être trouvée dans le public, le sujet revenait régulièrement sur le tapis.

Les yeux de sa sœur se remplirent de larmes et Anna lui tapota l'épaule. C'était typique : Aggy essayait de consoler Anna, et pour finir c'était Anna qui devait lui remonter le moral.

— Et quand M. Towers nous a obligés à nettoyer et à ramasser les Quality Street, dit-elle, les larmes roulant sur ses joues, je n'en ai mangé aucun *par principe*.

Chapitre 14

Une heure avant l'arrivée prévue d'Eva au domicile qu'ils avaient autrefois partagé, James prit une douche et enfila sa tenue de footing. Il voulait qu'elle le voie actif, viril, surtout pas déprimé et avachi.

Malgré une forte envie de jouer la souffrance à coups d'emballages de plats à emporter, de cernes noirs et autres haleines chargées de whisky, il craignit que ce ne soit contre-productif. S'il voulait avoir une chance de la récupérer, c'était en lui montrant à quel point elle avait été stupide de le quitter. Eva n'était vraiment pas du genre à aimer un loser.

Mais cette mise en scène n'en restait pas moins humiliante. Tandis qu'il nouait les lacets de ses chaussures de running avec plus de force que nécessaire, James s'efforça de ne pas trop y penser.

Cela faisait deux mois qu'Eva lui avait annoncé qu'elle le quittait. Après seulement dix mois de mariage, la nouvelle lui avait fait l'effet d'une bombe. James n'avait remarqué aucun signe d'insatisfaction, à part peut-être une légère distraction les derniers temps. À croire qu'elle s'était sentie désœuvrée à peine finie la décoration de leur nouveau foyer.

Et lui terminait endetté jusqu'à la fin de ses jours dans sa maison à la porte d'entrée peinte à la Farrow & Ball, au pays des poussettes Bugaboo et des jouets hors de prix, où il avait cru qu'ils fonderaient une famille.

Eva devait encore passer « récupérer quelques affaires ». Elle s'activerait en tous sens, ferait claquer les portes des placards, comme si de rien n'était. Comme si, un samedi matin pas si lointain, elle ne l'avait pas fait asseoir avant de lui enfoncer son poing dans la poitrine, de sortir son cœur palpitant pour l'émincer jusqu'à ce qu'il ait l'apparence d'une ration de Whiskas Senior.

En parlant de l'autre responsabilité coûteuse et gênante dont il avait hérité…

Luther était un persan bleu. Les représentants de cette race à pedigree avaient une allure tellement irréelle et ressemblaient tant à un jouet qu'ils auraient presque pu être vendus chez *Hamleys*. Une boule de poils couleur cendre avec de sinistres petits cailloux jaune vif en guise d'yeux, les sourcils froncés en permanence ou un front de criminel – James n'arrivait pas à décider. Eva avait pris les recommandations de l'éleveur très au sérieux quand il lui avait expliqué qu'il n'était pas prudent de le laisser sortir, si bien que le chat était également assigné à résidence.

Luther devait son nom à la chanson sur laquelle ils avaient ouvert le bal à leur mariage, *Never Too Much* de Luther Vandross. Jamais assez… Plutôt ironique, puisque finalement, la mariée en avait eu assez au bout d'un an. L'achat de Luther ayant été une initiative d'Eva, James avait été stupéfait – et pas qu'un peu mécontent – qu'elle veuille l'abandonner au moment de la séparation. « Il connaît la maison, je n'ai pas la place chez Sara pour l'instant. Ce serait égoïste de ma part de l'emmener. »

Mais bon. Si Eva pouvait abandonner un mari, un chat, à côté, c'était de la gnognotte.

La sonnette retentit. James s'efforça d'effacer toute expression de dureté hostile pour accueillir Eva, sans non plus feindre de sourire.

… Comment pouvait-elle lui faire encore autant d'effet trois ans après leur rencontre ? Chaque fois qu'il la voyait, il était frappé par sa beauté. Comme si, pour en saisir toute la mesure, il fallait la voir pour le croire. C'était autant une sensation physique qu'une réaction intellectuelle face à tant de proportion et de symétrie.

Son visage en forme de cœur, sa bouche généreuse qu'il avait d'abord jugée peut-être trop grande, avant de se rendre compte que c'était la plus belle qu'il ait jamais vue. Ses yeux en amande, ses fossettes et ses cheveux Timotei – d'un blond-blanc naturel aveuglant…

Quand elle voulait obtenir quelque chose, elle se livrait à un numéro de charme consistant à laisser quelques mèches lui tomber devant le visage, puis à en saisir délicatement une entre le pouce et l'index et à la coincer soigneusement derrière l'oreille sans quitter son interlocuteur des yeux, les lèvres légèrement entrouvertes.

À l'époque où ils commençaient à sortir ensemble, James la croyait parfaitement inconsciente de l'effet follement séducteur de ce geste. Jusqu'à ce que, au cours d'un week-end à Paris, ils finissent avec une addition fort salée dans un restaurant. Les prix des plats étaient déjà à des niveaux de dialyse, et ils s'étaient emmêlé les pinceaux en convertissant les prix des vins en livres, si bien que James avait failli s'évanouir en découvrant le montant total.

— Je vais lui expliquer, dit Eva en faisant signe au maître d'hôtel.

Bien que bilingue, elle se mit à lui parler dans un français de cuisine hésitant tout en jouant avec sa mèche, sous le regard admiratif de James, ébahi par les talents d'actrice de celle qui était alors sa petite amie.

Comme hypnotisé, en transe, l'homme – un de ces Parisiens imbus de leur personne – avait accepté, simplement parce qu'on le lui avait demandé, de diviser par deux le prix de la bouteille poussiéreuse de château-de-bordel-de-merde-je-n'avais-pas-vu-le-dernier-zéro.

Si Eva n'avait pas été prof de dessin, elle aurait pu facilement envisager les carrières de négociatrice de situation de crise ou de mannequin pour shampoing.

Debout sur le pas de la porte, fraîche comme une rose, telle une sylphide, elle ne semblait pas avoir plus de vingt-cinq ans. Elle portait un manteau cape gris tourterelle ceinturé et un jean moulant indigo. Rongé par l'amertume, James mourait d'envie de l'entendre s'exclamer : « Mais qu'est-ce qui m'a pris, bon sang ? Quelle imbécile je fais ! » avant de lui tomber dans les bras.

— Salut. Tu sortais ?

James baissa les yeux vers ses vêtements ; il avait oublié sa tenue.

— Oh, non. Enfin, ouais. Quand tu seras partie.

— Tu peux me laisser seule ici, James. Je ne vais pas te voler ton lecteur DVD. Tu te laisses pousser la barbe ? Vraiment ?

D'une main, James se caressa le menton.

— Peut-être. Pourquoi ?

Il était sur le point de la rembarrer vertement d'un : « Ça ne te regarde plus », mais la jeune femme ne lui prêtait déjà plus attention.

— Ooooh ! Coucou, toi !

Super. Folle excitation à la vue d'un félin maussade élevé en captivité, après un salut à son mari dont on n'aurait pu mesurer l'enthousiasme qu'avec un niveau à bulle.

Eva contourna James et marcha d'un pas dansant jusqu'à l'escalier où hésitait Luther, qu'elle souleva pour frotter son nez contre son visage à l'expression absente, confuse et contrariée.

— Eh ! Comment va ma joyeuse boule de poils adorée ?

James commençait à sérieusement détester la joyeuse boule de poils adorée. Joyeuse ? Quelle idée… Ce chat ressemblait à un dictateur grassouillet engoncé dans une grenouillère en mohair.

— Et toi ? Comment tu vas ? demanda-t-elle comme après coup.

James détesta qu'elle lui pose cette question. Elle savait parfaitement que sa fierté en prendrait un sacré coup s'il lui répondait honnêtement, et que les autres options lui sauvaient la mise.

— Comme d'hab. Toi ?

— Bien, merci. Mes élèves de cette année ont l'air sympas. Ils sont vraiment adorables avec moi.

— Je n'en doute pas.

Eva travaillait à Bayswater dans un de ces établissements privés en briques rouges. Son ascendant miraculeux sur les foules n'était pas sans rapport avec ses atouts esthétiques.

De temps à autre, elle rentrait avec le barbouillage guère subtil d'un élève sous le charme, où figurait une blonde lippue, flottant parfois dans l'eau dans une pose ophélienne. En général, ils trouvaient une excuse pour peindre la prof à poil. James s'agaçait de se voir imposer le spectacle de cette fébrile fanfiction aimantée sur leur réfrigérateur.

— Je te donne les gouttes de Luther, dit Eva.

Elle laissa tomber son sac sur la table et se mit à fourrager à l'intérieur en quête du paquet.

— Deux fois par jour. Si tu constates des sécrétions brunes, c'est normal.

— Formidable. Je trépigne d'impatience.

— Je vais récupérer quelques vêtements dans la chambre d'amis.

— Je t'en prie, fais-toi plaisir.

— Tu n'es pas obligé de t'adresser systématiquement à moi de façon… désobligeante.

James leva les yeux au ciel.

Eva monta les marches d'un pas raide et Luther trottina jusqu'à la cuisine en fouettant l'air de sa queue, histoire de signifier son dégoût face à l'incapacité de James à garder une femme.

Le sac à main brun clair d'Eva était resté béant après ses fouilles, tentant. James aperçut une feuille pliée sur laquelle il déchiffra un nom : « Finn Hutchinson, 2013 », suivi de : « Affectueusement… » Des élèves la peignaient déjà, si tôt dans le trimestre ? Il se rapprocha pour mieux voir – s'il se comportait comme un amoureux éconduit jaloux, c'était parce qu'il en était un.

Tendant l'oreille pour suivre les déplacements d'Eva à l'étage du dessus, James tira le dessin du sac. C'était une feuille texturée et épaisse de papier cartouche, le genre qu'on se procurait dans les magasins de matériel pour le dessin.

Il la déplia et examina l'esquisse au fusain de sa femme nue, les jambes passées sur l'accoudoir d'un canapé, les bras rejetés en arrière, scrutant sans vergogne l'artiste par-dessous ses paupières lourdes, les cheveux s'étalant derrière sa tête comme des serpents.

Bien sûr, il pouvait s'agir d'un autre hommage à Eva. Néanmoins, quelque chose dans ce portrait, et notamment dans la précision des détails, suggérait à James qu'il avait été esquissé d'après nature.

Depuis qu'il la connaissait, Eva se faisait épiler le maillot de façon à ne laisser qu'une bande de poils verticale de la largeur d'un cigare. La petite ligne floue entre les cuisses suggérait fortement que l'artiste disposait d'informations de première main. Des poils pubiens qui vendent la mèche…

Abandonnant le portrait déplié sur la table, James s'adossa au mur en expirant, puis croisa les bras.

Il se sentait soudain nauséeux, glacé jusqu'aux os, et pourtant maître de lui-même. Chaque minute qu'elle passa à l'étage lui parut une éternité.

CHAPITRE 15

Quand Eva entra dans la pièce, James prit un malin plaisir à la voir reconstituer la scène dans un silence affreux.

— Tu as fouillé dans mes affaires ? lâcha-t-elle.

Et voilà. S'il restait encore le moindre doute que ce dessin soit un souvenir du nouvel homme dans sa vie, sa réaction le réduisait à néant.

— Tu avais laissé ton sac ouvert. Qu'est-ce que c'est ? demanda James d'une voix sourde.

— Un dessin offert par un élève. Tu en as déjà vu.

— Tu as vraiment l'intention de me faire gober ça ? Même dans ces circonstances ?

— En quoi suis-je en train de mentir ?

— Ce dessin n'est pas né de l'imagination de quelqu'un, Eva, c'est toi. Tu crois que je ne reconnaîtrais pas ma propre femme ?

Silence. Le visage d'Eva se décomposa, ses épaules se soulevèrent, et elle se mit à sangloter. James culpabilisa immédiatement de l'avoir fait pleurer, ce qui l'irrita au plus haut point. Il savait qu'elle cherchait à le manipuler et sa colère éclata.

— Non, arrête de pleurer ! Tu n'en as aucun droit. Tu m'as fait ça à moi, à nous ! Tu crois que je me sens comment, putain ? Tu penses vraiment que je mérite de découvrir que tu couches avec quelqu'un en tombant sur un gribouillage de tes nichons ?

—Je ne couche avec personne! protesta-t-elle, visiblement confuse.

—Comment tu appelles ça?

—Je savais que tu rejetterais la responsabilité de notre séparation sur Finn, mais ça n'a rien à voir.

—Oh, je crois que ça a quand même un peu à voir avec Finn, maintenant que tu le baises. Pas toi? Ça fait combien de temps que ça dure?

Quand ils s'étaient séparés, il lui avait demandé s'il y avait quelqu'un d'autre, et elle avait nié avec véhémence.

Eva secoua la tête.

—Il ne s'est rien passé avant notre séparation.

—Ah. OK. Tu as bien évidemment rompu avant de commencer quoi que ce soit. Merci pour ta définition de l'honnêteté digne de Bill Clinton.

Eva secoua vigoureusement la tête.

—Non.

—C'est un peu trop direct pour toi? Faudrait-il donc que le saccage de notre mariage résulte de nécessités supérieures, spirituelles, et non pas de ton désir pour une autre personne? Car ce serait tellement ordinaire, n'est-ce pas? Et cela signifierait que tu es dans ton tort. Mon Dieu, loin de moi l'idée de t'accuser de quelque chose d'aussi merdique qu'une *infidélité*.

James avait élevé la voix progressivement, jusqu'à crier. Eva s'essuyait les joues, la tête baissée, les cheveux lui tombant devant les yeux. Son attitude n'avait rien de repentie. C'était une tactique pour faire passer James pour le méchant de la pièce, mais il ne se laisserait pas démonter.

—Qui est-ce?

—Il a posé en modèle vivant pour le cours de nu. Nous nous sommes rapprochés ces derniers temps.

—Rapprochés? Rapprochés comme ça? (James fit un geste, les mains l'une en face de l'autre.) Ou, laisse-moi deviner, comme *ça*?

Il joignit les paumes.

Eva secoua la tête et renifla.

Attendez. Finn. Modèle vivant. Elle lui avait parlé de lui. Elle l'avait rencontré à un vernissage auquel elle assistait avec Hatty, sa copine chargée des relations publiques d'un restaurant. Il avait proposé de poser pour ses élèves et elle avait répondu qu'il était au-dessus de leurs moyens.

Et puis, quelques semaines plus tard, il y avait eu cette anecdote hilarante et prétendument désobligeante sur ce M. Abercrombie & Finch qui était apparu à l'école en roulant des mécaniques pour poser, et avait laissé tomber son peignoir et flirté avec les élèves de terminale rougissantes.

James se rappela avoir dit : « Quoi ? Flirter à poil ? Je dois admettre que j'admire son assurance. »

Eva avait protesté en évoquant une serviette judicieusement placée. Elle avait également précisé qu'il était un mannequin plein d'avenir et qu'il venait de signer avec une agence importante.

James comprenait à présent que, pour Finn l'arrogant, il était drôlement généreux de travailler bénévolement.

Eva s'était gaiement demandé laquelle de ses élèves de première et terminale pourrait avoir une aventure avec lui. Désormais, avec le recul, James détectait le tour de passe-passe : Finn avait rencontré Eva avant de poser. C'était elle qu'il cherchait à impressionner.

— Quel âge a-t-il, Eva ?

— Vingt-trois ans.

James porta la main à son front.

— Vingt-trois ans ? Putain, mais qu'est-ce que… ? Tu aimes les petits garçons, maintenant ? Tu nous fais une adaptation de *Harold et Maud* ?

— Mais oui, vas-y. Démolis-le donc et balance tes blagues à la James. Gardons-nous bien d'avoir une conversation adulte.

— Comment dois-je prendre la nouvelle, à ton avis ? T'attendais-tu à ce que je me montre calme et raisonnable en apprenant que tu couches avec quelqu'un d'autre ?

Il faillit lui demander comment elle se sentirait si c'était lui qui la trompait, avant de se rendre compte qu'il n'avait pas forcément envie de connaître la réponse à cette question.

Elle secoua la tête d'un air condescendant, comme si c'était James qui aurait dû avoir honte de quelque chose.

C'est ce moment que Luther choisit pour les interrompre. Cette espèce de sac à puces perfide miaulait désespérément aux pieds d'Eva. Elle le prit dans ses bras en émettant des bruits exagérément rassurants, comme si c'était James le briseur de couples heureux et de cœurs de chats.

— Je ne couche pas avec lui, affirma Eva sans grande conviction par-dessus le plumeau géant qu'était la queue d'écureuil de Luther.

James secoua la tête d'un air incrédule.

— Repose ce truc, tu veux ?

Eva se pencha et déposa le chat.

— Nous avons pris un café ensemble. Je ne suis allée chez lui qu'une fois. Pour poser. Il s'intéresse à l'art.

— Qu'est-ce que… ? Je suis censé gober qu'ensuite tu as remis ton string et que vous avez partagé un yaourt ? Au fait, dis-lui de ne surtout pas lâcher son boulot pour se consacrer à la peinture : tu ressembles à Richard Branson sur ce dessin.

— Poser ne me gêne absolument pas. Sexualiser la nudité répond à un complexe anglais.

— Et Finn est scandinave, c'est ça ? Non ? Anglais, mâle et hétérosexuel ? Ah, OK. Et donc tu me dis qu'il ne s'est rien passé ensuite ?

— Pas… Je te l'ai dit.

Pour James, le fait qu'elle hésite sur la catégorie dans laquelle entraient leurs activités post-barbouillage était pire qu'une confession pure et simple. Elle aurait aussi bien pu lui enfoncer un couteau glacé dans le ventre et touiller.

—Si tu as fait avec lui des choses qui te vaudraient d'être arrêtée si tu les faisais en public, Eva, tu couches avec lui. Désolé d'être aussi vieux jeu. C'est juste que, étant ton mari, je deviens très sensible aux détails.

Il y eut un silence, durant lequel Eva n'émit aucune objection.

—C'est sérieux ?

—Je ne sais pas.

—Tout ça pour un « je ne sais pas »…

James se prit la tête dans les mains.

—J'aurais préféré que tu me dises : « Ouais, c'est l'homme de ma vie, ça devait arriver. »

Faux. James imaginait les yeux de ce Finn, ses mains et probablement sa langue sur Eva, et essayait de se retenir de pleurer, de vomir ou de balancer son poing dans un mur.

—Peut-être que ton incapacité à comprendre que notre séparation n'a rien à voir avec un autre est une des choses qui nous éloignent l'un de l'autre.

—Qu'est-ce que c'est censé signifier, putain ?

—Si j'ai pu ressentir quoi que ce soit pour Finn, ça prouve que quelque chose n'allait pas entre nous.

James déglutit avec difficulté. Sa pomme d'Adam semblait avoir doublé de volume.

—À mon avis, tu prends les choses à l'envers, dit-il, luttant pour garder le contrôle de sa voix. L'essentiel dans le fait d'être marié consiste à résister à la tentation d'être séduit par d'autres personnes.

Les yeux baissés, Eva attrapa son sac.

—Après notre mariage, plus rien n'a été pareil. Plus de routine, peut-être. Je ne peux pas l'expliquer.

—Il y a toujours de la routine dans la vie de couple, c'est comme ça que ça marche. Nous avons une maison, des boulots…

Eva lui lança un regard dédaigneux qui devait signifier quelque chose comme : « C'est tout ce que tu trouves à dire ? »

—Suis-je censé attendre que tu décides si tu es partie pour de bon ou pas ? demanda James sur un ton moins virulent que précédemment.

—Je ne te demande rien, James.

Elle avait recouvré son calme ; son petit numéro de contrition était terminé. Typique d'Eva. Exaspérante, suprêmement sûre d'elle, dont il était, hélas, désespérément amoureux. James n'avait aucune idée de ce qu'il pourrait bien dire ou faire de plus. La menacer aurait été du bluff. Quand quelqu'un vous piétinait ainsi le cœur, soit il vous perdait, soit il découvrait qu'il détenait tout le pouvoir.

—Quand tu te seras calmé, nous pourrons parler.

Elle sortit, laissant James effondré dans le canapé.

Était-ce vrai ? Avait-il enfermé Eva pour la regarder se ratatiner, comme un écolier observant un papillon se débattre dans un bocal ? Non, c'étaient des conneries. Eva n'avait rien d'une créature ailée sans défense, et il y avait largement assez d'oxygène dans le nord de Londres.

À l'entendre, on avait l'impression qu'il avait posé les limites de leur vie de couple et l'y avait confinée. Ils avaient pourtant été deux à désirer tout ça, non ? Il suffisait de regarder la maison – Eva s'y retrouvait dans le moindre détail – à l'exception de sa PlayStation 4.

Mais il était ennuyeux. La vie avec lui était à mourir d'ennui. Était-ce irréversible ? Comment redevenir intéressant dans son essence même aux yeux de quelqu'un ? Il voulait réparer ses erreurs.

À cet instant précis, il détestait Eva, et elle le rendait profondément malheureux. Pourtant il se sentait plus accro que jamais.

James avait huit ans quand ses parents lui avaient annoncé qu'ils se séparaient. Ce jour-là, il n'avait pas compris que son père ne puisse pas rester chez eux de temps en temps. Passer de vivre ensemble à rien du tout ne pouvait pas avoir de sens, si? Passe les week-ends avec nous, avait-il dit. Ou les mercredis. Les mercredis, c'était bien: il y avait *Les Tortues ninja* à la télé et des pâtes en forme de papillon avec de la sauce tomate pour le dîner.

Ses parents avaient tous les deux souri tristement avec indulgence. Et le voilà, lui, avec son mariage en ruine… Bien qu'il conçoive désormais que diminuer le nombre d'heures de vie commune ne sauverait pas leur relation, il n'était pas sûr de les comprendre mieux non plus.

Et pourtant Eva n'avait pas encore prononcé le mot en D. La connaissant, elle le glisserait probablement dans un texto:

G trouV médocs pr rhume de Luther. PS demande de divorce suit par courrier.

James s'efforça d'écarter ces sombres pensées — les pires, plus douloureuses encore que de l'imaginer en train de se faire baiser par un abruti coiffé d'un chapeau de Schtroumpf et qui ne portait pas de ceinture à son jean.

Si elle revient, comment pourras-tu lui faire de nouveau confiance?

Il ferma les yeux. Quand il les rouvrit, Luther était devant lui sur le tapis. Le chat le scrutait d'un air accusateur et menaçant, en respirant comme Dark Vador.

— Viens là, espèce de connard ronchon.

James attrapa le chat et le pressa contre son visage, laissant la fourrure épaisse absorber ses larmes tandis qu'il sanglotait. Luther sentait le parfum d'Eva.

CHAPITRE 16

L'année des huit ans d'Anna, les Alessi partirent rendre visite à leur famille italienne. Au cours de leur séjour, son père l'emmena voir les mosaïques de Ravenne. Pendant que leur mère, suivie de son apprentie shoppeuse, Aggy, faisait le tour des boutiques, Anna avait attrapé un torticolis d'être restée le nez en l'air dans le silence sacré de la basilique de Saint-Vital. Son père lui narra dans les grandes lignes l'histoire de l'empereur byzantin Justinien et de son épouse Théodora.

Il n'en fallut pas plus pour la rendre accro. L'histoire de la fille du dresseur d'ours de l'hippodrome de Constantinople, devenue actrice, prostituée – « Elle gagnait de l'argent grâce à ses fréquentations », avait éludé son père, mais Anna n'était pas stupide – et impératrice de l'Empire romain l'avait complètement captivée. En contemplant la beauté royale représentée sur ces minuscules carreaux scintillants, elle avait eu l'impression que ses yeux noirs, tels des faisceaux lumineux, plongeaient directement dans les siens, communiquant avec elle par-delà les siècles.

Elle vécut ce jour-là ce qui se rapprocha le plus d'une expérience religieuse dans sa vie – ce sentiment de trouver ce que vous aviez toujours cherché, d'être transformé en un instant. La famille d'Anna n'était pas religieuse, mais, à certains égards, Théodora devint une divinité pour Anna. Elle trouva en cette femme une source d'inspiration : Théodora avait parcouru un long chemin depuis ses origines, démontrant que le point de départ dans l'existence ne définissait personne nécessairement. Elle était une héroïne, un modèle à suivre. Bon, le temps de se faire un nom, elle s'était livrée à des activités assez tumultueuses et ayant impliqué à peu près tous ses orifices, auxquelles Anna n'avait aucunement l'intention de se livrer. Mais en général.

Ses parents avaient essayé d'étancher sa toute nouvelle soif de connaissances en lui achetant un de ces albums « Une brève histoire de toute l'histoire de tous les temps » généreusement illustrés. Elle le dévora en quelques jours et en redemanda. Sa mère finit par la laisser utiliser librement sa carte de bibliothèque, grâce à laquelle Anna eut accès au bon matos, à savoir de vraies biographies avec tous les détails scabreux.

Les livres ouvrirent Anna à d'autres univers, lui promettant l'existence d'un vaste monde au-delà des murs de Rise Park. On peut affirmer sans exagérer que les livres lui sauvèrent la vie. À tel point qu'elle ne comprit jamais pourquoi certains de ses camarades jugeaient l'histoire rébarbative et poussiéreuse. En 500 de notre ère, la jeune Théodora avait fait des conneries autrement plus corsées que n'importe lequel d'entre eux au xxᵉ siècle, quelles que soient les cochonneries auxquelles Jennifer Pritchard prétendait s'être livrée dans Mayesbrook Park.

Certains embrassent la carrière d'enseignant parce qu'ils aiment transmettre leur savoir, ou, plus souvent, jouer les petits chefs. Une fois qu'elle eut vaincu sa peur de parler en public – grâce à une thérapie et à la pratique, ainsi que, les premiers temps, à un (tout petit !) verre de gin, Anna prit un certain plaisir à donner des cours magistraux et mener les séances de travaux dirigés. Mais ce qui l'enthousiasmait vraiment, c'était la recherche.

Plus précisément les « moments eurêka » ; elle se sentait alors comme le premier enquêteur sur une scène de crime, découvrant l'indice d'une importance capitale. Car alors elle ne se contentait pas de consommer des faits historiques : elle en ajoutait à leur somme.

Elle avait ressenti une joie intense, de celles qui donnent envie de sauter partout, quand l'adorable John Herbert, conservateur du British Museum responsable de l'époque byzantine, l'avait contactée pour lui demander de l'aider à monter une exposition sur Théodora. Tout au fond d'elle, la fillette qui avait levé les yeux vers ce dôme doré, transportée à une autre époque, dansait la gigue.

La tâche d'Anna consistait à traduire des textes, et aider à choisir et légender les pièces exposées. Il n'y avait rien de plus merveilleux à ses yeux que de pouvoir jouer avec des morceaux du passé, de ressusciter les morts, d'une certaine – modeste – façon. Jusqu'à ce jour, Anna n'avait collaboré à des expositions que sur quelques points de détails, ce qui lui avait néanmoins permis de fouiner au British Museum.

C'était la première fois qu'elle œuvrait en coulisses en tant que force créatrice. Elle n'avait pas rechigné les derniers mois à travailler tard tous les soirs pour préparer l'exposition.

Marchant d'un pas léger vers le musée pour sa première réunion sur l'Opération Théodora, elle savoura chaque seconde du trajet dans Bloomsbury, allant jusqu'à sourire bêtement à des inconnus qu'elle croisait. C'était un quartier ravissant de la capitale, le Londres du cinéma et de la télé, avec ses rues larges et paisibles, les arbres de Russell Square, ses cabines téléphoniques rouges, désormais monuments historiques, qui n'existaient plus que pour les photos des touristes, les demandes de rançon et la diffusion de cartes de « masseuses ».

Elle se présenta à l'entrée à l'arrière du bâtiment, telle une V.I.P. Là, elle signa le registre, ce qui lui valut un signe de tête entendu du réceptionniste, puis se dirigea vers la salle de réunion. Dans la pièce, moderne, d'un blanc éblouissant, des tables étaient disposées en fer à cheval, comme pour une lecture de script. Anna aurait largement préféré un décor en bois patiné et cuir, à l'encombrement rassurant, des grains de poussière voletant dans la lumière automnale d'un jaune cidre. L'ordre et l'éclairage au néon ne lui rappelaient que trop l'ambiance des salles de classe.

John lui adressa un sourire bienveillant en la voyant arriver.

— Ah, la femme du moment. Je vous présente Anna Alessi, de l'UCL, notre collaboratrice universitaire et spécialiste résidente. On pourrait croire que je suis le spécialiste résident, mais je ne suis en fait guère plus qu'un commerçant. Mlle Alessi se charge de fournir l'exposition, vérifie ce qu'il convient de mettre en vente, comme…

Pendant qu'il parlait, Anna balaya l'assemblée du regard, souriant et adressant des signes de tête à la ronde, jusqu'à ce que ses yeux rencontrent ceux de James Fraser.

Elle sursauta presque de surprise, et fut incapable plus tard de se rappeler si elle avait poussé un cri.

Sa bonne humeur et son entrain retombèrent si brutalement qu'elle crut presque entendre un bruit de chute. Quand elle se rendit compte que son visage s'était figé en une expression horrifiée, il était trop tard pour s'en composer une autre.

Putain c'est quoi ce bordel?

Sans atteindre son niveau de consternation, James paraissait fort déconcerté.

John parlait toujours.

— … Je vous présente donc James, membre de l'équipe de conseil en marketing numérique de l'agence Parlez. James est le chef de projet, et voici Parker, son collègue chargé de la conception technique et du développement…

Anna marmonna un vague salut à l'intention du jeune homme efflanqué d'une vingtaine d'années à la coupe de cheveux asymétrique, avant de se laisser tomber dans un bruit sourd sur sa chaise.

Elle s'affaira ensuite pour sortir ses notes de son sac de façon à n'avoir à croiser aucun regard. Son cœur faisait le bruit d'une poignée de billes tombant sur du carrelage. Elle entendait la pulsation des valves, comme amplifiée.

Comment une chose pareille pouvait-elle lui arriver ? Quel genre de tour monstrueux lui jouait-on cette fois ?

CHAPITRE 17

P endant que la conversation se poursuivait et que John exposait les thèmes de l'exposition, Anna réfléchit : elle se remémora les plaisanteries de John sur la nécessité de convier les « marchands de numérique » en plus des gens du marketing et de la com' au premier meeting sur l'exposition ; puis, à la réunion d'anciens élèves, les paroles de Laurence au sujet de James : « … agence de communication digitale… plein de gros clients impressionnants ».

Les événements prenaient un tour horrible. Anna ne put s'empêcher de penser que, si elle avait séché la réunion d'anciens élèves, elle aurait eu l'avantage. Jamais James n'aurait su qui elle était.

Et tant pis pour la nécessité de combattre ses démons. Combien de temps leur avait-il fallu pour revenir lui mordre les fesses ? Ces monstres du passé n'étaient pas censés débarquer quelques jours plus tard en cardigan John Smedley bleu marine dans le cadre d'interactions professionnelles. Sauf que, cette fois, contrairement à la réunion d'anciens élèves, elle avait été présentée sous son nom de famille. Comprendrait-il qui elle était ?

Oh, Seigneur, pourvu que non. Il était impossible de savoir s'il avait fait le rapprochement. Elle ne pouvait qu'adopter une attitude distante, digne, et rester froidement maîtresse d'elle-même.

L'échange se poursuivait, John restant le principal locuteur. Il conclut :

— Et maintenant, je laisse la parole à James, qui va nous éclairer sur les différents plans de stratégie de marketing multicanal autour de l'exposition…

Les universitaires présents dans la pièce adressèrent au jeune homme des regards vides, quoique polis, tandis que Parker se passait les mains dans les cheveux pour les coiffer en banane.

— Hum, merci…, dit James en s'éclaircissant la voix. Bien évidemment, notre objectif principal est la conception de l'application officielle de l'exposition pour iOS, Android et autres. C'est un facteur clé dans la promotion de l'événement et cela en facilitera la couverture médiatique.

Il balaya son auditoire du regard.

À quoi bon faire un laïus pour vendre sa came quand on a déjà été embauché ? songea amèrement Anna.

Elle percevait sa nervosité mais n'avait pas l'intention de le plaindre.

— L'application inclura de nombreuses images de l'exposition et du texte rédigé par vos soins. Pas question de nous limiter à transposer du matériel de l'exposition : nous voulons donner à l'application une valeur vraiment unique, avec du contenu original. Nous pensions à des têtes parlantes qui…

— Euh… rien à voir avec le vieux groupe des Talking Heads, bien sûr, l'interrompit Parker en coinçant son stylo derrière son oreille, un grand sourire aux lèvres.

— Vieux…, gloussa John Herbert.

— Oui, merci, Parker, reprit James en plissant les yeux. Bref, nous voulons construire une couche de réalité augmentée pour l'exposition, en incluant les versions numériques des objets qu'on ne trouve pas au musée ou que nous ne pouvons déplacer jusqu'ici. Nous pensions choisir des personnalités des mosaïques et faire appel à des acteurs en costumes pour filmer les reconstitutions d'interactions. Nous pourrions les faire circuler dans les salles. Une Théodora et un Justinien virtuels, etc.

Exaspérée, Anna n'y tint plus et prit la parole.

—Pas question qu'on se retrouve avec des têtes scannées en 3D qui tournent sur elles-mêmes, genre «Waouh, des têtes». (Elle gesticula, songeant: *Je n'ai aucune idée non plus de ce que je raconte, mais j'ai l'air un peu en colère, donc personne n'osera rire.*)… Et donc pas de texte, c'est ça?

Ces questions créaient en général une légère tension entre universitaires et concepteurs, et Anna avait bien l'intention de l'intensifier.

—Chaque pièce exposée aura sa légende. Rédigée par vos soins, répondit James avec une expression très professionnelle indiquant qu'il prenait au sérieux ses objections.

—Combien de mots?

—Cent cinquante environ.

—Ce n'est pas beaucoup.

—Les visiteurs ne pourront pas assimiler plus d'une certaine quantité d'informations par artéfact.

—Nous estimons que l'exposition attirera probablement pas mal de «lecteurs», rétorqua Anna, caustique.

—Nos enquêtes montrent que les gens commencent à lire en diagonale au-delà de cent cinquante mots, insista James en tapotant sur son bloc du bout de son stylo.

—Bon, mais qu'est-ce que des acteurs errant dans les salles ajouteront vraiment? Le public a-t-il besoin qu'on lui rappelle à quoi ressemble un être humain? L'homme n'a pas connu de mutations significatives depuis Théodora et Justinien. Ils n'avaient pas de queue préhensile.

James cligna des yeux.

—Cela permet de rendre les artefacts plus saisissants. Nous mettons l'accent sur l'expérientiel.

L'expérientiel. Ces «concepteurs» et leurs mots inventés…

— Je veux dire qu'ils s'interposeront entre le public et les mosaïques, qui sont tout l'intérêt de la visite, non ? expliqua Anna. Est-ce qu'on ne risque pas que les visiteurs passent leur temps à jouer à des jeux vidéo au lieu de regarder les pièces exposées ?

James inclina la tête d'un côté, l'air de dire : « Comment répondre respectueusement à une question que je trouve stupide ? »

— C'est un « aussi », pas un « au lieu de ». Il s'agit d'aider les gens à visualiser le monde et de rendre la scène vivante. Nous taguerons des vidéos aux objets de façon que les visiteurs puissent choisir de les regarder s'ils sont intéressés.

James marqua une pause, puis ajouta :

— C'est un moyen moderne d'attirer l'attention du public.

— Ah, c'est ça, le truc, avec l'histoire. *Ce n'est pas moderne.*

— Mais les gens qui viendront voir l'exposition, si. Vous comptez aussi faire sans électricité ?

Le ton de James suggérait qu'il ne plaisantait qu'à moitié ; tous les dos dans la pièce se raidirent. Mis à part celui de Parker.

— L'intérêt de l'application est justement sa différence avec l'exposition elle-même ; elle apporte un complément, poursuivit James en s'efforçant d'avoir un ton ferme et définitif.

— Je ne comprends pas pourquoi on mettrait l'accent sur la recréation de choses qui ne sont pas là, en détournant l'attention des gens de ce qui *est* là. C'est comme si les artefacts n'étaient pas assez intéressants en eux-mêmes.

— C'est une question de narration. Les gens vont principalement s'intéresser à Théodora, n'est-ce pas ? Elle est le centre de l'exposition. Tout comme Justinien. Ce sont eux l'histoire.

James parlait désormais avec autant de vigueur qu'Anna ; on percevait dans sa voix le genre de politesse sèche qui tirait sur la laisse, la grossièreté prête à bondir.

—Oui, mais ce n'est pas une raison pour transformer le sujet de l'exposition en «Théo & Justy, le couple de l'année»…

—Justinien Bieber, lança Parker en riant à gorge déployée.

Les autres le fusillèrent du regard.

—Nous abordons le sujet sous des angles différents, mais nos objectifs sont les mêmes, intervint John. Attendez de voir le résultat, Anna. L'application des Manuscrits royaux est absolument incroyable. James pourrait vous la montrer.

James hocha la tête. Anna mijotait.

—Nous sommes en train de dresser une liste de questions sur les thèmes de l'exposition. Elle devrait nous aider à développer l'application en suivant votre vision en ce qui concerne les messages clés de l'exposition.

Des messages clés! Comme s'il s'agissait d'une campagne publicitaire. «Faites de la mosaïque!» Voilà.

Ces connards du digital ne sont que des publicitaires, songea Anna.

Dissimulés sous une couche épaisse de vernis brillant «Médias sociaux». Ils n'auraient aucun problème à fourguer des peaux de chamois comme des artefacts du VIe siècle. D'ailleurs, James Fraser ressemblait assez à Don Draper dans *Mad Men*.

James s'éclaircit la voix.

—Nous jouions avec un thème «médiéval bling» pour l'animation de lancement…

—Un thème médiéval *bling*?! répéta Anna sur un ton qui suggérait qu'elle tenait mentalement le mot à bout de bras, entre le pouce et l'index.

—Oui…

James eut cette fois la décence de paraître gêné.

—Vous savez, bling-bling, quincaillerie, comme dans diams, gangsta, cool, coke…, commença Parker.

—Nous y avons vu un moyen accessible de représenter la richesse à cette période, intervint James d'un ton désespéré.

Bien évidemment, nous pouvons travailler en tandem avec vous sur ce sujet.

—L'angle «pute» attirerait fortement l'attention, mais causerait des problèmes avec les populations jeunes en âge d'être scolarisées, déclara Parker sur un ton solennel qui donnait l'impression qu'il citait quelqu'un d'autre.

Scolarisées. Anna sentit sa gorge se serrer.

—Nous n'avons fait que lancer des idées. Rien n'est gravé dans le marbre, s'empressa de préciser James.

—Je doute vivement que l'usage du mot «pute» soit judicieux, fit remarquer John le conservateur. Il implique un jugement de valeur aux dépens d'une femme.

—Oui. D'ailleurs, il ne vous viendrait jamais à l'idée d'intituler une exposition sur Gengis Khan : «G.K. : seigneur de la guerre mongol et queutard en série», si ?…, renchérit Anna.

Parker parut sur le point d'essayer de répondre à sa question rhétorique, mais Anna ne lui en laissa pas le temps.

—Nous voulons mettre l'accent sur le fait que Théodora était une femme exceptionnelle et ambitieuse. Pas une… prostituée qui a décroché le gros lot en se mariant. Il s'agissait de toute façon plus de danse burlesque. Elle distrayait les gens.

Là, elle exagérait un peu, car la vie sexuelle de Théodora était sacrément rococo. Mais Anna n'avait aucunement l'intention de laisser son héroïne bien-aimée se faire négligemment traiter de pute par un gamin arborant une boucle d'oreille smiley et portant le prénom d'un personnage des *Sentinelles de l'air*.

—Oh, OK. J'ai parcouru sa page Wikipédia, et il y était question d'un de ses numéros. Apparemment, elle se mettait de l'orge là… en bas, et des oies venaient picorer…? Truc de ouf, dit Parker.

James se frotta les yeux, mais semblait se retenir de se cacher le visage dans les mains.

— Oh, eh bien, si vous avez consulté Wikipédia, je m'incline, dit Anna à Parker.

La tension dans la pièce était à son comble.

— Si nous pouvions nous rencontrer rapidement pour filmer une séance de questions-réponses, ce serait utile, intervint James, le visage impassible, en insistant avec une pointe de sarcasme sur « utile ».

— Oui, je pense que cela aiderait, Anna, si James et vous pouviez vous retrouver bientôt autour d'un café, dit John nerveusement. Pour s'assurer que nous sommes tous satisfaits de l'orientation du projet. J'ai le sentiment que cette collaboration va se révéler extrêmement fructueuse.

Anna lança à James un regard qui suggérait qu'elle glisserait peut-être quelques gouttes de poison dans son café quand ils se verraient, et la réunion prit fin.

CHAPITRE 18

Anna regagna l'université comme portée par le vent. Sauf que, cette fois, elle ne flottait pas soulevée par une petite brise d'euphorie, mais par un ouragan d'indignation.

James Fraser l'avait-il reconnue ? Impossible à dire. Son instinct lui soufflait que non – à aucun moment elle n'avait vu la lumière se faire et transformer ses traits. Mais ça ne voulait pas dire grand-chose.

Désormais, en plus de l'avoir croisée à la réunion d'anciens élèves, il connaissait son nom. Si cela n'avait pas encore fait tilt, cela ne tarderait pas. L'ampoule grésillait, clignotait, prête à s'allumer. *Alessi*. Elle avait beau être Anna et non plus Aureliana, son nom de famille n'était pas courant. L'allitération le rendait mémorable. Cela ne faisait aucun doute, les cloches n'allaient pas tarder à carillonner.

Il afficherait une expression triomphale et venimeuse lors de leur prochaine rencontre, et conclurait en disant : « Au fait, ça m'est revenu. Effectivement, je vous connais… »

Bien sûr, techniquement, cela n'avait aucune importance. Après tout, il ne pouvait pas utiliser cette information dans le but de lui nuire professionnellement – au pire, il répandrait des ragots gênants parmi l'équipe de l'exposition. En fait, Anna avait du mal à s'expliquer pourquoi cette confrontation lui semblait si catastrophique.

Elle avait réglé le problème de son expérience au lycée en tirant un trait dessus et en avançant sans jamais se retourner. Elle avait rangé ses journaux intimes inopportunément nommés *Forever Friends* dans un carton et banni toute réminiscence au grenier. Enfin, pour finir, elle avait changé d'apparence.

Elle s'était rendue à la réunion d'anciens élèves avec l'assurance qu'elle pourrait en sortir à la seconde où elle le souhaiterait. Jamais elle ne s'était imaginé qu'il pourrait y assister.

Face à la tournure prise par les événements, il lui semblait que le ciel se moquait de son audace. C'était Dieu disant : « Chaque fois que tu essaieras de jouer avec l'ordre des choses, je te le ferai payer immédiatement. »

Voilà que le monstre déchirait l'écran de papier : quelqu'un qui savait qui elle était autrefois – et en plus il fallait que ça tombe sur *lui* – et qui travaillerait désormais avec elle ? Elle n'aurait jamais, jamais cru devoir affronter un jour la fusion de ces deux réalités. Constater à quel point, dans des circonstances tellement improbables, elle manquait de chance lui mettait presque les larmes aux yeux. « De tous les bars de toutes les villes du monde… »

— Plus rapide qu'une balle de revolver ! lança Patrick en voyant Anna traverser le hall d'un pas énergique.

Anna se sentit pathétique d'être aussi reconnaissante de le voir. Quelqu'un qui ne la jugerait jamais, qui ne se moquerait jamais d'elle, qui ne la trahirait ni ne la ridiculiserait jamais. Voilà le genre de personne dont elle avait besoin. Et l'université était son refuge, un lieu où l'on ne vous évaluait qu'en fonction de votre intelligence. Seules vos dissertations étaient notées. Pas votre tour de taille, ni votre salaire, ni votre coolitude, ni vos vêtements.

— La réunion s'est bien passée ? Hâte de te perdre dans l'exploration de Dora ?

— Patrick, je viens de vivre un cauchemar, dit-elle en essayant d'empêcher sa voix de trembler sans y parvenir vraiment.

— Que s'est-il passé ? dit-il, immédiatement inquiet, la main sur son bras.

Anna jeta un coup d'œil en direction de Jan la réceptionniste. Quand il y avait du scandale dans l'air, elle avait des oreilles de la taille de feuilles de chou.

— Tu as le temps de prendre un petit café rapide dans Russell Square ?

Patrick consulta sa montre.

— Pour toi, toujours.

— Oh, merci, souffla Anna.

Ce déballage extravagant d'émotion autour d'un café latte sembla faire plaisir à Patrick.

— Je suis désolée d'avoir eu l'air dramatique…

Une fois installés sur un banc du parc avec leurs cafés à emporter, Anna commença :

— Tu te souviens que je t'ai dit en avoir bavé au lycée ? Figure-toi que le responsable de la communication digitale pour l'expo est un des gros trous du cul qui me maltraitaient…

— Il t'a *maltraitée* ? s'exclama Patrick en jouant avec son sachet de sucre.

— Oui. Je l'ai vu à la réunion d'anciens élèves l'autre jour. C'était pire que… Ce qu'il m'a fait endurer est pire que ce que je t'ai raconté. Autrefois, je veux dire.

— Bon sang, Anna. A-t-il… ? Est-ce que tu… ?

Patrick évitait son regard. Elle se rendit compte qu'il avait peut-être mal interprété ce qu'elle s'apprêtait à lui révéler.

— Oh, non, j'ai quitté ce lycée à seize ans. Je n'étais pas… J'étais…

Anna se sentit rougir. Patrick hocha la tête, soulagé, et posa la main sur son bras.

— J'étais différente à l'époque, poursuivit-elle avant d'inspirer profondément. J'étais… beaucoup plus grosse.

Le visage de Patrick trahissait une profonde inquiétude. Elle avait oublié son très fort instinct protecteur. Aussi protecteur que le terre-plein central de l'autoroute M1.

— Ce type s'est montré particulièrement cruel à mon égard. Il m'a tendu un piège, me convainquant de monter sur scène avec lui pour que la moitié de l'école me bombarde de bonbons en me traitant de tous les noms.

— Sapristi, souffla Patrick.

— Il ne m'a pas reconnue à la réunion d'anciens élèves. Mais maintenant il connaît mon nom de famille. Patrick, je suis morte d'appréhension à l'idée de le revoir. Il va forcément mettre le sujet sur le tapis et je vais finir en larmes. En plus, mon travail a toujours été un espace où je me sentais en sécurité et où je n'avais pas à penser à tout ça, tu vois. Je ne veux pas faire tout un plat de ma nouvelle identité, mais... je me sens vraiment comme quelqu'un entré dans le programme de protection des témoins qui voit débarquer les truands.

— C'est affreux. Et la coïncidence est des plus étranges, ajouta Patrick après une brève interruption. Crois-tu que cela ait quoi que ce soit à voir avec la réunion d'anciens élèves ?

— Oh, non. C'est vraiment un hasard. Imagine. Quelle raclée ! Seize ans sans voir cet imbécile, et il faut que je lui tombe dessus deux fois coup sur coup en une semaine...

Anna secoua la tête avant de boire une gorgée de son café.

— Je n'écarte pas la possibilité d'abandonner le projet de l'exposition Théodora. En même temps, j'ai tellement envie d'y participer... Et puis je n'arrive à trouver aucune excuse plausible.

— Oh, Anna, il est hors de question que tu abandonnes. Tu m'as dit que c'était le plus grand moment de ta carrière. Tu ne peux pas laisser ce connard tout gâcher. Et puis, c'est ce qu'on disait, ton travail sur l'exposition pourrait avoir d'excellentes répercussions pour toi à l'université.

Un silence.

— Et si tu te débrouillais pour que lui parte ? lança Patrick.

— Comment ? Je peux difficilement aller voir John Herbert et chouiner : « Il a été méchant avec moi à l'école »...

— Et s'il était méchant avec toi maintenant ?

— Comment ça ?

— Penses-tu qu'il serait capable de te faire une réflexion, la prochaine fois que vous vous verrez ?

— Oui. Je le crois sarcastique par nature, et je n'ai pas pu m'empêcher de lui chercher des noises pendant le meeting.

— Alors encourage-le à ça. Pousse-le à te harceler. Ensuite, fais-en part à John et dis-lui que pour des raisons personnelles tu ne peux pas travailler avec lui, et qu'un autre membre de l'agence devrait prendre la suite.

— Oh. Waouh. Oui, je suppose que ça pourrait marcher... Tout dépend de ce qu'il dira.

— Vois ça comme une assurance. S'il ne te balance rien de trop affreux, tu fais face. S'il te provoque, il débarrasse le plancher.

Anna réfléchit. L'idée de prendre l'avantage et de le brusquer lui donnait du courage. Une armure psychologique.

— Merci. C'est un excellent conseil.

— On fait ce qu'on peut.

Patrick lui tapota de nouveau le bras.

— Tu es mon héros velu de Pandarie, lui dit Anna en souriant de toutes ses dents.

Patrick répondit par un grand sourire.

Anna n'était pas du genre à chercher le conflit. Alors que, de temps en temps, Patrick explosait et bafouillait des remontrances à des étudiants paresseux, Anna essayait toujours de se montrer compréhensive. On ne connaissait jamais toute l'histoire des gens. Elle jouait au jeu du « et si ». Et s'il avait des problèmes financiers... Et s'il était malade ? (« Peut-être a-t-il mal aux cheveux ? », plaisantait Patrick.)

Mais se montrer désagréable envers James Fraser ? Elle pensait en être capable.

CHAPITRE 19

À la fin d'une longue semaine, Anna trouva une place où s'asseoir et poser son manteau, son sac et son verre de vin rouge dans le café-bar en sous-sol du cinéma *Curzon Soho*. Ne tenant pas à ressembler à un suricate chaque fois qu'un homme passerait la porte, elle espérait que Grant la reconnaîtrait.

Il avait un quart d'heure de retard, mais Anna s'en fichait. Si certaines femmes attachaient beaucoup d'importance à la ponctualité, aux sièges qu'on leur tirait et aux bonnes manières en général, ce n'était pas son cas. Tant qu'il semblait respectueux et qu'il ne l'insultait pas parce qu'elle n'avait pas commandé à boire, Anna était prête à faire preuve de tolérance. Sortir avec quelqu'un était déjà assez difficile comme ça, inutile de s'attarder sur les détails.

Anna aimait cet endroit ; elle y venait souvent, même sans aller voir un film, pour observer les gens en buvant un chocolat chaud. C'était une petite oasis de paix cérébrale quand toute la ville s'agitait frénétiquement au-dessus.

Contrairement à Anna, Michelle n'avait pas grandi à Londres. Elle avait quitté le West Country pour s'installer dans la capitale quand elle avait intégré une école de cuisine, et elle portait sur la ville un regard extérieur. D'après elle, Londres était un des pires endroits au monde où se trouver quand on passait une sale journée, et un des meilleurs les bons jours.

Anna comprenait ce qu'elle voulait dire : elle avait fait le trajet jusqu'au British Museum pour le fameux meeting avec des chansons des Beach Boys plein la tête, et en était revenue avec Joy Division.

Autrefois, après une journée particulièrement pénible au lycée, Anna avait l'habitude de prendre un livre et d'aller à Mayesbrook Park où elle marchait, lisait et marchait encore. Elle avait appris que rester assise dans sa chambre à broyer du noir en pensant à ce que la journée du lendemain lui réservait était malsain.

Suite à l'incident avec Neil Poly-Pipi, elle avait décidé d'attendre un peu avant de retenter l'expérience d'un *blind date*, tout en sachant qu'il ne fallait pas qu'elle laisse passer trop de temps. De plus, Grant lui avait exprimé son extrême enthousiasme dans un message. Sur les sites de rencontre, les gens n'étaient disponibles qu'un certain laps de temps. Si vous les faisiez trop mariner, ils passaient au suivant sur la liste, quelqu'un qui les ferait peut-être disparaître du circuit des célibataires.

À force de traîner les pieds, Anna risquait de rater l'amour de sa vie. Grant était peut-être son homme idéal. Devait-elle risquer de passer à côté à cause de Neil SM et *James Fraser*? Imaginez! Ouaip, c'était de nouveau la logique de la loterie. Et quelles chances aviez-vous de remporter le gros lot, ainsi que l'hôtel particulier et les bullmastiffs nommés Pucci et Gucci?

D'après mamie Maud, toute personne célibataire après trente ans avait un « problème ». Il incombait à chacun de découvrir lequel. « Et si tu ne vois pas ce qui cloche tout de suite, déclarait-elle, marquant un temps d'arrêt pour faire durer le suspense, tu le découvriras bien assez tôt. »

Sa grand-mère dispensait sa sagesse comme des spores d'anthrax, qu'Anna inhalait les yeux écarquillés. Adolescente, l'ancienne Anna, chaussée de ses Doc Martens qu'elle avait décorées au Tippex de symboles de la paix, une mèche aubergine dans les cheveux, avait alors commencé à remettre en question la génération des anciens.

— Et si tu es veuve et que c'est pour ça que tu es célibataire ? Si c'est ça, le problème ?

— Bon. Et qui voudrait de quelqu'un qui voulait quelqu'un d'autre et n'a pas pu l'avoir ? Tu serais toujours un deuxième choix.

Alors, dans ce cas, quel était le problème d'Anna ? Mamie Maud étant morte, elle n'aurait jamais son opinion là-dessus, ce qui était probablement une bonne chose.

— Bonsoir. Anna ?

Plongée dans ses pensées, elle feuilletait le programme du *Curzon*.

— Bonsoir ! Grant ?

— Je vous commande quelque chose à boire ?

— Oui, merci.

— Bien, je reviens tout de suite…, dit Grant en se débarrassant de son manteau d'un haussement d'épaules et en laissant tomber une serviette au pied de sa chaise.

Mince alors. Attendez. Il n'était pas mal du tout. Cheveux blonds derrière les oreilles, nez fort, épaules larges – on l'imaginait bien remporter des régates ou décrocher un petit rôle de don Juan avec des rouflaquettes au Velcro dans *Downton Abbey*.

Elle l'avait trouvé séduisant sur les photos, mais, comme toujours, s'était interdit de s'emballer avant de l'avoir rencontré en chair et en os. Il avait un boulot impressionnant – directeur de communication d'une grosse association caritative. Anna sentit un frisson d'anticipation la parcourir. Elle ajusta sa jupe sur son collant de laine. Après la remarque de Neil sur son aspect « peu fleuri », elle avait relevé ses cheveux en un chignon tressé, accentué son maquillage et acheté une robe plus moulante qu'à son habitude. Ça n'avait pas été difficile : enfiler un vêtement de chez Topshop ressemblait à se glisser dans un garrot.

Grant déposa une pinte de Kronenbourg sur la table.

— Désolé d'être en retard, quelque chose m'est tombé dessus à la dernière minute.

— Ah, je connais. (Silence.) Votre travail vous plaît ? demanda Anna.

— La plupart du temps. Ma dernière responsable, Ruth, est partie. Honnêtement, c'était le chef le plus exigeant qu'on ait jamais rencontré. On a fini par s'en plaindre officiellement avec quelques collègues. Elle n'est pas partie, mais elle a reçu une sanction disciplinaire, après quoi ça a été encore pire. À se demander si ça valait la peine de faire une réclamation au départ… Franchement, à quoi servent les ressources humaines ? Ruth ne savait pas nous évaluer, d'ailleurs elle n'a jamais fait son boulot, point barre. (Grant mima une bouche avec sa main.) « Bla-bla-bla, fais ci, fais ça. » Et nous, OK, ouais, c'est ça. Elle a déménagé à Doncaster.

— Oh, là, là…, souffla Anna tout en se demandant pourquoi Ruth avait eu droit à autant de temps à l'antenne.

Peut-être que le souvenir était encore à vif.

— Comment en êtes-vous venu à la com' ?

— La com' ? Bonne question. Je suis diplômé en pharmacologie. J'ai étudié à Newcastle. À l'époque, ça me correspondait, et j'ai décroché une mention bien, mais ensuite je me suis dit : est-ce que c'est vraiment ça que tu veux faire ? Bon, attention, c'est une discipline tout à fait honorable, hein, mais au fond je suis un communiquant. J'aime parler aux gens.

DEVANT LES GENS, corrigea mentalement Anna tout en s'efforçant de faire taire la petite voix rebelle dans sa tête.

— Donc ensuite je me suis installé à Londres, et au début – mon frère est dans les TIC –, je me disais : tiens, et les TIC, pourquoi pas ? J'ai travaillé comme intérimaire dans sa boîte et bon, c'était pas mal, et lui il arrêtait pas de me dire : « T'es bon là-dedans, tu peux décrocher un boulot » et moi je hochais la tête en faisant « mmmm ». Peut-être que c'est mon truc, vous voyez ? Ensuite, je suis parti en Indonésie avec ma copine – ha ha, mon ex, plutôt…

Grant se pencha pour serrer le bras d'Anna dans un geste rassurant – que certains auraient pu considérer un peu présomptueux.

— Ça a complètement changé ma façon de voir les choses. Un endroit incroyable. Vous connaissez ?

Anna secoua la tête en se mordant l'intérieur des joues, devinant que sa réponse allait lui valoir un rapport complet. Effectivement, Grant s'embarqua pour l'Indonésie, sa topographie, ses coutumes, sa cuisine. Ses… *chaussures* ? Le genre de *chaussures* que les gens y portaient ? Bon sang…

Anna était sidérée. Quel que fût le sujet, Grant ne filtrait rien. C'était comme d'ouvrir un robinet. Toute question entraînait un torrent d'informations, dont le niveau dans la pièce n'allait pas tarder à atteindre les chevilles ; il faudrait bientôt appeler le plombier…

D'abord, Anna trouva son comportement perturbant, ensuite exaspérant, puis drôle – à condition d'être amateur d'humour noir – et enfin infiniment ennuyeux.

Une heure plus tard, Anna ne savait plus comment arranger son expression – elle devait avoir la tête d'un passager aperçu par le hublot d'un avion en plein crash.

Elle aurait pu contre-attaquer en se lançant dans des monologues de son cru, mais à quoi bon ? Grant n'était pas assez intéressé pour lui poser la moindre question, et, à moins qu'il ne produise un document prouvant qu'il souffrait d'incontinence verbale et que la loi ne l'oblige à accepter de reprendre un verre avec lui, Anna était sûre de ne jamais le revoir.

Grant discourait désormais sur les orangs-outans de Sumatra, dangereusement menacés d'extinction, racontant comment ils l'avaient attaqué de leurs mains aux longs doigts. Le sujet était potentiellement intéressant, sauf qu'il repartit en arrière, décortiquant le moindre détail de ses préparatifs de voyage pour en arriver à sa confrontation avec les primates. Il réussit même à évoquer les feuilletés oignon-fromage de Gatwick.

Anna largua les amarres et partit à la dérive. Tandis que Grant s'ouvrait un chemin narratif à travers la jungle, elle rédigea mentalement sa liste de courses et deux e-mails de boulot.

— Un autre ? proposa Grant après son deuxième verre.

Cela faisait un bon bout de temps déjà qu'Anna rêvait de le voir avaler la fin de sa bière.

— Non, désolée…, s'empressa-t-elle de répondre en consultant sa montre. Je dois retrouver des amis.

— Ah ? dit Grant.

Il pensait clairement : *Je peux venir ?*

Anna eut de la peine pour lui, et se détesta aussitôt pour sa faiblesse : elle avait constamment de la peine pour les autres, même ceux qui avaient la peau aussi dure qu'un hippopotame.

Au moment de se dire au revoir sur le trottoir, Anna prit soin de garder ses distances de façon manifeste. Elle ne voyait pas comment Grant pourrait penser que leur rendez-vous s'était suffisamment bien passé pour justifier un baiser, mais enfin il y avait beaucoup de choses qu'elle ne comprenait pas chez Grant.

— J'aimerais beaucoup qu'on se revoie, dit-il.

— Hum…

Anna tendit la main pour qu'il la lui serre, ce qu'il fit, légèrement décontenancé.

— Merci. J'ai passé un moment très agréable. Je crois cependant que ma quête continue.

— Oh. Euh, d'accord… (Grant se lissa les cheveux.) Donc vous ne voulez pas me revoir, c'est ça ?

—Je n'ai pas senti d'étincelles entre nous, expliqua Anna.

Encore cette histoire d'étincelles. Un mot pour couvrir des milliers de péchés.

—Comment ça?

—Le… rapport, dit Anna en pressant une main sur sa poitrine avant de battre l'air entre eux. Entre nous.

—La conversation m'a semblé fluide!

Conversation. À la fin d'une conférence sur le changement climatique, avait-on l'impression d'avoir eu une merveilleuse conversation avec Al Gore? Anna se débattait entre gentillesse et cruauté. L'exaspération et la piquette firent pencher la balance du côté de la cruauté.

—Vous avez beaucoup plus parlé que moi.

En prononçant ces mots, elle fut submergée par la tristesse et l'indignité de se retrouver debout dans la rue à expliquer à quelqu'un que sa compagnie n'était pas à la hauteur de ses espérances.

—Vous avez posé beaucoup de questions, se défendit Grant en fronçant les sourcils.

—Je suppose. Désolée, souffla Anna qui aurait désespérément voulu disparaître.

Michelle devait lui indiquer où les rejoindre, et Anna priait pour que son amie l'appelle plutôt que de lui envoyer un texto, lui épargnant ainsi de faire à Grant l'autopsie de leur rencard.

Il n'y avait aucune façon de dire gentiment – et c'était parfaitement inutile : nous ne sommes pas sur la même longueur d'onde et nous ne le serons jamais, et le fait que tu ne t'en rendes pas compte me le confirme.

Son téléphone sonna.

Elle adorait Michelle, mais, à cet instant, elle l'aimait plus que le soleil, les gâteaux ou l'orang-outan nommé Hercule qui avait giflé Grant.

CHAPITRE 20

Dans la lumière pourpre du crépuscule, Anna aperçut Michelle qui faisait les cent pas sur le trottoir en traînant les pieds devant *Gelupo*. Elle tirait sur une cigarette électronique sans fumée qui ressemblait à un applicateur de tampon.

—Tu ne peux pas fumer ça à l'intérieur? demanda Anna en arrivant à sa hauteur.

—Penny est là, expliqua Michelle en grimaçant.

—Ah.

—On s'est déjà pris la tête. Elle vient de faire tout un plat au sujet du billet de cinq livres qu'elle a donné à un type assis sous un porche, et ensuite elle s'est mise à critiquer les gens qui ne donnent qu'une livre, en disant qu'elle, elle donne toujours de quoi s'offrir un vrai repas. Moi j'ai dit « un vrai repas d'*héroïne* ». Alors elle est partie sur le thème « il ne faut pas stéréotyper les pauvres – couic, couic ».

Michelle fit le piaillement de rongeur qu'elle utilisait pour imiter Penny.

—Je ne verrais aucun inconvénient à me voir faire la morale par un humanitaire qui risque d'exploser sur une mine, mais putain elle distribue les billets de cinq livres de Daniel. Pourquoi faut-il toujours que les hippies au cœur tendre soient les gens les plus égoïstes que la Terre ait portés ?

Anna éclata de rire. Elle connaissait par cœur les diatribes de Michelle contre Penny.

— Ne me force pas à y retourner, soupira Michelle en appuyant son front sur l'épaule d'Anna.

— Tu n'as pas envie d'une glace ?

Michelle se voûta davantage.

— Compte le nombre de secondes qu'elle met à te balancer une vacherie ou à se vanter. Compte-les, tu vas voir.

Une fois à l'intérieur de *Gelupo* à l'éclairage chaleureux, aux peintures bleu et blanc évoquant un voilier, Anna leur commanda des granitas chocolat expresso et culpabilisa en apercevant Penny qui gesticulait avec enthousiasme à l'autre bout de la salle. Il y avait des cornets en gaufrette de la taille de chapeaux de magicien sur le comptoir, mais Anna préféra manger sa glace dans un pot, son calculateur de calories interne n'étant jamais complètement éteint.

— Comment s'est passé ton rencard ? demanda Penny quand elles s'assirent, écartant d'un geste sec ses longs cheveux raides de sa glace rose.

Elle avait un visage en forme de lune, une grosse frange qui semblait partir de très en arrière sur son crâne et une voix de clochette. Comme à Daniel, on lui aurait donné le bon Dieu sans confession. À la différence de Daniel, ça aurait été une erreur.

— Cataclysmique. Tellement barbant que j'ai eu l'impression de pouvoir tordre l'espace et le temps et de lire l'avenir.

— Décidément, tu n'as vraiment pas de chance avec les mecs. Je me demande bien pourquoi.

Michelle consulta ostensiblement sa montre à l'intention d'Anna.

— Pas facile de trouver chaussure à son pied, opina Daniel en sortant sa cuillère de sa bouche.

— Tu ne te dis jamais que tu es peut-être un peu difficile ? poursuivit Penny, la tête penchée sur le côté.

À l'autre bout de la table, Michelle brandit un index en l'air pour marquer un point imaginaire.

— C'est ce que les gens disent invariablement quand quelqu'un est célibataire depuis longtemps. Je te promets que je ne fais pas la fine bouche devant des hommes qui frôleraient la perfection. Crois-moi, on est toujours loin du compte, se défendit Anna.

— Ouais, en plus, c'est le genre d'analyse qu'on n'inflige qu'aux célibataires. Jamais on ne dirait à deux personnes en couple : « Vous ne croyez pas que vous auriez pu être un peu plus exigeants ? », intervint Michelle avec un grand sourire.

— Je veux dire, est-ce qu'on peut être fixé après seulement un rencard ? insista Penny. Tu as rencontré qui, ce soir ?

— Grant.

— Bon. Peut-être qu'à cet instant précis il pense : « Oh, zut, mince alors ! (Anna avait oublié combien Penny aimait utiliser le langage et les manières d'une belle du Sud dans les années 1920.) J'aimerais tellement revoir Anna, mais j'ai tout gâché. »

Penny claqua des doigts avec un mouvement balançant de la main.

Anna eut l'air déconcertée.

— Peut-être que, si tu le revoyais, ce serait magique ! poursuivit Penny en claquant les doigts des deux mains, cette fois, tout en éclatant d'un rire étincelant.

En général, c'était Michelle qui perdait patience avec Penny, mais ce soir-là ce fut le tour d'Anna.

— Je n'ai plus le temps de reprendre des verres avec tous les hommes que je n'aime pas tout en cherchant celui que j'aime. Et peut-être qu'à cause de ça je passerai à côté de M. Idéal. Franchement, il y a de fortes chances pour que, s'il a jamais existé, je l'aie raté il y a des années. Nous attendions le même train à King's Cross un soir de 2002, et, au dernier moment, il s'est éloigné sur le quai et nous ne nous sommes jamais parlé. Aujourd'hui, il est à Kuala Lumpur en train de baiser sa toute nouvelle épouse, pendant que je me contente de chercher

M. Disponible. Mais je ne vois pas pourquoi je devrais gaspiller de précieuses soirées de ma vie avec M. TripAdvisor pour prouver que je ne suis pas difficile. Peut-être que, depuis la perspective d'une relation, cela paraît romantique, mais c'est une corvée. Une corvée déprimante. Chaque fois que tu vas boire un verre avec un type, tu commences en te disant : « C'est peut-être lui », et puis tu te rends vite compte que non, ça n'arrivera jamais. Et encore, tu as de la chance de tomber sur « plutôt convenable » ou « pas complètement cinglé ».

— Oooh, du calme ! dit Penny en tapotant le bras d'Anna, renfrognée, les yeux rivés sur la table, qui se retenait de la mordre.

— Bien dit, putain ! s'exclama Michelle. C'est pour ça que je ne cherche plus à rencontrer personne.

— Moi, je vais faire une pause, renchérit Anna d'un air sinistre.

— Attention, vous deux ! Vous allez finir vieilles et aigries ! Vous me faites penser à Patty et Selma, les sœurs de Marge dans *Les Simpson* ! gloussa Penny.

Anna et Michelle échangèrent un regard effaré. Les gens qui se la jouaient sympa étaient vraiment dangereux.

Occupé à liquider la fin de sa glace, Daniel ne sembla pas conscient des boulettes de Penny.

— Si vous ne voyez pas d'inconvénient à partager, dit-il, je peux me faire mormon et vous sauver toutes.

Michelle éclata d'un de ses gros rires gras et la paix revint.

— J'ai un truc encore plus fou à vous raconter, dit Anna. Devinez sur qui je suis tombée à mon premier meeting au British Museum… James Fraser le Maudit, du lycée, que j'avais revu à la réunion d'anciens élèves.

— Quoi ? Celui qui… ? (Michelle s'interrompit, par égard pour Anna qui n'avait certainement pas envie que son passé soit étalé devant Penny.) Comment ça se fait ?

—Il travaille pour la boîte de com' digitale chargée de créer les applications ou je ne sais quoi. J'insiste sur «je ne sais quoi».

—Il sait qui tu es, maintenant ? Il s'est excusé ?

—Je ne crois pas, et non. J'ai décidé de passer à l'attaque. S'il me cherche, je le fais virer du projet.

Anna craignit que Penny ne lui demande comment un ancien élève de son lycée pouvait ne pas l'avoir reconnue. Michelle dut le sentir, car elle enchaîna – ce dont Anna lui fut reconnaissante :

—Et dans la série des invités surprises, vous vous rappelez l'exhibi de l'autre soir ? Il est venu se présenter. Figurez-vous qu'il vend des hamburgers dans un camion garé en face du restau. Bon, quel est le dernier adjectif qui vous viendrait à l'esprit pour le décrire ?

—Timide ? proposa Daniel.

—Snob ! Il est snob ! Il s'appelle Guy ! Il s'est excusé pour le petit spectacle de l'autre soir. On aurait cru Hugh Grant interviewé après l'épisode de la prostituée. «Nous avions bu... manigances... espièglerie... »

—Plutôt sympa de sa part de s'excuser, non ?

—Je crois surtout qu'il craignait que je n'appelle la police et ne ruine son nouveau trafic de hamburgers. Ça s'appelle *Rouge viande*. Le hamburger «The Steak». Il n'y a rien au menu qui ne soit accompagné d'une énorme portion de frime. Je lui donne un mois.

—J'en ai essayé un. Absolument délicieux, confia Daniel.

—Dan ! Où est passée ta loyauté ?! Mon maître d'hôtel finance la concurrence ?

—Il fallait bien voir de quoi il retournait. Et, d'ailleurs, il m'en a fait cadeau.

—Oh, merveilleux ! Maintenant nous avons une dette envers lui.

—Il m'a posé plein de questions sur toi, au fait.

— Ben voyons. On n'a qu'à lui montrer nos registres, tiens ! La prochaine fois que tu te mets un morceau de cette viande traîtresse dans la bouche, pense aux bourses molles de Guy écrasées contre ma vitre… Un peu de respect !

— Et si un jour je me mets ses bourses dans la bouche, dois-je penser à ses hamburgers ? plaisanta Daniel.

Michelle s'esclaffa et Penny poussa un cri perçant.

Anna éclata de rire et racla le fond de son pot de glace. Que ferait-elle sans ses amis pour lui ôter le goût amer que lui laissaient ses mauvaises rencontres ? Même si Penny était parfois servie en accompagnement indésirable.

— Vous venez à mon concert, toutes les deux ? demanda celle-ci en fronçant les sourcils. Vous savez que les Non-Dits jouent ?

À son ton, on aurait pu croire que ce n'était pas la première fois qu'elle le mentionnait et que :

a) l'invitation au concert avait déjà été faite et acceptée,

b) Anna et Michelle la trahissaient en refusant.

Du Penny tout craché.

— J'ai probablement des trucs à faire au restaurant, éluda Michelle en terminant sa glace.

— Oh, non. Je me suis assurée que ça tomberait un jour de fermeture pour que Dan puisse venir. Anna, tu seras libre ?

La jeune femme ouvrit la bouche.

— Tu peux compter sur sa présence, s'empressa de répondre Michelle.

CHAPITRE 21

—Je suis désolé de te dire ça, mon pote, mais ça ne m'étonne qu'à moitié, déclara Laurence qui n'avait pas l'air désolé du tout.

—Pourquoi? demanda James malgré lui.

Ils se turent brièvement, le temps que la serveuse dépose deux tumblers devant eux, dégoupille leurs canettes de bière Dixie et remplisse chaque verre au tiers.

—Je reviens dans un moment pour voir ce que vous avez envie de manger, dit-elle. Le riz rouge est top.

—Top? répéta James. Si les Londoniens apprécient tellement la familiarité américaine, pourquoi ne vont-ils pas s'installer aux États-Unis?

Laurence et James dînaient ensemble une fois par semaine. Ils s'étaient donné pour règle de ne jamais aller deux fois au même endroit, exception faite de *Tayyabs*, avec gueule de bois obligatoire.

C'était généralement Laurence qui choisissait leurs lieux de rendez-vous, et cette fois il avait convoqué James dans un restaurant où l'on servait d'authentiques po-boys de La Nouvelle-Orléans. Avec d'authentiques boissons de Louisiane. En plein Soho. Tout le monde en parlait. C'était d'ailleurs ce qui avait motivé Loz : désormais, eux aussi pourraient en parler.

Laurence vida le contenu de sa canette dans son verre et le renifla précautionneusement.

— C'était ça ou de la *root beer*, dont le goût me rappelle le bain de bouche de chez le dentiste, fit-il remarquer en en buvant une gorgée. À la tienne. Ça ne m'étonne pas qu'Eva ait quelqu'un d'autre, parce qu'il y a toujours quelqu'un d'autre. Très peu de gens se donnent la peine de renoncer à une relation solide pour rien. Une Loi de la Vie de Laurence. Elle n'est quand même pas partie pour l'amour de la vue de la chambre d'amis de sa copine Sara, si ?

— Pourquoi ne m'as-tu rien dit ?

— « Désolé que tu dérouilles parce que ta femme t'a quitté, je parie qu'il y a une bite là-dessous »... Ouais, ça aurait été du meilleur effet.

— Mmm, fit James en étudiant la liste des plats principaux. Quel jargon. Bon sang, ça ne t'énerve pas quand les restaurants se la jouent bouseux ? J'espère ne pas tomber sur le mot « mayo ».

La serveuse revint et ils commandèrent des sandwichs géants avec de la sauce au jus de viande. En dépit de l'étalage de protéines éblouissant qu'on devait pouvoir fourrer dans ces pains monstrueux, James ne se faisait aucune illusion : après avoir été agrémentés de « La Totale » des accompagnements, ils devaient tous avoir le même goût. La totale. Il repensa au dessin d'Eva, ce qui lui coupa presque l'appétit.

— Ce que je ne digère pas, c'est l'insensibilité dont elle a fait preuve en me laissant trouver le portrait. Imagine, Loz.

— Je n'aurais pas besoin d'imaginer si tu avais eu la présence d'esprit de prendre une photo avec ton portable, dit-il.

James se mit à rire jaune.

— Être obligé de voir ça, et penser aux deux tourtereaux en train de dessiner, comme dans cette scène de *Titanic*... C'est à peine mieux que de tomber sur des sextings. En plus, il ne s'en sort pas mieux qu'un gamin de cinq ans...

James secoua la tête, comme si le talent artistique de Finn était le pire dans cette histoire.

—C'est pratiquement un gamin. Vingt-trois ans.

—Ouffff, dit Laurence. Je suis sorti avec une fille de vingt-quatre ans l'année dernière. Sa musique préférée, c'était le skronk rock. Elle n'avait jamais entendu parler de John Major. Je lui ai demandé : « Qui a gouverné le pays entre Margaret Thatcher et Tony Blair ? » Elle m'a répondu : « Ce n'était pas Michael Parkinson ? » Là, j'ai su que c'était fini. Dommage, parce qu'au pieu nous étions comme deux chats qui se noient.

James plissa les yeux.

—Ah, merci, je me sens mieux. À la tienne, mon pote !

—Oh, ouais. Désolé. Mais tu ne m'as pas dit qu'ils n'avaient rien fait ?

—C'est ce qu'elle prétend.

Encore une fois, James se trouvait forcé d'imaginer ce que ce garçon avait fait à sa femme – ou plutôt ce qu'il avait l'intention de lui faire. « Ne couchent pas ensemble ». De nos jours, cette définition laissait bien des possibilités…

James ne se remettait pas de la cruauté dont Eva avait fait preuve en le laissant découvrir son infidélité de cette manière. Quand comptait-elle lui en parler ? En dehors de Loz, James ne partagerait cette information avec aucun de ses amis ou membres de sa famille s'il pouvait l'éviter. Il ne voulait pas qu'ils aient une mauvaise opinion d'Eva. C'était ça le truc avec les relations amoureuses : l'autre pouvait vous virer, vous continuiez de vous charger de ses relations publiques.

James n'avait plus aucun appétit.

Pile à ce moment-là, leurs po-boys arrivèrent, coupés en deux et accompagnés de fritures en tout genre dont il se serait volontiers passé. La serveuse versa cérémonieusement une louche de sauce sur chaque sandwich, avant de s'éloigner en lançant :

—Vous pouvez attaquer, les gars !

— Écoute. Pour l'âge. Le fait que ce Finn soit presque mineur signifie que leur histoire l'est aussi. C'est une bonne nouvelle.

— Ah ?

James piocha un beignet d'oignon. Il lui faudrait démonter le sandwich et le massacrer de façon qu'on pense qu'il l'avait mangé. Dans son lointain passé, il était sorti avec une femme qui faisait ça.

— Moi, je trouve ça humiliant.

— Ouais. Elle ne va pas sérieusement te quitter pour Derek Zoolander. Elle veut des enfants, pas vrai ? Elle a quoi, trente-trois ans ? C'est une passade.

— Je suppose, concéda James. Mais qui a encore la moindre idée de ce qu'Eva a dans le crâne ? Pas moi, en tout cas.

— Je peux te donner un conseil ? Bon, il y a le conseil business class, que tu ne voudras pas suivre, et après il y a le premium.

— À savoir ?

— Venge-toi. Offre-toi une passade aussi. Rien de tel que le goût de sa propre merde pour se rendre compte qu'on n'aime pas ça, *dixit* Martin Luther King.

— Mmm. Pas sûr.

— Pourquoi pas ? Tu as le droit d'avoir une liaison hors compteur, maintenant. Personne ne pourrait te le reprocher, et surtout pas ta femme.

— Avec qui ?

— Ha. Ne joue pas à ça avec moi. Je n'ai pas l'intention de te flatter en t'expliquant que tu peux avoir qui tu veux. Tu ne crois pas que si Eva te trouvait au lit avec une nana de vingt-quatre ans, ça lui donnerait une raison de réfléchir ?

— Elle n'a plus la clé de la maison.

— Ne sois pas obtus.

James n'avait aucune idée de la façon dont Eva réagirait. De toute façon, il ne tenait pas à envenimer les choses. Il voulait sauver leur relation, pas tout détruire.

— Je n'ai pas envie d'entraîner une jeune femme de vingt-quatre ans irréprochable dans ce gâchis, juste pour démontrer ton hypothèse.

— Et nos opinions divergent sur ce point. Tant que tu ne laisses pas tes émotions embrouiller la situation, tu n'entraînes personne dans aucun gâchis. Tu ne fais que donner un peu de plaisir. Tellement intense et léger que ce serait mauvais pour elles d'y goûter trop souvent. Bordel de merde, comment on est censés manger ce truc ?

Laurence renonça à mordre dans le sandwich dégoulinant de la taille d'un dirigeable et se résigna à recourir à un couteau et une fourchette.

— Merci, mais ça ne me dit rien pour l'instant.

— Une autre Loi de la Vie de Laurence O'Grady : la concurrence te force à te demander si tu veux vraiment quelque chose ou pas.

— Ou *pas*, dit James. C'est quitte ou double.

— Et elle t'a mené où, jusqu'à présent, ta stratégie consistant à ne rien faire ? En tout cas elle donne le temps à Finn de convaincre ta femme de lui téter les myrtilles.

James leva une main pour dire « assez », et Laurence hocha la tête.

— Désolé. Ce doit être l'enfer.

Laurence remplit de nouveau leurs verres et James remarqua que, malgré tous leurs efforts, leur table croulait toujours autant sous la nourriture.

— Oh, bon sang, j'oubliais. Tu ne devineras jamais sur qui je suis tombé l'autre jour. La femme sur laquelle tu as bavé à la réunion Rise Park. Elle enseigne à l'UCL et elle bosse sur une exposition au British Museum dont nous faisons l'application.

—Pas possible! Ça alors, c'est incroyable! D'abord elle se trompe de salle. Ensuite ça. Cette Espagnole avait vraiment quelque chose de spécial.

—Italienne, en fait…

—*Bella Italia!* Et professeure, hein? Je lui donnerais une mention très bien. Eh bien…

—Bon sang, vraiment? Elle t'a envoyé sur les roses. Et elle s'est comportée comme une chieuse au meeting. En gros, elle n'arrêtait pas de sous-entendre: «À quoi servez-vous?» J'avais envie de lui balancer: «C'est vous qui avez fait appel à nous, vous vous rappelez?» Je n'aurais jamais cru qu'elle était ton genre, pas plus en termes de personnalité que d'apparence, dit James en se frottant les mains pour en faire tomber des miettes.

—Pourquoi pas?

—Trop… sévère. Pas assez couverte de maquillage. Trop couverte par ailleurs.

—C'est là que tu te trompes. Je commence à me lasser des filles. Je suis prêt à rencontrer une femme. Tu vas devoir te débrouiller pour m'arranger un rendez-vous avec elle.

—Alors que je vais être amené à travailler avec elle? Elle m'a probablement dans le nez parce que tu lui as fait du rentre-dedans. Pas question.

—Après, alors?

—Euh… Peut-être. C'était quoi le conseil business class? demanda James.

—Quoi?

—Tu as dit que je ne suivrais pas le meilleur conseil.

—Ah, ça. (Laurence essuya une traînée de mousse sur sa bouche.) Tu devrais mettre un terme à ta relation avec Eva.

—Je l'aime, se contenta de dire James en haussant les épaules.

—Je t'avais dit que tu ne le suivrais pas.

142

—N'essaierais-tu donc pas de tenir tes engagements, toi, si tu t'étais marié ?

—Si je me marie un jour, je te le ferai savoir.

Laurence prétendait toujours que, s'il se mariait, ce serait uniquement pour de l'argent. «Pourquoi signer un contrat qui peut potentiellement te faire perdre de l'argent, sinon ?» Pendant longtemps, James avait ressenti un mélange d'admiration et d'aversion pour le nihilisme de Laurence. Ce soir-là, il l'enviait carrément.

—Ton problème, c'est que…, commença Laurence avant de soupirer bruyamment. J'ai le droit de dire le fond de ma pensée sans risquer que tu me fasses la peau ensuite ?

James acquiesça.

Comme si tu n'avais pas l'intention de le dire de toute façon, songea-t-il.

—Je ne vois aucune raison qui explique qu'elle t'ait trompé. Comment vas-tu pouvoir lui faire de nouveau confiance ?

James s'était fait exactement la même réflexion.

—Elle saura que, si elle recommence, ce sera fini entre nous, répondit-il en s'efforçant de parler d'une voix décidée, mais parfaitement conscient de son manque de conviction.

Laurence fit la grimace.

—Si tu veux mon avis, c'est paranoïa et tristesse garanties. Pense à un alpiniste qui coupe sa propre main coincée sous un rocher avec un canif. Mettre fin à une relation sérieuse ressemble à ça. Douloureux et moche à court terme, mais nécessaire si tu veux sauver ta peau.

—Ah, ah. Alors, le mariage, c'est le rocher ? Je devrais être en train de dévaler la montagne, le sang giclant d'un moignon, impatient de commencer une vie à essayer de manger des nachos déguisé en Capitaine Crochet ?

—Imagine-toi en train de caresser tendrement les fesses de ta nouvelle femme avec ta prothèse ! De bons moments en perspective…

Ils éclatèrent de rire. Loz avait beau être grossier, James se félicitait de lui avoir raconté l'épisode du dessin.

Toute forme de pitié l'aurait fait se sentir encore plus mal. Il avait désespérément besoin de rire, même jaune.

C'était mesquin, mais l'idée de renvoyer l'ascenseur à Eva pour la récupérer lui avait donné une idée.

Chapitre 22

Comme d'habitude, quand Anna se réveilla, elle aurait dû être en position verticale et active depuis vingt bonnes minutes. Ce qui ne l'empêcha pas de se prélasser dix minutes de plus, savourant la chaleur de son lit. Elle consulta l'heure sur son portable et poussa un grognement. Il devrait être interdit d'avoir des obligations un dimanche.

Elle s'extirpa de sous son édredon en patchwork en roulant sur elle-même. De même que certains attrapent leurs lunettes, la première chose qu'elle faisait en se levant était de prendre un élastique pour s'attacher les cheveux en un chignon indiscipliné. Ses expériences de jeunesse lui avaient appris que si elle les coupait plus court, elle finissait avec une tignasse ronde aux boucles serrées qui la faisait ressembler à un pissenlit, ou à une version vieillie de Little Orphan Annie.

Anna détestait se lever et chérissait son lit à baldaquin en laiton. Au moment de l'acheter, elle avait consciencieusement fait fi des indications de son mètre ruban, et, désormais, plus qu'avoir un lit dans son appartement, elle avait un appartement autour de son lit.

— En plus, tu y dors toujours seule ! avait fait remarquer sa sœur avec son tact habituel.

Son salaire d'enseignante ne lui avait pas permis d'acheter beaucoup de mètres carrés à Stoke Newington – bel euphémisme. Elle avait dû faire des choix difficiles. Elle avait finalement préféré un lit à une baignoire, et sa cuisine en longueur, assez exiguë mais charmante, qui s'ouvrait sur un petit jardin attrayant, lui semblait finalement plus appréciable qu'une chambre d'amis.

Avec humour, l'agent immobilier avait qualifié la salle de bains adjacente à la chambre de « en suite ». Mais tous ses visiteurs demandaient : « Pourquoi il y a une tête de douche dans ton placard ? Oh. Merde. *C'est* la douche. »

Anna se contorsionna pour y entrer et en sortir, puis enfila ses vêtements de la veille et remonta la fermeture Éclair de ses bottes.

Faire le trajet jusque chez ses parents à Barking, c'était comme remonter dans le temps. Ce n'était pas exactement plaisant, et elle était toujours soulagée de retrouver son appartement. Vis-à-vis de sa famille, elle culpabilisait de ressentir une telle réticence, mais ce n'était pas sa faute si sa jeunesse pesait toujours aussi lourd dans ses souvenirs.

Anna monta dans un train de l'Overground, puis dans un autre de la District Line où elle se trouva un siège libre. Pour empêcher son café à emporter de couler par le trou du couvercle d'un diamètre digne d'une trachéotomie, elle exécuta avec l'agilité de l'habituée un numéro d'équilibriste, ayant l'impression comme chaque fois de brandir la torche olympique.

Le train émergea de nouveau à l'air libre. Ah, la vue de cette frontière mystique entre l'ancien et le moderne, Aureliana et Anna – la North Circular… Elle retrouvait le décor de sa jeunesse.

Remontant sa capuche sous la bruine de fin d'automne, elle se dépêcha de dépasser le centre commercial Vicarage Field et de remonter les rues familières, bordées de maisons jumelées des années 1930 aux façades couvertes de crépi moucheté et aux toits coiffés d'antennes satellites évoquant de désinvoltes bibis. Et elle arriva chez elle. Car, tant que ses parents vivraient, ce serait chez elle.

Cela n'avait rien d'original, elle le savait, mais la maison lui semblait chaque fois plus petite que dans ses souvenirs.

Elle pressa la sonnette et tapa des pieds. Sa mère vint ouvrir dans son tablier en vinyle imprimé d'un corps de strip-teaseuse avec des cache-tétons à pompons, qui avait cessé d'être drôle trente secondes après qu'Aggy le lui eut offert pour son anniversaire, des années auparavant.

—Aureliana! J'avais dit midi trente!

—Désolée, ils font des réparations sur les voies, mentit Anna sans difficulté.

—Je n'en ai pas entendu parler, dit Aggy en les rejoignant d'un pas tranquille dans l'entrée, une coupe en cristal taillé remplie de prosecco à la main.

Tous les verres de leurs parents dataient clairement des années 1970 et auraient dû servir à boire du Blue Nun.

—Probablement parce que Chris t'a amenée en voiture? dit Anna. Salut, Chris! lança-t-elle.

—Hola! brailla celui-ci du salon.

—Ou parce que tu n'es qu'une grosse menteuse. Ton nez ressemble à une flèche d'église, rétorqua Aggy. Maman et moi sommes en train de faire les plans de table. Tu veux y jeter un coup d'œil?

—Je vais d'abord me servir quelque chose à boire, dit Anna en se dirigeant vers la cuisine.

Dans la maison flottait une délicieuse odeur de rôti de porc et de romarin. C'était principalement la mère d'Anna qui cuisinait, mais les déjeuners italiens du dimanche étaient l'affaire de son père. Il leur faisait la totale – *antipasti*, *primo*, *secondo*, salade, fromage, grappa. Chris prétendait toujours en repartant que son foie avait été transformé en pâté.

—Salut, p'pa, dit Anna en le trouvant en train d'émincer des feuilles de laitue pour la salade.

—*La mia adorata figlia maggiore!* dit-il en l'embrassant sur la joue. Le vin est sur le côté.

Anna se servit un bon quart de litre de prosecco.

— Comment s'est passée ta réunion avec les gens du musée ?

Le père d'Anna était incroyablement fier du travail de sa fille. Contrairement à son épouse, il essayait d'en saisir le détail.

— Pas trop mal, dit Anna en s'adossant au réfrigérateur.

Sans ce trou du cul de James Fraser, elle savait qu'elle lui en aurait fait un compte-rendu joyeux. Elle sentit le poids du ressentiment lui plomber les tripes.

— Ça se met en place.

— Nous serons ravis de voir ça.

Plus loin dans le couloir, elle entendit sa mère éclater d'un rire ravi à une anecdote que Chris racontait de sa voix de basse.

Pressentant qu'elle n'aurait pas d'autre occasion de s'entretenir avec son père seul à seul, Anna ferma la porte de la cuisine et dit à voix basse :

— Papa. Est-ce qu'ils... (D'un mouvement de la tête, elle indiqua qu'elle parlait des futurs mariés.) Est-ce que ça va financièrement ?

Oliviero arrangea le torchon sur son épaule et commença à faire des tagliatelles de carottes avec un économe.

— J'ai dit à Chris : viens me voir si vous avez besoin, mais il m'a répondu que tout allait bien.

Anna aurait dû être rassurée par cette information, mais ce ne fut absolument pas le cas. Ses parents vivaient de la retraite de son père et de l'héritage de sa mère. C'était assez, mais il n'y avait rien de trop. Et Chris n'était pas aux commandes de ce mariage.

— Aggy a choisi une robe de 4 000 livres, l'autre jour, dit-elle en articulant silencieusement le chiffre.

Elle s'attendait à ce que son père exprime un soupçon de contrariété, mais il haussa les épaules.

— Tu connais ta sœur. Elle aime… (Après quarante ans, il était rare que son anglais lui fasse défaut, mais cela arrivait.)… les foufs?

— Papa! Non! protesta Anna dans un cri perçant.

— Quoi? Frouffe? Froufouf?

Son père tira sur une jupe longue imaginaire, fit la moue sous sa moustache et enchaîna quelques petits pas de danse, l'économe en l'air.

— Fouf est un mot grossier. Restes-en à Froufouf, quel qu'en soit le sens. Jamais fouf.

— Ah. Ils se ressemblent comme des gouttes d'eau. Que signifie fouf?

— Euh… Disons que c'est quelque chose de précieux pour une dame. Laisse tomber.

— Ta sœur prendra conscience de la valeur des choses quand elle sera encore en train de payer dans un an. Tu la connais, ça ne sert à rien de le lui dire. Il faut qu'elle apprenne toute seule.

— Tu as sans doute raison.

Anna but une gorgée de vin, estimant qu'elle avait fait de son mieux. Elle regrettait néanmoins de ne pas partager l'indulgence bon enfant de son père sur le sujet.

— Je peux t'aider?

— Ça va, dit-il en lui tendant le saladier. Va mettre ça sur la table et dire bonjour. Ils veulent te parler du mariage.

— Pas possible! Je me demandais quand Aggy allait le mentionner, dit Anna en levant les yeux au ciel et en attrapant le saladier.

Son père sourit.

Au moment où elle pénétrait dans le salon, sa sœur l'interpella.

— Est-ce que tu confirmes que tu ne viendras pas accompagnée?

— Hélas oui, soupira Anna. Mais j'aimerais te rappeler que nous mourons tous seuls.

Chris était assis sur le canapé avec une bière. Aggy et sa mère étaient accroupies devant des feuilles de papier étalées sur le tapis et couvertes de cercles dessinés à l'aide d'un verre. Anna serra son verre de prosecco contre sa poitrine et loucha pour essayer de lire les annotations sur les pages : « TANTE BEV : PAS À CÔTÉ DE PAPA NI D'ONCLE MARTIN !!! »

— Quelle que soit la personne à côté de laquelle tu assiéras tante Bev, elle lui gâchera le repas.

— Regarde le thème, chère future belle-sœur, dit Chris en lui adressant un clin d'œil.

Anna écarta des mèches de cheveux de son visage et lut les noms des tables à voix haute :

— La Havane… Manzanillo… Santa Clara…

— Parce que nous nous sommes fiancés à Cuba, expliqua Aggy en levant les yeux.

Anna regarda Chris, perplexe.

— Sympa… ?

— Continue de lire, dit-il.

— Aggy ! s'écria Anna. Guantanamo ?!

Chris éclata de rire. C'était tout à fait son genre de ne rien dire à Aggy, histoire de savourer la plaisanterie le plus longtemps possible.

— C'est une ville de Cuba !

— Une ville de Cuba inextricablement liée à une grosse base navale américaine slash prison où l'on pratique la torture.

— Ce n'est pas la faute de Cuba ! protesta Aggy. Pourquoi faut-il que tout soit systématiquement ramené à la politique ?

Elle barra rageusement Guantanamo pendant que sa mère lui frottait le dos pour lui manifester sa solidarité.

— J'ai une idée. Joue le tout pour le tout et choisis le thème des prisons célèbres à la place, proposa Chris. Abou Ghraib. Barlinnie. Broadmoor.

— Et une table un peu à part pour tante Bev, que tu nommerais Alcatraz, renchérit Anna.

— Il doit bien y avoir d'autres endroits à Cuba, dit Aggy en pianotant furieusement sur son iPhone. Il s'est passé quelque chose dans la baie des Cochons ?

CHAPITRE 23

L'enthousiasme d'Aggy pour l'organisation de son mariage les accompagna tout le long des plats froids, olives et bruschettas, des raviolis aux cèpes, du rôti de porc aux pommes de terre au four, de la salade, menaçant de durer jusqu'au plateau de fromages. Jamais Anna n'aurait imaginé qu'un mariage pouvait donner lieu à autant de tergiversations.

Ou que les listes de cadeaux pouvaient comporter des articles aussi inutiles que des cuillères à stilton en argent massif de chez Tiffany. Après tout, personne n'avait jamais prononcé la phrase : « Auriez-vous par hasard une cuillère dédiée au service de ce roi des fromages veiné de bleu ? »

— Pourquoi « tenue habillée » ? Je n'ai pas de smoking, dit leur père.

— C'est tellement glamour et élégant. Sinon, les gens mettraient ce qu'ils veulent…, expliqua Abby.

— Imagine un peu, les gens mettant ce qu'ils veulent…, ironisa Anna. D'après des collègues qui en ont porté pour des pince-fesses à la Royal Society, les smokings de location sentent la chèvre.

— On va t'en acheter un ! annonça Judy à Oliviero. De toute façon, tu as besoin d'un nouveau costume.

— Je n'aurai pas beaucoup d'occasions de le porter, marmonna leur père.

— Tu pourras le mettre au mariage d'Anna, intervint Aggy.

— D'ici à ce que je me marie, les gens n'auront plus besoin de vêtements. Ils flotteront, nus et glabres, dans des lits d'eau saline et connecteront leurs consciences à une cérémonie virtuelle, répliqua l'intéressée.

— Chut. Il faut que tu arrêtes d'essayer d'être intelligente avec les hommes et que tu sois simplement toi-même, s'interposa leur mère, causant bien de l'amusement.

— Pas intelligente. Toi-même, dit Chris en pointant son couteau vers sa future belle-sœur avant de détacher un morceau de grana padano.

— Ma fille est la femme la plus intelligente de Londres, proclama le père d'Anna en levant son verre à son intention.

— Oui, mais les hommes n'aiment pas ça, ils veulent se détendre, rétorqua Judy.

— Tu ne les as pas tous rencontrés, maman, soupira Anna.

Les conversations avec sa mère et Abby lui donnaient parfois l'impression que le mouvement de libération des femmes s'était battu en vain.

— Maintenant que vous avez fini de manger, nous avons une surprise, dit Aggy. Chris et moi sommes en train de rédiger nos vœux, et nous voudrions les essayer sur vous. Un aperçu exclusif des réjouissances à venir !

Anna reposa bruyamment son verre.

— N'êtes-vous pas censés vous les adresser pour la première fois le jour J ?

— Je n'ai pas l'intention de prendre ce risque ! Et si c'était nul ? dit Aggy.

— Pour le meilleur et pour le pire ? objecta Anna.

Trop tard. Aggy sortait déjà un bloc de papier à lettres de son sac. Anna gémit.

— Chris, ne te laisse pas tyranniser par ma folle de sœur. Nous ne sommes pas obligés de les écouter.

—Tu plaisantes? Elle m'a forcé à rester debout jusqu'à 1 heure du matin pour les écrire. Tu n'y couperas pas! grogna Chris.

—OK, donc. Moi d'abord, annonça Aggy.

Anna balaya du regard les convives rassemblés autour de la table de la salle à manger. Manifestement enchantée, sa mère affichait une expression impatiente, son père un air neutre. Anna aurait voulu être avalée par le sol couleur pistache. Parfois, en dépit de sa ressemblance physique évidente avec Aggy, elle avait l'impression d'être une enfant trouvée.

—Christopher. Quand je t'ai rencontré, j'avais peur. J'étais pétrifiée…

Anna éclata de rire.

—Bwahahahaha! Je rêve ou ce sont les paroles de «I Will Survive»?

—Maman! protesta Aggy en tapant du pied. Dis-le-lui!

—Aureliana, tu n'es pas obligée de tout tourner en ridicule, tu sais, intervint leur mère.

Quelques froissements de papier, raclements de gorge et moues plus tard, Aggy se pencha de nouveau sur ses notes.

—… à l'idée d'ouvrir de nouveau mon cœur à l'amour. Tu m'as appris ce qu'est aimer. Tu as su voir au fond de moi mes endroits les plus secrets…

—Ah, ah, ah!

De nouveau, Anna éclata de rire, et la tablée explosa; leur mère gronda, Aggy piailla et leur père rit malgré lui.

—Il a su voir quoi?! reprit Anna. N'oublie pas qu'il y aura des enfants dans l'assistance.

—Maman, dis-le-lui! s'insurgea encore Aggy, sur un ton indigné qui n'était qu'à moitié feint.

—Aureliana. Un mot de plus et je t'envoie au salon.

—S'il te plaît, s'il te plaît, envoie-moi au salon!

Aggy recouvra son calme.

— Tu es mon héros, mon âme sœur, mon prince. Je promets de toujours te cuisiner tes calzone préférés, ceux à la saucisse, d'arrêter de t'enquiquiner au sujet de tes chaînes de sport, surtout, comme tu l'as dit, qu'elles sont incluses dans l'abonnement au câble que nous avons choisi ensemble. (Aggy leva les yeux.) Le site Internet EcrivezVosVœuxcom recommandait de faire des promesses précises, se justifia-t-elle.

Anna tenait sa serviette devant sa bouche et gloussait en silence.

— Quand tu seras malade, je promets de te couper les ongles des pieds… — Quoi ? s'exclama Anna en écartant la serviette. Depuis quand coupes-tu les ongles d'un malade ? Ça ne compte pas.

— Tu te souviens quand Chris s'est cassé la jambe en jouant au football et qu'ils l'ont plâtré ? À la fin, son pied ressemblait à celui d'un orque du *Seigneur des anneaux*.

— J'éviterais d'évoquer les ongles de pieds le jour de mon mariage. C'est la partie la moins romantique du corps humain.

— Pas pour les fétichistes du pied, intervint Chris. Fais une recherche Google sur n'importe quelle actrice, ton entrée est automatiquement complétée par « pieds ». Un truc de malade.

— Tu fais souvent des recherches Google sur des actrices, Chris ? demanda Anna, et il lui lança un morceau de gressin.

— Maman ! Maintenant, à cause d'Anna, on en est à parler de fantasmes sexuels sur les pieds de célébrités ! aboya Aggy.

— Aureliana, tais-toi ! dit Judy.

Aggy se pencha de nouveau sur sa feuille.

— Je promets de t'honorer, de te chérir et de t'obéir…

— Ah, on passe aux choses sérieuses ! s'exclama Chris en tambourinant des paumes sur la table.

— Obéir ? dit Anna. On est revenus au XIXᵉ siècle ou quoi ?

— Quelles sont les probabilités que ta sœur s'y tienne ? la rassura Oliviero, et Anna dut reconnaître qu'il avait raison sur ce point.

—À partir d'aujourd'hui, je t'aimerai toujours. Tu es l'homme de ma vie, mon ours Chris, mon meilleur, mon unique…

Elle leva la tête et regarda autour d'elle, les yeux brillants.

—Oh, Agata! s'exclama leur mère en s'essuyant les yeux.

Anna échangea un sourire avec son père.

—Alors, Chris. À toi!

Aggy poussa un cri perçant et serra ses bras sur sa poitrine.

Chris s'essuya la bouche avec sa serviette et déplia la feuille de papier qu'il avait tirée de sa poche.

—Agata. Tu es tellement belle aujourd'hui, comme un rêve… Pas aujourd'hui, évidemment, ajouta-t-il après une brève hésitation. Quand je la verrai.

Aggy leva les yeux au ciel. Anna applaudit.

—Quand je t'ai demandé de m'épouser, je n'étais pas certain que tu accepterais. Tu pouvais certainement mieux faire. Mais je suis tellement heureux que tu aies accepté! Et voilà, nous y sommes.

Il y eut un silence. Chris replia son papier.

—Quoi? C'est tout? hurla Aggy.

Chris eut l'air stupéfait.

—Merci d'être venue, OK, bien joué?

Anna n'arrivait pas à croire qu'elle ait essayé de les dissuader de lire leurs vœux. Elle ne s'était jamais autant amusée de sa vie.

—Je peux rajouter des trucs! dit Chris en jouant les offensés.

—Tu as intérêt.

—Aggy. Vœux personnels. *Personnels.* Le choix de Ton Unique Chris l'Ours, dit Anna.

—Oui, eh bien… je lui conseille de choisir plus de mots personnels, conclut Aggy.

Après le déjeuner, Chris proposa à Anna de la raccompagner. Aggy et lui vivaient à Tottenham et la déposaient souvent en rentrant chez eux.

Ce week-end-là, Anna décida de profiter de l'occasion et d'exhumer du grenier la bombe non explosée qu'était la boîte contenant ses journaux de l'époque du lycée. La réunion l'avait fait réfléchir : il était temps de s'en débarrasser. Elle redoutait toujours qu'ils ne soient ouverts un jour par un tiers. L'heure était venue de les faire disparaître une bonne fois pour toutes. Y jetterait-elle un coup d'œil ? Elle n'était pas sûre de pouvoir le supporter. Elle connaissait la fin.

Alors qu'ils chargeaient la boîte et un sac bosselé rempli de bricoles diverses à l'arrière de la camionnette, Anna eut quelques secondes pour parler à Chris sans qu'Aggy les entende.

— Ne te laisse pas passer au rouleau compresseur par Aggy. Ce mariage est aussi le tien. Tes vœux sont très bien.

— Oh, ce ne sont pas mes vœux. Je la faisais marcher. Comme si j'allais les lui lire maintenant. Ils peuvent parfaitement rester une surprise, dit-il en lui faisant un clin d'œil.

Anna rit.

Aggy dépensait des sommes astronomiques pour son mariage, songea Anna, mais elle avait déjà Chris.

Elle espérait que sa sœur parviendrait à reconnaître dans sa vie les bonnes choses qui valaient leur pesant d'or au milieu des cuillères à stilton en argent massif.

Chapitre 24

J ames trouva assez facilement la salle sur le plan de l'UCL. Il tira avec force les lourdes portes ouvrant sur l'amphithéâtre désert avec une appréhension qu'il n'avait pas ressentie depuis qu'il était étudiant, à l'approche des examens. (Psychologie, Exeter – aussi utile que Luther dans un combat de chiens à Lambeth.)

Assise sur un siège au premier rang, Anna leva la main pour l'accueillir. Elle l'agita sans un sourire et il hocha la tête en tordant légèrement les lèvres vers le haut, ce qui n'était pas grand-chose mais mieux que son rien à elle.

Il ajusta le poids de sa besace en descendant les marches, l'estomac plombé à l'idée de passer une heure en compagnie de cette femme. Seigneur, pourquoi certaines personnes se sentaient-elles obligées de se montrer si pédantes dans leur travail ?

Ce n'était pas sa faute si elle s'était disputée avec son mec, si son boss la malmenait, ou si l'agrandissement de sa cuisine lui avait coûté plus que prévu. *Juste, sois polie, quoi…*

— Bonjour. Je vois que l'aspect technique est réglé, dit-il en désignant la caméra montée sur un trépied et dirigée vers le pupitre, ainsi que le micro clippé sur la robe d'Anna.

Pour quelqu'un qui allait être filmé, elle ne s'était pas particulièrement arrangée.

La masse de ses cheveux bouclés était encore retenue en arrière avec un élastique, en un paquet qui semblait sur le point de s'effondrer. Elle portait un pull noir ressemblant à une toile d'araignée entrelacée de fil argenté, le genre de truc informe qu'on trouvait dans le catalogue de Toast et qui devait coûter une fortune. Il arrivait à Eva d'y commander des vêtements «relax» pour le week-end.

Pourquoi fallait-il toujours que les universitaires soignent si peu leur apparence? Cherchaient-ils à souligner le fait qu'ils se préoccupaient de choses autrement plus importantes que la coupe de leurs vêtements et le repassage?

Ah oui. Ses funérailles. Pour lesquelles elle était habillée.

— Mon collègue Patrick s'y connaît en audiovisuel, expliqua Anna.

D'un geste, elle désigna la cabine vitrée au fond de l'auditorium où une silhouette était tapie.

James baissa les yeux vers l'assiette qu'elle était en train de reposer près d'elle. Elle était jonchée des restes d'une substance étrange à base d'œufs, et barrée d'une traînée brune de sauce HP.

— Qu'est-ce que c'était? laissa-t-il échapper avant d'avoir pu se retenir.

— Un sandwich à l'omelette. C'est la spécialité de la cantine, ici.

— Ah, dit James, ne voulant pas se montrer insultant.

Heureusement qu'il avait déjà déjeuné.

— Pouvez-vous me confirmer que «docteur» est votre titre? demanda-t-il. Docteur Anna Alessi?

— Oui, c'est exact, dit-elle, raide.

Son nom lui était familier; ça l'avait turlupiné. Il comprit soudain: Alessi était une marque d'ustensiles de cuisine à la mode. Il avait un tire-bouchon Alessi quelque part chez lui.

Mieux valait ne pas demander si elle était l'héritière de la dynastie des accessoires de cuisine Alessi. Elle risquait de le traiter de raciste et de l'accuser de banaliser son héritage ethnique.

— Donc, je vais vous poser des questions pour vous guider, et vous répondrez en vous concentrant sur les points les plus intéressants. Il nous faut des accroches d'une ou deux minutes pour l'application.

Anna hocha la tête et but dans une tasse qu'il n'avait pas vue, posée à ses pieds. Il aperçut un sachet de thé rosâtre flottant à l'intérieur et une étiquette Twinings qui en pendait. *Bien sûr*, elle buvait une infusion.

James se détourna de nouveau de son écran.

— Je voulais aussi profiter de l'occasion pour vous présenter mes excuses. Nous sommes partis du mauvais pied, le soir où vous avez atterri à cette abominable réunion d'anciens élèves. Mon ami Laurence ne fait pas dans la dentelle quand une femme lui plaît. Je lui ai demandé de ne pas vous importuner, mais… il est comme ça, conclut-il avec un haussement d'épaules.

— Bien sûr, pas de problème, s'empressa de dire Anna.

James s'était attendu à recevoir un savon ; au lieu de ça, elle resta plongée dans un silence plein d'expectative.

— Hum. OK. Avant tout, j'ai une question à vous poser de la part des concepteurs. (Il fit apparaître une image sur l'écran de son ordinateur portable.) Ils souhaitent reconstruire la coiffe de Théodora ici pour une rubrique importante, et ils se demandent s'ils pourraient vous consulter pour les détails.

Anna pencha la tête de côté.

— La couronne ? Je peux décrire des fragments des originaux, mais il nous faudrait faire appel à notre imagination pour une reconstitution intégrale, et je suis réticente à inventer. Ça ne se fait pas vraiment dans mon domaine, vous savez – quelqu'un d'autre arrive et vous contredit… Je préférerais que nous utilisions des artefacts pour lesquels nous sommes sûrs d'être parfaitement fidèles à la réalité, si vous voulez bien.

— Comme ?

James soupira intérieurement. Il allait falloir batailler pour tout.

— La ceinture que le Met de New York va nous prêter est exceptionnelle. Elle est en or massif, très lourde. Elle a dû être portée à l'occasion de cérémonies d'État et d'événements exceptionnels. C'est une pièce tout aussi importante que n'importe quelle couronne.

— OK. Mmm. J'anticipe leur objection… La couronne a l'avantage d'être un attribut familier du pouvoir. Les gens savent ce qu'ils regardent quand ils en voient une. Une ceinture en image clé aurait moins d'impact.

— Mais la ceinture a l'avantage d'être un « artefact fascinant et parfaitement historique qui ne nécessitera pas de bricolage ».

Rhaaa.

— Les concepteurs aimaient beaucoup l'idée de la couronne.

— Les concepteurs ne sont pas spécialistes de l'époque byzantine. Je suppose qu'ils ont simplement envie que ce soit joli. Vous me demandez mon avis ; je vous le donne.

Ah, ça, c'est sûr.

— Je leur transmettrai votre réponse ; peut-être pourront-ils s'adresser directement à vous.

Petits veinards.

— Alors, si vous pouviez parler en scrutant un point à peu près ici, poursuivit James en se levant et en marchant jusqu'à une position sur la droite d'Anna.

— Pas directement vers la caméra ?

— Ça pourrait sembler légèrement autoritaire. Essayez d'adopter un ton de conversation. Ce n'est pas un cours en amphi. Je peux rester ici, si ça vous aide.

— Je crois pouvoir me rappeler où diriger mon regard.

Mon Dieu.

James se laissa tomber dans un des sièges.

— Imaginez que nous venons de voir une image de Justinien et Théodora sur la mosaïque. Que savons-nous de leur rencontre ? Répétez la question au début de la réponse pour donner le contexte. « Nous savons que, quand ils se sont rencontrés... », etc.

La voix d'Anna trembla légèrement au début, mais, au fur et à mesure des questions, son enthousiasme naturel pour le sujet prit le dessus, et elle s'anima, de façon presque contagieuse.

James dut admettre que c'était assez intéressant. En fait, on se serait carrément cru dans un épisode de *Game of Thrones* ; rien à voir avec des vieux bouts de vases en terre cuite cassés ou des taxes féodales. À la fin de la séance, James savait que, faute d'avoir passé un bon moment, ils avaient recueilli suffisamment de données pour mettre son équipe au travail.

— Je peux vous montrer quelques exemples d'applications sur notre site Internet, si vous voulez. Cela pourrait vous donner une idée plus précise de l'usage que nous ferons de ces informations, dit-il avec l'espoir de l'amadouer.

Anna hocha la tête et James se tourna vers son ordinateur portable, orientant l'écran sur le siège de façon qu'elle puisse voir la page d'accueil de Parlez. En naviguant sur le site, il ouvrit accidentellement la page « Qui sommes-nous ? ».

— À quoi correspondent ces photos, à côté de vos noms ? demanda Anna en louchant sur les miniatures.

James contint une grimace embarrassée.

— Ah. Des plats.

— Des plats ?

— Ouais, euh... les plats préférés de chacun.

Elle le dévisagea comme s'il venait de lui dire que le mardi ils devaient tous venir travailler déguisés en pirates.

— C'est quoi, ça ?

Elle désignait la photo d'Harris.

— Hum. Un dessert. Des bananes flambées.

James ne savait plus où se mettre. Il jugea plus prudent de taire à Anna que tout le bureau avait ricané d'une façon guère politiquement correcte en apprenant que l'extravagant Harris aimait les bananes flambées.

— Quel est le vôtre ? demanda-t-elle en faisant défiler la liste.

James quitta la page en marmonnant :

— Le lahmacun. C'est une sorte de pizza turque.

— Merci, je sais ce qu'est un lahmacun, rétorqua abruptement Anna.

— Vous pouvez parler. Vous mangez des sandwichs à l'omelette.

— Mais je ne me sens pas obligée d'en informer la terre entière dans mon profil du site de l'UCL. Voici Anna, spécialiste de l'histoire byzantine, amatrice de sandwichs à l'omelette…

— C'est juste pour s'amuser un peu, dit-il sèchement.

Oh, non. Il avait employé l'expression « s'amuser un peu ». Monumentale erreur.

— Je suppose que c'est un monde différent.

— Vraiment ? dit James, sans plus se préoccuper de dissimuler son exaspération. Mais faut-il que tout soit mortellement sérieux ?

— Non. Mais « plat favori »… ? Ça me rappelle ces interviews de stars dans les magazines pour ados : « Kylie, quelle est ta couleur préférée ? »

Elle afficha un sourire narquois, et James, honteux, ressentit une vive aversion pour cette femme qui s'ingéniait à le faire passer pour un idiot.

— J'espère que votre collègue Parker, le fan de coquillettes au fromage de la boîte, s'abstiendra à l'avenir de faire des recherches Google pour nous.

James connaissait la réponse professionnelle à cette pique. Un accusé de réception, une plaisanterie pleine d'autodérision et des excuses à demi-mot. Merde, qu'elle aille se faire voir. Elle le provoquait si inutilement…

— Parker est intervenu au pied levé. Nous sommes ici pour présenter le contenu, pas pour le créer, objecta-t-il d'une voix tendue.

— Ce n'est pas l'impression que ça donne. N'ai-je pas dû défendre ma position face à des concepteurs ?

— Vous êtes assez susceptible.

— Peut-être une de ces habitudes « mortellement sérieuses » que j'ai. Devrais-je vous révéler le nom de mon dessert préféré pour détendre l'atmosphère ?

Brusquement, James détestait tout. Il détestait son travail, il détestait cette femme arrogante et il se détestait lui-même. Il détestait les sandwichs à l'omelette, bien qu'il n'en ait jamais goûté. Il détestait que sa femme l'ait quitté et soit à deux doigts de coucher avec un homme répondant au nom de Finn. Et il détestait qu'on se moque de lui pour quelque chose dont il n'était même pas responsable.

Il gonfla les joues.

— Bon, écoutez. Que cela vous plaise ou non, nous allons devoir travailler ensemble sur ce projet pendant plusieurs semaines. Je ne vois pas pourquoi ce devrait être un cauchemar. Vous vous foutez royalement de ce que je fais, très bien. C'est un tas de conneries digitales qui n'existaient pas il y a cinq minutes, et maintenant nous vous les vendons comme quelque chose d'essentiel, parce que, malheureusement pour vous, c'est le cas, étant donné que tout le monde a un Smartphone et la capacité de concentration de Graham Norton après une dose de speedball et un Red Bull – même les gens qui fréquentent les musées. Mais ça paie mon crédit immobilier, et je ne suis pas trop mauvais dans mon métier, donc c'est ce que je fais. Tout le monde n'a pas la chance d'être aussi passionné par son travail que vous.

» Et vous pensez que mes collègues sont des abrutis ? Devinez quoi ? À une ou deux exceptions près, moi aussi. Et ils semblent tous avoir un nom à la place d'un prénom. Mais au lieu de rester là à me pousser à bout toutes les deux minutes et à souligner le fait que vous trouvez tout ça complètement débile, que diriez-vous de trouver un terrain d'entente et de travailler ensemble ? Comme ça, nous pourrons en finir le moins douloureusement possible et ne serons bientôt plus obligés de nous voir, Dieu merci !

Silence. Choc – choc mutuel. Jamais James ne s'était mis en colère avec un client. Et pas n'importe lequel : il venait de dire à une brillante universitaire d'aller se faire voir.

Elle allait se plaindre en haut lieu et on lui retirerait le projet. Ou, pire, Parlez perdrait le contrat. L'histoire pourrait faire le tour des universités, ils seraient mis sur liste noire, et il se retrouverait dans la merde jusqu'au cou.

Elle eut l'air étonnée, mais ne dit rien. James envisagea de lui présenter ses excuses, avant de se dire que ça n'arrangerait rien pour lui de toute façon.

Puis Anna prit la parole, sans trahir la moindre émotion.

— L'interview… Vous en avez assez ?

— Plus qu'assez, merci, dit James en refermant son ordinateur dans un claquement sec.

CHAPITRE 25

L'après-midi, elle rangeait ses affaires à la fin d'une séance de travaux dirigés quand Patrick passa la tête par la porte de la salle.

—Comment ça s'est passé avec ta bête noire? demanda-t-il. A-t-il confirmé tes craintes en se comportant comme un indécrottable haricot mungo?

Patrick avait son propre vocabulaire, le genre qui ne pouvait être né qu'à force de regarder *Red Dwarf.*

—Je me suis éclipsé une fois l'enregistrement sur des rails. En tout cas, d'après ce que j'ai entendu au début, tu étais formidable.

—Merci. C'est bizarre, mais, à moins qu'il ne cache très bien son jeu, je ne crois pas qu'il se souvienne de moi au lycée. Étrange, non? Pour moi, il n'y avait que lui. Les gens importants ne se rappellent pas les petites gens, même si les petites gens sont très grosses.

—J'ai du mal à imaginer qu'on puisse t'oublier, dit Patrick. Je te soupçonne d'être dure envers toi-même; je parie qu'en fait tu n'étais que... voluptueuse.

Anna ne put s'empêcher de sourire.

—Oh, non, crois-moi, je ne suis pas en train de faire des manières. J'étais une vraie truie. Avec une tignasse à la Slash des Guns N' Roses et une robe chasuble de la taille d'une armoire.

—Eh bien, je suis content que ça n'ait pas empiré avec lui.

— Il y a bien eu du grabuge… J'ai fait une plaisanterie sur son entreprise, et il est parti dans une longue diatribe, comme quoi je pensais que son travail était stupide et qu'il le pensait aussi. Je ne m'attendais pas à ça de sa part, moi qui le prenais pour l'incarnation du poseur supérieur et imperturbable…

— Ah oui ?

Patrick écarquilla les yeux, ajusta son appui contre le chambranle de la porte et se gratta le menton.

— … Mais je suppose que, s'il ne se souvient pas de moi, je devrais pouvoir supporter de travailler avec lui.

— Je t'envoie le fichier en même temps qu'à Parlez ?

— Ce n'est pas la peine, en fait, dit Anna, soudain gênée. Je n'ai pas besoin de me voir jacasser.

James Fraser ne manquerait pas de se moquer d'elle avec ses collègues tellement cool. Qu'il s'amuse donc.

Patrick hocha la tête et s'en fut, mais, quelques secondes après que la porte se fut refermée, elle l'entendit marmonner : « Oh, quelle horreur. » Il frappa de nouveau et rouvrit.

— Je crains qu'il n'y ait eu un acte de sabotage…

Anna suivit le regard de Patrick. Sur la carte indiquant son nom, elle avait été rebaptisée.

CUL D'ENFER
Dr ~~ANNA ALESSI~~

— Docteur Cul d'Enfer ? lut Anna à haute voix.

— Ce manque de respect est affligeant. Objectivation intolérable, grommela Patrick, sa peau pâle prenant une teinte rose livide sur les bords, le faisant ressembler à un surimi. Certaines personnes ne supportent toujours pas les femmes intelligentes. Comment ont-ils pu… *Sans commentaire*… (L'ire de Patrick était plus drôle que la profanation criminelle.)… Sur ton… sur ton…

—Cul-d'enferisme…

—Je m'occupe de la faire remplacer, dit Patrick en faisant disparaître la carte.

—Merci, dit Anna, qui avait appris à laisser Patrick jouer les galants hommes.

—Je crains d'avoir une petite idée de l'identité des responsables. Deux Beavis et Butt-Head de deuxième année qui ont partagé leur appréciation de tes formes et m'ont demandé si je… si je t'avais déjà fait ta fête, expliqua Patrick en mimant des guillemets en oreilles de lapin. Je veux dire, franchement, quelle terminologie litigieuse !

Patrick rosit de plus belle et Anna rougit.

—Je suppose que ça aurait pu être pire. Ils auraient pu se contenter de barrer quelques lettres pour ne garder que « Dr Anale », dit-elle.

Il y eut un silence.

Patrick cligna des yeux.

—Je vais la faire remplacer.

—Merci, dit Anna en battant en retraite.

Elle se rassit à son bureau et ouvrit sa boîte mail.

Bonjour, Anna,

Merci pour votre aide ce matin. J'ai hâte de voir la vidéo. Au sujet des artefacts, les concepteurs sont d'accord pour utiliser la ceinture. Trouveriez-vous utile que nous passions en revue une partie des autres objets ensemble au British Museum ? Vous pourriez ainsi choisir ceux que vous aimez le mieux.

Cordialement,
James

Un rameau d'olivier. Anna se demanda si elle le saisirait. Être désagréable avec lui, c'était attaquer pour mieux se défendre – à condition qu'il passe à l'offensive. Que faire si cela n'arrivait pas… ? Mmm.

Elle décida que, tant que James Fraser ne mentionnerait pas le Mock Rock, ils pouvaient bien faire une trêve. Elle trouvait incroyable qu'il ne l'ait toujours pas reconnue. Était-il possible qu'il se souvienne d'elle, mais qu'il ait simplement décidé de tenir sa langue ? Possible, mais peu probable. Elle n'avait remarqué aucune différence dans son attitude par rapport à la réunion d'anciens élèves, quand lui et Laurence l'avaient abordée.

Elle n'oublierait jamais, ne pardonnerait jamais. Mais vu qu'elle était obligée de se le coltiner, elle pouvait prendre sur elle et ravaler son hostilité. De toute façon, il ne méritait rien de plus que son indifférence.

Un tintement lui indiqua qu'elle venait de recevoir un autre mail. Encore Neil SM. Fantastique.

Chère Anna,

Je trouve intéressant que vous jugiez mes remarques présomptueuses ou égotistes ; il ne s'agissait de rien d'autre qu'un honnête feedback. Qu'est-ce que ça dit de votre capacité de donner et de recevoir honnêtement ? Si je peux me permettre, il est assez évident que vous vous êtes sentie attirée par moi durant notre rencontre. Votre regard et la façon dont vous jouiez avec vos cheveux étaient des signaux classiques. Néanmoins, je soupçonne ce débat de n'être en fait qu'une tactique pour me donner encore plus envie de vous revoir… ? Je dois dire que ça fonctionne. ☺

Amitiés,
Neil

Anna cliqua sur « Répondre » avec la force de quelqu'un jouant au jeu de la taupe.

Neil,

Votre message me laisse sans voix. Manifestement, il est risqué de nos jours d'avoir des yeux et des cheveux quand on se trouve en compagnie d'un homme. J'aurais dû prendre soin de venir chauve et aveugle. On ne se reverra pas, c'est définitivement non, merci. Si vous persistez à croire que c'est une stratégie pour mieux vous séduire sur le long terme, ne vous gênez pas pour prévoir nos ébats dans une vie après la mort. Et, allez, soyons fous, organisez donc une orgie, invitez Marilyn Monroe, Caligula et Rod Hull. Bonne chance pour vos prochaines rencontres !

Anna

CHAPITRE 26

Anna arriva cinq minutes en avance. Elle lançait une pièce de deux livres dans la casquette d'un musicien des rues édenté et désespéré qui jouait devant l'entrée de la station Russell Square quand elle aperçut James, lui aussi en avance.

— Vous êtes fan de xylophone ? demanda-t-il quand elle le rejoignit.

— Ça s'appelle de la philanthropie, rétorqua Anna, en rogne.

— Oh. J'avais cru reconnaître *Love Me Do*.

Elle lui jeta un regard assassin avant de remarquer qu'il souriait.

Ils parcoururent le bref trajet jusqu'au British Museum en discutant de leur séance de questions-réponses. Une fois encore, Anna essaya de surprendre un signe, une expression trahissant qu'il l'avait reconnue, mais en vain. Peut-être avait-il mis son masque d'éternel impassible.

Une fois qu'ils eurent signé le registre à la réception, Anna tendit à James une paire de gants qu'elle avait piochée dans une boîte bleu et blanc et lui expliqua :

— Nous devons porter ces gants. Mais peut-être êtes-vous déjà venu et le savez-vous déjà ?

— Ah, non, dit-il en les prenant.

Bien qu'en déplorable compagnie, Anna avait du mal à se retenir de trépigner d'excitation : les réserves du British Museum étaient l'endroit qu'elle préférait au monde.

Elle n'avait posé la question des gants que dans le but de découvrir si elle pouvait laisser libre cours à son enthousiasme en faisant visiter les lieux à James.

— On se croirait à la fin des *Aventuriers de l'arche perdue*, non ? dit-elle.

Ils se tenaient à l'entrée d'un vaste entrepôt moderne quadrillé de rayonnages où s'empilaient des boîtes en carton identiques, et semé d'escabeaux à roulettes arrivant à mi-hauteur.

Une odeur de papier flottait dans l'air – le délicat parfum de moisi que dégageaient au contact de l'oxygène les objets venus d'un autre temps. Il était difficile d'imaginer, dans cette caverne silencieuse remplie de trésors inestimables, qu'ils se trouvaient en plein centre de Londres, dans le cœur animé de la capitale.

— Alors espérons que vous ne soulèverez pas le couvercle qui protège l'Arche d'alliance. Les visages de ces nazis ont immédiatement fondu, fit remarquer James.

— Vous ne risquez rien si vous fermez les yeux.

— Ouais. Je n'ai d'ailleurs jamais vraiment compris pourquoi, dit-il en souriant légèrement.

Non, absolument rien ne suggérait qu'il se souvenait d'Aureliana. Anna se sentit soudain plus légère à la perspective d'échapper à une confrontation déplaisante. Le torrent de soulagement la fit se radoucir un peu à son égard.

— Théodora est par ici, dit-elle en le guidant dans le dédale des allées.

— Cela me rappelle que j'aimerais m'acheter la table gigogne d'appoint que vous avez rapportée de chez Ikea, dit James.

— C'est bien plus drôle qu'Ikea.

— Ah, ah. Je fais partie des gens qui pensent que tout est forcément plus drôle qu'arpenter les allées d'Ikea et ses rangées de meubles pour proprios radins, mais vous avez raison.

172

Anna préféra taire le nombre de meubles Ikea qu'elle possédait.

Quand ils atteignirent l'aile droite, Anna enfila ses gants, puis elle ouvrit le premier tiroir d'une colonne de rangement peu profonde, dont le contenu était disposé sur un revêtement de tissu sombre.

— Toutes ces pièces sont destinées à l'exposition. Je serais ravie d'utiliser n'importe laquelle d'entre elles. N'hésitez pas à fouiner pour voir si quelque chose vous plaît plus particulièrement ; ensuite je n'aurai qu'à trouver quelque chose d'intéressant à dire dessus. C'est un butin magnifique.

James commença à passer en revue les artefacts. Il y avait des bracelets en filigrane, d'autres sertis de pierres précieuses, des bagues, des camées.

Anna tenta de réprimer son envie irrésistible de jacasser comme une groupie. Et échoua.

— La difficulté avec Théodora est d'essayer de choisir quelle période de sa vie mettre en valeur, expliqua-t-elle à voix basse. Il y a tant à dire à son sujet… Bien sûr, on peut s'en tenir au conte traditionnel de la pauvresse devenue riche. Mais, plus intéressant que l'argent et le pouvoir, il y a ce qu'elle a fait de sa position. Elle a fondé des refuges pour prostituées et maquerelles proscrites. Elle a travaillé en faveur des droits des femmes dans le mariage, promu une législation antiviol. Grâce à ses lois, les gérants des bordels ont été bannis de Constantinople. On pourrait dire qu'elle a été une des premières féministes recensées par l'histoire.

— Et qu'elle était canon, ajouta James, le sourire aux lèvres, en détachant le regard d'une broche.

S'il se risquait à de telles plaisanteries, c'est qu'il devait juger Anna dotée d'un semblant de sens de l'humour. Il était décidément d'une décontraction à toute épreuve. Rien ne semblait jamais avoir d'importance, à moins qu'il ne soit pris sous le feu de l'ennemi.

— Incontestablement. L'Elizabeth Taylor grecque, renchérit obligeamment Anna. Intelligente et courageuse avec ça, et aussi toutes sortes de qualités moins importantes. Justinien n'était pas vilain non plus, si l'on en croit les mosaïques.

— Sauf qu'à l'époque on pouvait être exécuté pour un portrait peu flatteur, dit James en lui jetant un coup d'œil.

— Exact.

— Si seulement nous avions les mêmes droits sur les gens qui publient de mauvaises photos de nous sur Facebook, ajouta James en souriant.

Ils étaient manifestement heureux de ne pas se crêper le chignon.

— Mais n'essayez pas d'en faire une incorrigible héroïne, elle est trop insaisissable pour ça, reprit Anna. Elle n'hésitait pas à faire couler les larmes et le sang de ses rivales. Il le fallait, à l'époque, je suppose, sous peine de vous faire dévorer. Vous vivez votre vie au présent, sans penser à l'image qu'on aura de vous dans le futur. Hollywood devrait faire un film sur elle.

— Ouais… Les premiers rôles seraient probablement donnés à Mila Kunis et Ashton Kutcher, qui en feraient une comédie bien lourde.

Anna rit.

— Tout ce que je souhaite, c'est que l'exposition rencontre le succès qu'elle mérite. Je rêve que son histoire inspire une foule de nouvelles passionnées de Théodora. La Théodora de la seconde moitié de sa vie, pas celle des spectacles érotiques, évidemment…, ajouta-t-elle après une brève interruption.

James éclata de rire.

— Attendez. Je croyais que vous aviez été scandalisée que Parker qualifie ses débuts de salaces ?

— Eh bien, enfin… Je ne la juge pas…

— Pas de problème. J'en déduis que vous approuverez notre titre : « Théodora, la putain majestueuse ».

Ce fut le tour d'Anna de s'esclaffer. Elle se souvenait des répliques vives et spirituelles de James au lycée. Il racontait aussi des blagues hilarantes.

— Je ne pense pas qu'il faille s'inquiéter pour l'exposition ; elle aura un succès fou, déclara-t-il poliment.

Anna fut incapable de dire s'il était sincère ou s'il cherchait seulement à la caresser dans le sens du poil.

— Celle-ci serait fantastique pour l'application, dit James en tournant une broche en émail cloisonné d'or entre ses mains gantées de blanc, tel un magicien manipulant une pièce truquée. On pourrait l'agrandir pour en rendre les détails plus visibles.

James se pencha sur le bijou et Anna se surprit à scruter ses cheveux bleu nuit. En dépit de tous ses efforts, dans la paisible réalité suspendue de la salle, elle se laissa aller à l'admirer. Même s'il n'était pas votre genre, il faudrait vraiment avoir l'esprit de contradiction pour nier qu'il était agréable à regarder, d'une beauté intemporelle.

Certains types de beauté reflétaient la mode de leur époque. Pour sa mère, par exemple, Ryan Gosling ressemblait au « produit d'un mariage consanguin, il me rappelle Nicholas Lyndhurst ». Mais Judy – bon sang, même mamie Maud à l'époque où son glaucome avait pris le dessus – trouverait James Fraser à croquer.

Son visage satisfaisait les canons, mesures et autres normes anciennes de la beauté, à tel point que, envoyé dans n'importe quelle autre époque, il aurait eu autant de succès. Si seulement ça avait été le cas.

Et sa peau donnait vie à la structure en rayonnant d'un halo éthéré de pierre de lune… Stop ! Qu'est-ce qui lui prenait ? Quelle puissance maléfique la possédait pour lui faire admirer ce concentré d'infamie à forme humaine et barbe de trois jours ?

Anna se rappela ce qu'elle écrivait autrefois dans son journal sur ce visage, noircissant des pages et des pages dégoulinant d'adulation enfiévrée, sur ce que ses dehors à lui faisaient à ses dedans à elle… Puis vint le jour où elle cessa pour toujours d'écrire dans son journal. Ouais : voilà ce qui arrivait avec James. S'il y avait du positif, le négatif prenait rapidement le relais.

— Je ne suis généralement pas porté sur les bijoux tape-à-l'œil, mais je dois reconnaître que celui-ci est magnifique. Je crois que je pourrais rester à le contempler pendant des heures ; je suis époustouflé, dit James, sincère, en la regardant par-dessous ses sourcils de star de cinéma.

Elle eut un choc en l'entendant se faire l'écho de ses propres pensées. De certaines, du moins.

CHAPITRE 27

—Je crains de ne rien pouvoir vous offrir en dehors des heures de bureau cette semaine, dit la voix féminine désincarnée à l'autre bout du fil, en plus de suggérer quelque chose du style : mange de la merde et crève pendant que je finis de me faire les ongles.

—Devinez où je suis pendant les heures de bureau ? demanda James. Il y a un indice dans ma question.

—Désolée, ce sont les seuls créneaux qui me restent. Je vous note pour le rendez-vous de jeudi ?

—En fait, je crois que je vais voir ce que Foxtons me propose. Merci, dit James d'un ton acide en raccrochant.

Il payait le prix de sa fierté : il était condamné à appeler des agents immobiliers dehors sur son portable, afin que les connards indiscrets du bureau ne l'entendent pas. Après plusieurs tentatives supplémentaires, la main tenant le téléphone transformée en bloc de glace, il dut se rendre à l'évidence : au mieux, il obtiendrait un entretien en fin d'après-midi. Il abandonna et en accepta un à la même heure et le même jour qu'un rendez-vous décliné deux conversations plus tôt.

Mmm, cela dit, il ne se plaindrait pas de passer un peu de temps loin du bureau. Il prétendrait devoir faire réparer sa machine à laver ou quelque chose dans le genre. Il ne voulait pas qu'on lui pose de questions sur son déménagement.

Il se sentait assez minable de faire tout ça dans l'unique but d'effrayer Eva pour qu'elle revienne. D'ailleurs, il s'efforçait de faire abstraction de la question qui le taraudait.

Qu'auras-tu gagné si elle ne revient que parce qu'elle ne veut pas perdre la maison ?

Se souvenant de l'épreuve curieusement riche en émotions qu'avait été la recherche de leur nouveau foyer, il culpabilisa à l'idée d'encourager des inconnus à s'imaginer eux-mêmes installés à son adresse, quand il y avait peu de chances que cela se réalise.

Néanmoins, si Laurence avait raison et qu'il lui fallait faire un geste provoquant, bandant métaphoriquement ses muscles, prêt à attirer l'attention d'Eva, le Château de Crouch End s'y prêtait parfaitement. De toute façon, c'était soit la maison, soit le chat, soit lui. Or il ne voulait pas prendre Luther en otage, pas plus que coucher avec une autre femme, comme Laurence le lui avait suggéré.

Il avait découvert que rien n'anéantissait plus radicalement la passion que de voir votre jeune épouse vous quitter. C'était comme si Eva lui avait infligé des blessures à la tête, à la poitrine et au ventre, le privant de certaines fonctions sous la ceinture. Envisager cette liaison notionnelle, où il devrait se servir d'un autre être humain comme d'un mannequin RCP, le rendit vaguement nauséeux et triste.

Retourner aux cabrioles de ses vingt ans, lui, le désormais divorcé imminent et brisé, alors qu'il était susceptible de larmoyer en songeant à son épouse perdue après avoir mis son coup d'un soir dans un taxi ? *Nein danke.* Le genre de malheur qui ne pouvait se consoler avec celui des autres.

James glissa son portable dans sa poche, retourna s'asseoir à son bureau et consulta son agenda. Il allait devoir couvrir la visite de l'agence avec un rendez-vous. Mais que pouvait-il décaler et transformer en rendez-vous chez lui ? Pas grand-chose, apparemment.

Il lui fallait pourtant une bonne excuse, étant donné qu'Harris était sur le sentier de la guerre, cherchant des occasions de se plaindre.

Harris n'était pas officiellement senior, mais il avait l'oreille attentive des patrons de Parlez, un couple de quinquagénaires spectaculairement riches, qui tenaient compte de ses avis et comptes-rendus. Jez et Fi (jamais Jeremy ou Fiona) se trouvaient alors en Ombrie, très occupés à superviser des modifications sur une de leurs maisons, habitat écologique modèle auquel l'émission *Grand Designs* avait consacré un reportage – sauf que, étant donné qu'ils avaient dépassé leur budget de façon extravagante et que la population locale avait mis leurs têtes à prix, *Grand Follies* aurait été plus approprié.

Harris était leur œil dépourvu de paupières, qui ne clignait donc jamais, et il était censé leur faire bientôt son rapport mensuel. Les tire-au-flanc et autres plaisantins feraient bien entendu l'objet de plusieurs paragraphes, et James était déjà sur la «Liste des éléments à surveiller» puisque Harris savait que James ne pouvait pas le supporter.

Ah, attendez. Le projet Théodora. D'après une note qu'il avait gribouillée, il devait soumettre la liste des artefacts choisis pour l'application à Anna Machin de l'UCL.

Avait-il envie qu'elle vienne chez lui? Pas vraiment… Mais cela ne devrait pas prendre plus d'une heure ou deux. Et elle s'était montrée passablement agréable lors de leur entrevue précédente au British Museum.

Il décida de se lancer et lui envoya un mail où il s'excusa de devoir lui donner rendez-vous chez lui, invoquant des problèmes de plomberie.

—Alors, Jay Fray, qu'est-ce que tu peux nous raconter sur ta nouvelle femme? demanda Harris dans son dos.

Il ajusta son chapeau mou bleu électrique orné d'une plume – seulement en troisième position dans le top 10 de ses couvre-chefs les plus moches.

— Mmm ? marmonna James en feignant d'être absorbé par son travail.

— L'humaine que tu amènes à la soirée d'anniversaire de la boîte…

— Ah. Mmm. C'est encore frais.

— Oh, allez, tu peux bien nous dire quelque chose…

Harris était vraiment un petit con. Il venait fouiner uniquement parce qu'il avait senti que James ne tenait pas particulièrement à s'étendre sur le sujet.

— Mieux vaut que tu la rencontres sans idées préconçues ! lança James d'un ton faussement amical.

— Comment s'appelle-t-elle ? Comment l'as-tu rencontrée ?

Putain, fous-moi la paix !

— C'est une pote de pote.

James se demandait comment il allait se dépatouiller de cette histoire de petite amie imaginaire, quand le regard d'Harris s'illumina à la vue de quelque chose sur l'écran de Parker et qu'il poussa un hurlement à vous glacer le sang.

— Parker ! Tu es sur Google+ ?! Qui est sur Google+ ? Tu dois parler tout seul car il n'y a *que toi* sur Google+.

— Non, ta mère aussi est sur Google+, rétorqua Parker.

— Ah ah ah, non, *ta* mère utilise Google+, dit Harris. Tu n'as qu'à créer un Hangouts pour ta mère. Elle a un cercle et tu es dans son cercle.

— Ta mère utilise Outlook Express le week-end.

— Ta mère utilise Pegasus Mail !

— Ta mère a un fax et elle faxe les gens avec…

À leurs tons ravis, il était évident qu'ils pensaient composer un duo comique dont on se souviendrait longtemps. Un classique d'improvisation à la Pete et Dud, Morecambe et Wise.

James enfonça profondément ses écouteurs dans ses oreilles.

Imagine le bonheur que ce doit être de travailler avec des adultes, songea-t-il. *Imagine.*

Il se rappela sa visite au British Museum avec Anna. Vu la réaction de la jeune femme aux idioties du site Internet de Parlez, James n'osait imaginer son mépris si elle passait un après-midi dans ce jardin d'enfants.

L'ennui, c'était que, comme il l'avait exprimé dans un discours un peu trop virulent, il était entièrement d'accord avec elle.

CHAPITRE 28

Anna donna un coup avec le heurtoir en métal sur la porte noire lustrée, soudain curieuse de découvrir à quoi ressemblait l'intérieur de la maison de James Fraser. Il vivait dans une rue proprette et tranquille, le long de laquelle s'alignaient des villas victoriennes aux avant-toits blancs, dissimulées derrière des haies de troènes impeccablement taillées. Ici, les propriétés étaient trop chères pour ne pas être soigneusement entretenues. La maison de ville mitoyenne de James arborait les stores blancs de rigueur, même si ceux du bow-window de la façade étaient en berne, et un perron carrelé qu'illuminait une reproduction de lampe à gaz.

Il vint ouvrir vêtu d'une chemise bleu foncé, le cardigan, Dieu merci, manquait à l'appel. Il semblait moins sur ses gardes et plus accessible que les fois précédentes.

Évidemment, nous sommes sur son terrain, supposa-t-elle.

— Merci de vous être déplacée jusqu'ici, dit-il. Je vous en suis vraiment reconnaissant.

— Pas de souci. Ce n'est pas très loin de chez moi. Je vis dans Stoke Newington. J'espère que vos problèmes de machine à laver sont résolus ?

— Ah. Ouais.

Anna le suivit au fond du vestibule jusque dans la salle à manger. Dans la cuisine étroite au fond, elle aperçut un réfrigérateur Smeg noir, un piano de cuisson et un tas de chrome impeccable. Waouh. Il ne fallait surtout pas qu'il mette les pieds chez elle. Elle entendit une voix intérieure dire : *fait*.

—Je vous sers un thé ? Un café ?

—Un thé, volontiers, merci.

—Vous buvez de la framboise, c'est ça ? Je crois que j'en ai.

—Oui, merci, répondit-elle en se faisant la réflexion qu'il était plus observateur qu'elle ne l'aurait cru.

Un jeté de canapé défraîchi et touffu posé sur un fauteuil au dossier clouté poussa un cri aigu, se déroula et s'assit en clignant des yeux.

—Aaaah ! s'écria Anna avant d'avoir eu le temps de se retenir.

James éclata de rire.

—Anna, Luther, Luther, Anna.

—C'est un chat ? Il est énorme.

—Ouais, il est assez énorme, non ? Cela dit, je pense que si on le tondait, on se retrouverait avec Gollum.

—Pourquoi est-ce qu'il nous regarde comme ça ?

—Comme ça comment ?

—Comme… comme s'il prévoyait de nous tuer dans un avenir proche.

Anna fut soulagée de voir James sourire largement.

—C'est vrai qu'il a l'air de mettre au point un plan d'extermination, non ? Ça fait des lustres que j'essaie de cerner cette expression. Bien vu. Oubliez la Corée du Nord, quand la colonne d'un champignon atomique s'élèvera dans le ciel, il y aura une patte grise sur le bouton rouge.

—Il s'appelle Luthor comme dans Lex Luthor ?

—Ah, ah ! Malheureusement non. Luther comme dans Luther Vandross.

Anna se demanda si la politesse exigeait qu'elle le caresse.

—Je ne suis pas très portée sur les chats, dit-elle pour s'excuser.

183

— Effectivement, je ne sens pas chez vous la fibre Docteur Dolittle, dit James en croisant les bras, mais toujours le sourire aux lèvres. Vous préférez les chiens ?

— Non. Je n'ai jamais eu aucun animal domestique. Oh, à part mon hamster quand j'étais ado, se dépêcha-t-elle de dire. Gingembre.

— Gingembre ? Quoi, l'épice ?

— Oui. Ça… ça lui allait bien. Il avait d'énormes bajoues. Gingembre le Joufflu.

— Étrange. Si vous aviez choisi Cannelle… C'est une épice, mais c'est aussi un prénom, dit James, amusé.

— Eh bien… Merci pour le conseil. Il est mort, maintenant.

— Probablement de honte, avança James.

Anna ne put s'empêcher de rire.

— Luther a beaucoup de problèmes, mais au moins nous ne l'avons pas appelé Sauge sclarée.

James se pencha pour caresser le chat, mais celui-ci l'esquiva et s'écarta.

— T'en fais pas, Luther, on plaisantait, c'est tout ! lança James au chat qui descendit lourdement du fauteuil et courut se réfugier dans la cuisine d'une démarche sans grâce. C'était le chat de ma femme.

— Ah.

Elle remarqua qu'il avait utilisé le passé et il remarqua qu'elle avait remarqué.

— Eva et moi nous sommes séparés il y a quelques mois.

— Je suis désolée, dit Anna.

Elle ne s'attendait pas du tout à ça. L'idée de James Fraser célibataire semblait invraisemblable. Il avait probablement baisé sauvagement une copine fashion de sa femme dans les toilettes d'un club branché après quelques rails de coke. Ou un de ces trucs typiques des hipsters trentenaires de nos jours. Effectivement, James ne portait pas d'alliance, elle venait de s'en rendre compte.

Il suivit Luther dans la cuisine, sortit des tasses et mit la bouilloire en route.

—Je vais aller chercher les dossiers, dit-il en se retournant.

Puis, voyant qu'Anna restait debout, embarrassée, il ajouta :

—Vous voulez que je vous débarrasse de votre manteau ?

—Oh… merci…

Anna lui tendit son duffle-coat gris.

James monta bruyamment quatre à quatre les marches de l'escalier en bois.

Une fois seule, Anna eut tout le loisir d'admirer, bouche bée, le décor qui l'entourait. Elle n'avait jamais mis les pieds dans une maison pareille, dont les pièces semblaient tout droit sorties d'un magazine de décoration.

Le plancher était d'une teinte sombre rappelant celle de la mélasse, le canapé Chesterfield tapissé de velours rose – du même rose délicat que des tétons dans une toile de Rosetti. Il y avait des lampes en verre argenté et, de-ci, de-là, des touches de shabby chic coloré, tel le fauteuil en cuir. Une table basse en miroir vénitien renvoyait la lumière vers une glace géante au-dessus du manteau de la cheminée d'origine. Donc, dans l'ensemble, beaucoup de surfaces réfléchissantes.

Pas la peine de préciser qu'ils n'avaient pas d'enfants. Elle imaginait un bambin traversant la scène en courant, un morceau de verre dentelé planté dans le crâne tel un éclair dans une bande dessinée.

Sur les étagères d'un vaisselier dépouillé dans le coin salle à manger, s'étalait une forêt de photos aux lourds cadres d'argent. Comme on pouvait s'y attendre, elles constituaient un hymne à la beauté des occupants de la maison et à leurs vacances somptueuses.

Celles du fond montraient des rues continentales pavées, des feuillages tropicaux et des balcons à Manhattan, ainsi que la peut-être future ex-femme de James debout dans de l'eau dont s'élevaient des nuages de vapeur, vêtue d'un haut de bikini blanc en triangles. Jamais Anna n'aurait pu exposer une photo «vise un peu mes nibards» dans une pièce de réception, mais bon, elle n'avait jamais eu un corps comme le sien non plus. Eva était ravissante, bien sûr. Renversante, mais aussi respirant la santé. Le genre de femme qui élevait autant l'esprit que les pénis.

Une photo attira plus particulièrement l'attention d'Anna, et elle fit un pas en avant pour l'examiner. Assis à une table à la terrasse d'un bistrot, James plongeait le regard dans l'objectif, souriant par-dessus une grande tasse de café. Il était charmant, dessus. Exceptionnellement charmant, en fait. Pas beau-charmant; ça, c'était facile si vous disposiez des bonnes cartes génétiques. C'était son expression. Elle ne la lui avait jamais vue: intime, affectueuse et pleine d'amusement désabusé… Peut-être un peu postcoïtale.

Le genre de regard qu'on ne peut adresser qu'à quelqu'un dont on est fou, capable de transformer vos tripes en mélasse. Pendant un bref instant, Anna prit la place de la personne derrière l'objectif. Elle eut un étrange pincement au cœur quand lui revint en mémoire son amour de jeunesse, telle une ombre planant au-dessus d'elle. Elle se secoua pour se défaire de ce souvenir.

Au centre, une photo de mariage montrait les jeunes mariés descendant les marches de l'hôtel de ville sous une pluie de confettis, riant à gorge déployée de se sentir à la fois aussi uniques et épris l'un de l'autre.

Vêtu d'un costume bleu foncé et d'une cravate à fleurs, yeux baissés, James souriait, son visage sculptural tellement photogénique. Sa femme regardait sur la droite, vers un supporteur invisible. Sa robe était simple – dentelle ajustée mettant en valeur des épaules étroites et un cou de cygne. Ses cheveux étaient retenus en arrière par un bandeau étroit orné de pierreries, ses yeux soulignés d'un fin trait d'eyeliner liquide, et ses oreilles ornées d'une perle. L'ensemble était d'un rétro du meilleur goût – « Elvis est en vie, il épouse Grace Kelly ! » Ils étaient la perfection incarnée.

Que ferait un couple comme le leur en cas de bébé laid ? Sortir le seau anti-incendie ? Anna grimaça à sa propre sauvagerie – si ça se trouve, leur séparation était due à un désaccord au sujet des enfants.

Il y eut un grattement dans la cuisine, comme celui d'une souris derrière une plinthe. En cherchant d'où il provenait, Anna découvrit Luther, suppliant, assis devant une porte qui donnait sur l'arrière de la maison.

— Miaou !

Il appuya sa patte touffue sur la porte et y donna plusieurs petits coups pour se faire comprendre. Puis il émit un « Miaouuu » encore plus plaintif.

— Oh, tu veux sortir ? dit Anna, heureuse de compenser ses pensées peu généreuses en s'acquittant d'une petite tâche domestique.

Une clé ornée d'un gland doré pendait à un crochet au-dessus du plan de travail. Anna la glissa dans la serrure, la tourna et la porte s'ouvrit dans un claquement sec.

— Et voilà.

Après avoir fait tout un cirque pour qu'on le laisse sortir, le chat parut hésiter, s'attardant sur le seuil et la regardant avec ses grands yeux planants, les moustaches de la taille des épines d'un porc-épic. Anna se pencha et le poussa doucement. Ce sac à poussière stupide semblait n'avoir encore jamais vu le jardin situé derrière sa propre maison.

CHAPITRE 29

Ils étaient en train de passer en revue de grandes photos en couleurs, Anna prenant des notes à l'arrière, Classic FM en fond sonore sur la radio Roberts, quand James regarda distraitement par la fenêtre du salon et sursauta.

— Waouh. C'est bizarre. Le chat, dehors, il ressemble à… (James balaya du regard le sol autour d'eux.) Luther ! Luther ?

Anna leva les yeux, juste à temps pour voir un éclair de fourrure grise s'éloigner du panneau de verre.

— Pourquoi ? Il ne passe jamais du jardin de derrière à celui de devant ?

— Comment ? demanda James distraitement en se levant. Luther ?

Il bondit jusqu'au bow-window et scruta le jardin, appuyé au cadre de la fenêtre.

— Aaah… Le chat est parti. Je deviens fou ou quoi ? Il lui ressemblait énormément.

— Il va bien ? dit Anna, alarmée par la réaction de James.

James fila dans la cuisine puis revint, manifestement troublé.

— Il n'est pas là… Peut-être qu'il est monté à l'étage. Il ne peut pas être sorti…

Anna se leva, une boule dans l'estomac.

— Oh. Je lui ai ouvert.

James se tourna vers elle, les yeux écarquillés.

— *Quoi ?*

Après un silence, il traversa le vestibule à toute allure, Anna sur les talons.

— Luther… Luther! cria James alors qu'ils franchissaient d'un bond la porte d'entrée.

— Il ne sait pas se débrouiller dehors? demanda Anna en suivant James qui faisait le tour du jardin.

Elle se sentait complètement idiote et on ne peut plus inquiète.

— Luther a déjà du mal à se débrouiller à l'intérieur, répondit James en poussant un conteneur à roulettes pour regarder derrière. Pourquoi l'avez-vous fait sortir? demanda-t-il en levant les yeux, contenant assez mal l'irritation qui perçait dans sa voix. Il ne sort pas.

— Il grattait à la porte. J'ai cru… Je suis terriblement désolée.

— Le petit salaud a voulu tenter sa chance. Ce n'est pas votre faute. Les chats normaux vont se balader, dit James avec bien plus de bienveillance que ce à quoi elle se serait attendue.

À cet instant précis, il aurait eu tous les droits de la faire griller comme un Whopper.

— Luther!

James sauta le muret qui séparait son jardin de celui de son voisin, puis, s'étant assuré que Luther n'y était pas, il sortit dans la rue par leur portail.

Anna scruta encore une fois inutilement le jardinet vide et le rejoignit.

— Je l'ai vu partir dans cette direction, dit James.

C'était l'heure de pointe, et, bien que ce soit une rue résidentielle, des voitures passaient à un rythme régulier.

— Il s'agit de le trouver avant qu'il ne trouve la route. Ce n'est pas un jeu très agréable.

— Vous pensez qu'il ne saurait pas traverser?

James lui jeta un coup d'œil.

— Il ne l'a jamais fait. Est-ce qu'il vous a fait l'effet d'un chat débrouillard? Il a de la viande hachée à la place du cerveau.

L'expression fit se resserrer un peu plus le nœud dans l'estomac d'Anna. Elle n'allait pas tarder à voir un chat se transformer en frittata poilue sous les roues d'un monospace luxueux. Et ce serait entièrement sa faute. Bon sang, c'était affreux.

— Je vais chercher par là, vous voulez bien regarder de l'autre côté? demanda James.

Anna hocha énergiquement la tête et partit dans l'autre sens, imitant James en se baissant pour regarder sous les voitures garées et en se penchant par-dessus les haies, appelant Luther.

À la lumière de ce développement, son intervention ressemblait moins à une charmante initiative qu'à de l'ingérence abusive.

Pour la première fois, elle réfléchit à l'image que James pouvait avoir d'elle. Vu qu'il ne semblait pas se souvenir d'elle au lycée et ignorait qu'elle l'avait surpris en train de dénigrer ses charmes à la réunion d'anciens élèves, il fondait son opinion uniquement sur leurs plus récentes interactions. Par conséquent, lui-même s'étant montré assez poli, elle devait avoir donné l'impression d'être une belle garce. Et voilà qu'elle était sur le point d'assassiner son animal domestique.

Elle sursauta en apercevant un éclair de fourrure gris cendré qui émergeait de derrière les roues arrière d'une voiture garée de l'autre côté de la chaussée. Avec une inévitabilité écœurante, le grondement du moteur d'une voiture à l'approche résonna sur la gauche d'Anna.

— Luther! cria-t-elle en jetant un coup d'œil vers James, espérant l'alerter afin qu'il prenne en charge le sauvetage.

Hélas, il était momentanément hors de vue.

Le chat semblait tapi, pas assis – évaluant à quel moment se lancer, surexcité par la découverte de sa nouvelle liberté.

— Luther, non ! lança-t-elle, comme si elle avait le pouvoir de le transformer en petit chien docile comprenant l'anglais.

Le chat se traîna sur quelques centimètres supplémentaires vers la route, hésitant.

Anna sentit sa gorge se nouer et sa bouche devenir sèche. Elle n'était pas experte en comportement félin, mais elle estimait la probabilité que l'animal entre en collision avec le véhicule à l'approche à cinquante/cinquante. Au lieu de traverser, Luther semblait utiliser le laps de temps dont il disposait pour évaluer les différentes options ; il allait se décider à traverser pile au moment où la voiture arriverait à son niveau.

Il avança encore un peu en se dandinant et commença à se balancer d'avant en arrière, se préparant à bondir. Son prochain mouvement l'amènerait au beau milieu de la chaussée. Prise de panique, Anna se précipita devant la voiture, qui n'était qu'à une quarantaine de mètres environ, tendit les bras, paumes vers l'extérieur.

— *Stop !*

Les yeux écarquillés, la conductrice, une femme d'âge moyen, écrasa la pédale de frein. Anna eut l'impression que la voiture mettait des siècles à s'arrêter, s'immobilisant presque à son niveau.

Quand Anna baissa les yeux vers Luther, chose incroyable, il était tout près de ses pieds. Bon sang, que ce chat était bête. Le crissement des pneus ne l'avait même pas dissuadé d'avancer. La jeune femme se pencha et l'attrapa sans plus d'hésitation. Elle venait de suivre un cours accéléré de gestion de chat rebelle, heureusement sans dommage.

Elle remercia la conductrice d'un geste de la main par-dessous la douce masse de Luther. L'expression atterrée de la femme se transforma en quelque chose qui ressemblait plus à de la compréhension ; elle leva en retour une paume conciliatrice comme pour dire : « Oh, je vois. Ouf. »

Une fois en sécurité sur le trottoir, Anna aperçut James, un peu plus loin dans la rue ; il avait probablement été témoin du sauvetage.

— Luther, dit-elle inutilement en arrivant à sa hauteur, agrippant la bête qui se tortillait.

— Mais qu'est-ce qui vous a pris, bon Dieu ? Vous auriez pu vous faire renverser !

Une main sur la tête, James était très pâle. Anna fut surprise que le risque qu'elle avait pris ait pu l'affecter, au-delà des désagréments évidents du sang sur la chaussée et de la paperasse à remplir.

— Je me suis sentie responsable.

— Vous vous êtes sentie responsable !? Mon chat… votre vie. Ça ne se vaut pas vraiment. Bon sang, Anna, j'ai bien cru que vous alliez finir aux soins intensifs et que j'allais devoir appeler vos parents pour leur annoncer que vous alliez mourir à cause d'une housse de bouillotte caractérielle. Je ne sais pas si je dois vous remercier ou vous remonter les bretelles, dit James en se cachant la tête dans les mains avant de les laisser retomber pour pouvoir parler. Je ne pensais pas vous avoir fait culpabiliser de l'avoir laissé sortir. Vous ne pouviez pas savoir.

— Oh, non ! Je n'ai pas réfléchi.

Anna avait simplement vu une solution et s'était littéralement jetée dessus. Avec le recul, elle se rendait compte de la bêtise de tout miser sur la distance de freinage d'une Nissan Micra.

La jeune femme lui fourra Luther dans les bras, sa main frôlant brièvement le torse de James pour s'assurer qu'il le tenait fermement. La petite tête grincheuse de Luther se chiffonna et il exprima sa contrariété en grondant, manifestement irrité qu'on ait mis fin à son expédition suicidaire.

— Ça veut dire merci, expliqua James, et il baissa légèrement la tête vers l'animal.

Anna sentit qu'il se retenait de frotter son nez contre celui de l'animal, de peur de mettre sa virilité à mal devant elle.

Elle se sentait bizarre, encore sous l'effet de la poussée d'adrénaline qui lui avait permis d'arracher une victoire confuse aux mâchoires de la défaite. L'homme qu'elle détestait se comportait si humainement, si courtoisement qu'il devenait difficile de le détester.

Ce qui ne l'empêche pas d'être détestable, se rappela-t-elle.

— En faisant abstraction de l'élément suicidaire, c'était cool. *Stop !*

Coinçant un instant Luther dans le creux de son bras, James tendit l'autre main, imitant le geste d'Anna. Il sourit largement et rajusta sa prise pendant que le chat continuait à se tortiller dans ses bras.

— Allez, mon pote. On va te mettre devant National Geographic. Tu n'auras qu'à imaginer que tu fais du trekking dans les Andes.

Anna sourit et ils retournèrent dans la maison.

Une fois un Luther grincheux tranquillisé avec une soucoupe de lait Whiskas, James déclara :

— Si ce petit crétin a droit à un verre pour se détendre, je ne vois pas pourquoi nous nous en priverions. Un whisky ?

— Mille fois oui, dit Anna bien qu'elle n'en boive jamais.

— Je suppose que cela conclut notre séance de travail, dit James en jetant un coup d'œil aux papiers étalés sur la table de la salle à manger. Allons donc nous installer plus confortablement, ajouta-t-il en désignant le canapé.

Anna se percha sur le Chesterfield rose dragée immaculé. Après avoir fouillé dans un petit placard à spiritueux qui se trouvait au fond de la salle à manger, James revint avec un lowball contenant trois centimètres de liquide ambré. Elle ne put en jurer, mais, pendant un instant, elle crut voir sa main trembler quand il le lui tendit.

—Ça va, du Laphroaig ?

—Ah. Je pense que je vais passer alors, merci.

Le visage de James se décomposa.

—Je plaisante ! s'exclama Anna. Étant donné mon niveau de connaissances sur le whisky, il pourrait aussi bien s'agir d'Irn-Bru.

James tint le verre hors de sa portée une seconde.

—Oh ? Dans ce cas, je ne vais pas le gâcher.

Il sourit et lui tendit le verre.

Ils échangeaient des plaisanteries, maintenant ? Mauvaises, mais tout de même. Il y avait du progrès.

—Merci. Vraiment, dit-il en entrechoquant son verre avec le sien.

Anna marmonna « De rien ». Le whisky avait un goût de tourbe et de feu, et lui chauffa la bouche assez agréablement.

—Vous arrive-t-il souvent de risquer votre vie pour des chats, bien que vous ne les aimiez pas ?

—*Nooooon…* J'ai agi instinctivement.

—Vous venez de prouver que vos instincts sont incroyablement nobles et pleins d'abnégation, pour ne pas dire fous.

James lui adressa un sourire chaleureux et sincère. Anna se rappela que cette bienveillance était le fruit d'un soulagement extrême de ne pas se trouver à cet instant en possession d'un demi-chat dans une boîte à chaussures dégoulinante, avec un appel poisseux à passer à l'épouse.

—Votre femme n'a pas voulu l'emmener ? demanda Anna en espérant que sa question ne paraîtrait pas trop lubrique à son hôte.

—Ça aurait été logique, non ? dit James en se laissant tomber dans le fauteuil en cuir. Elle habite chez une amie en ce moment et il n'y a pas beaucoup de place. Je suppose que quand elle aura trouvé un endroit où s'installer, elle viendra le chercher. Ou pas. Eva, quoi.

Il eut l'air embarrassé d'avoir manifesté son amertume.

—Nan, elle est... Elle est autre chose. Je crois qu'on appelle ce genre de personne une force de la nature. Quand on épouse quelqu'un de supérieur à soi, il faut s'attendre à souffrir.

—Est-elle supérieure à vous ? demanda prudemment Anna.

—Eva fait partie de ces gens qui... Vous savez, c'est comme si elle respirait un air différent.

Bizarre, songea Anna. *Je te voyais comme ça, autrefois.*

—Est-ce que vous sortez ou vivez avec quelqu'un ? demanda James.

—Je suis célibataire. J'essaie les rencontres sur Internet depuis quelque temps, répondit Anna avec une grimace.

—Oh, waouh... Vraiment ? J'aurai peut-être bientôt besoin de vos lumières dans ce domaine, dit James en se frottant le cou. Et ça se passe bien ?

—Vous savez que, quand on embaume les gens, on commence par drainer tous les liquides de leur organisme ? Eh bien, c'est pareil, mais avec de l'espoir. Bon, l'avantage, c'est qu'on a l'occasion d'essayer tout un tas de restaurants recommandés dans *Time Out*.

—Oh non... J'imagine.

Anna esquissa un sourire pincé et hocha la tête, consciente qu'il cherchait à lui complaire, mais, pour une fois, elle ne perçut aucune note condescendante.

Comme si un canon dans son genre pouvait finir sur Internet. La notion en elle-même activerait indubitablement tout un réseau d'agents dormants femmes qu'il ignorerait connaître. « Mobilisez l'agent de Muswell Hill, James Fraser a besoin de compagnie. »

—Vous êtes d'où ? Je suppose que vous n'avez pas grandi à Stoke Newington... ? dit-il.

—Ah… euh… de pas très loin…

Elle se faisait démasquer petit à petit, comme si des doigts se glissaient sous son passe-montagne, son niveau d'angoisse grimpant au fur et à mesure.

—Ça vous ennuie si j'utilise vos toilettes avant de partir ? demanda-t-elle, désespérée, avalant d'un trait la fin de son whisky, histoire de se dépêtrer de cette conversation vite fait.

—Je vous en prie, dit James, manifestement déconcerté par la brusquerie de la jeune femme. C'est la porte en face de vous quand vous arrivez en haut de l'escalier.

Anna grimpa les marches quatre à quatre, et découvrit une autre zone de perfection. Tout était d'un blanc éblouissant, avec des murs carrelés comme dans un sanatorium. Mis à part la cuisine, la décoration de cette maison était très féminine.

Sur la citerne des toilettes, il y avait une bougie parfumée à la mûre à moitié consumée avec une étiquette en papier ; au mur, une armoire aux portes en miroirs, remplie de serviettes blanches et ornée d'une guirlande de petites lanternes en papier.

Sur le rebord de la fenêtre, une photo au format d'une couverture de magazine montrait une belle jeune femme endormie sur le ventre, révélant le haut de son dos nu. C'était le portrait intime d'une femme pendant sa lune de miel. Anna commença à soupçonner la maîtresse des lieux d'être quelque peu narcissique.

Au moment où elle se faisait cette réflexion, elle comprit autre chose. La femme de James l'avait quitté, et lui, le chat et la maison étaient comme restés en suspens. Ils attendaient son retour.

CHAPITRE 30

Aggy avait promis à Anna qu'elle serait libre de choisir sa robe de demoiselle d'honneur.

— L'idée, c'est que ta tenue te corresponde, qu'elle te plaise et que tu te sentes à l'aise.

Anna insista sur le fait de chercher dans des boutiques de prêt-à-porter.

Aggy l'entraîna donc dans un local de Monsoon près de Oxford Circus et se mit à attraper des robes avec autorité et à les jeter sur un bras, utilisant celui d'Anna quand le sien fut complètement chargé.

— Hum… Donc c'est moi qui choisis ? dit Anna.

— Il faut bien commencer, expliqua Aggy.

— Bien sûr.

Anna réprima un sourire. Allons, ça aurait pu être bien pire. Aggy n'aurait pas manqué de prévoir une phalange de demoiselles d'honneur si sa meilleure amie Marianne n'avait pas nommé uniquement sa sœur dans ce rôle à son propre mariage, afin de pouvoir investir plus dans sa propre robe. Dégagée de l'obligation de choisir Marianne en retour, Aggy l'avait imitée.

Dans une cabine d'essayage où l'on n'aurait même pas pu étreindre une belette, Anna batailla pour entrer et sortir des différentes tenues sélectionnées par sa sœur. Elle avait oublié combien essayer des vêtements pouvait être éprouvant. Il fallait se contempler dans des miroirs et scruter son corps – beaucoup trop à son goût. Sa température corporelle grimpait dangereusement, elle se sentait de plus en plus débraillée, les étiquettes de prix lui éraflaient la peau et ses cheveux étaient encore plus indomptables qu'à l'accoutumée. Pour accessoiriser sa tenue, Aggy avait jeté son dévolu sur une paire d'escarpins aux talons semblables à des baguettes chinoises. À peine chaussée, Anna eut mal aux pieds, et elle se sentit épuisée avant même d'avoir fait un pas. Elle ouvrait régulièrement le rideau pour dévoiler le résultat de ses essayages et délivrer son verdict.

Mini-robe en dentelle bleu électrique : « *Inside Soap* Awards, lauréate "Meilleure Garce". »

Robe fleurie de roses-choux avec écharpe lavande : « Je suis à un serre-tête de *40 ans, toujours pucelle.* »

Jupe tulipe rose bonbon avec fioritures argentées : « J'ai toute la collec' des Sylvanian Families sur le rebord de ma fenêtre et j'embrasse les membres de la famille Hamster un par un avant d'aller dormir. »

Chaque fois, Aggy grognait et manifestait son accord d'un hochement de tête réticent.

Alors qu'Anna s'extirpait de la robe numéro six pour se comprimer dans la robe numéro sept, Aggy annonça derrière le rideau :

— Dis donc, j'ai trouvé quelqu'un pour t'accompagner au mariage. Tu pourras me remercier plus tard.

Anna se figea, la fermeture Éclair à moitié descendue.

— Te *remercier* ? Est-ce que je t'ai demandé de me trouver quelqu'un pour ton mariage ?

— Celui-là, tu ne cracheras pas dessus.

— Aggy, sérieusement, m'as-tu vendue comme « ma triste grande sœur célibataire » ? Franchement, ça me fait mal au cul, comme dirait Michelle.

— Donc, tu n'es pas intéressée ?

— Non. J'aime choisir moi-même les hommes avec qui je sors.

— C'est vrai que ça te réussit… Ça fait combien de temps que tu es inscrite sur des sites de rencontres par Internet ? Et tu n'as encore trouvé personne ? C'était quand la dernière fois que tu es sortie avec quelqu'un – je veux parler d'une vraie relation… ?

Anna se tortilla un peu, mal à l'aise.

— Des lustres, répondit Aggy à sa place à travers le rideau de polyester. Pourquoi ne pas me laisser choisir, pour une fois ? S'il ne te plaît pas, je n'en ferai pas tout un plat.

— Non, aucune pression, après tout, il ne s'agit que de ton mariage ! (Anna leva les yeux au ciel à l'intention de son reflet.) Qui est-ce ?

— OK, tu te souviens du cousin Matteo ?

— Oh, euh… ouais. Celui qui se déhanchait, index en l'air, sur *When You're in Love with a Beautiful Woman* au quinzième anniversaire de mariage de papa et maman ? Et qui porte des débardeurs de running ? Et qui est notre cousin ? Ça s'améliore après ?

— Eh bien, il s'agit d'un ami de Matteo. Primo. Si tu acceptes, je dis à Matteo de l'amener. Pour toi.

— Oh, merveilleux ! Un autre réfugié de Muscle Beach. Et pourquoi lui plairais-je ? Tu as déjà vu les copines de ces étalons italiens ? En plus, les Italiens aiment les femmes qui cuisinent comme Nonna, pas les filles dans mon genre qui font flotter les œufs pochés dans des bols de spaghettis.

— C'est de la caricature facile.

Anna glapit de surprise quand le bras d'Aggy traversa soudain le rideau, sa main tenant son téléphone.

— *Primo.*

Un Italien ridiculement beau à l'allure juvénile brillait sur l'écran de l'iPhone. Il avait des cheveux châtains bouclés et des yeux comme des Smarties marron. À moitié sortie d'une robe en crochet, un soutien-gorge couleur mastic lui écrasant les nichons, lesquels ressemblaient à des bombes à eau coincées sous un pavé, Anna faillit rougir.

— Et pourquoi accepterait-il de sortir avec moi ? Il a l'air d'avoir vingt ans et pourrait être un membre des One Direction ou je ne sais quoi. Una Direzione…

— Il a trente-trois ans et il est architecte.

— Waouh. OK, tu marques un point. Mais je répète : pourquoi moi ?

Aggy soupira et son bras disparut.

— Ça ne t'a jamais traversé l'esprit que c'est peut-être parce que tu te comportes comme un vieux laideron solitaire que les gens te traitent comme tel ?

— Oui, c'est ça ! C'est exactement ce que je me dis, assise toute seule chez moi : « Peut-être que c'est parce que je me comporte comme un vieux laideron solitaire… »

— Je suis sérieuse ! Ta première réaction, c'est toujours de dire que tu n'intéresserais jamais quelqu'un de bien. Il faut absolument que tu lises *Estime de soi. Le Kit de réparation* d'Oprah. J'ai ajouté Primo à mes amis Facebook, et en tant qu'ami d'amie, il a le droit de regarder tes photos. Il t'a trouvée canon et est carrément partant.

— Merveilleux, Aggy. Que dirais-tu de me marier par correspondance à un Florentin, histoire d'en finir une bonne fois pour toutes ?

— C'est non, alors ? Tant pis, je vais annuler. Quel dommage…

Bon sang, Aggy était un adversaire redoutable, quand elle le voulait. Pas étonnant que Chris n'ait eu aucune chance de donner son avis sur l'organisation de Mon Méga Gros Mariage Itaglais.

— Je vais y réfléchir.

— Réfléchis vite ! Les mecs dans son genre ne courent pas les rues.

Anna remonta la fermeture Éclair sur le côté d'une robe pin-up composée d'une jupe crayon en crêpe noir et d'un corsage recouvert de dentelle. Après un moment désagréable où elle crut que la fermeture ne passerait pas la taille, celle-ci atteignit soudain la dent métallique tout en haut et le vêtement tomba correctement sur son corps. Mmm. Pas… pas mal, en fait. Anna se retourna, regarda par-dessus son épaule, ajustant le tissu sur ses hanches. Elle écarta le rideau.

—Semaine du tango dans *Strictly Come Dancing*. Une prostituée abîmée par la vie et dont la confiance bat de l'aile est courtisée par un vagabond à chapeau mou dans un bar de Buenos Aires.

—Tu es splendide !

—Est-ce que ça fait assez demoiselle d'honneur ?

—Je me fiche que ça fasse demoiselle d'honneur. Tout ce qui m'intéresse, c'est que ma sœur ressemble à une pomme de terre salée.

—Une pomme de terre salée ?

—C'est une réplique de *TOWIE*.

Anna vérifia encore une fois que la robe ne semblait pas trop serrée vue de derrière.

—L'amour sororal…

—Quand Primo va te voir là-dedans, ce sera *game over*.

Pourquoi Anna avait-elle l'impression qu'Aggy n'avait pas attendu sa réponse pour inviter Primo ?

Aggy tripota les cheveux d'Anna.

—Une pince à fleur ou quelque chose dans le genre ici… Ravissant. Oui. On l'achète.

—*Je* l'achète, corrigea Anna.

—Quoi ? Tu… ? Pourquoi ?

—Parce que tu as déjà fait assez de dépenses comme ça et que j'aurai sans doute l'occasion de la reporter.

—Anna, tu es la meilleure des frangines ! s'exclama Aggy en la serrant dans ses bras.

Un silence.

—Je comptais aussi te prendre les escarpins.

Anna poussa de sa langue l'intérieur de sa joue.

—Incroyable. Bon. Et les talons, alors.

Anna se retira derrière le rideau pour remettre ses vêtements et, ô joie, ses chaussures plates.

—Tu sais qu'on ne nomme Primo que les fils premiers-nés ? dit-elle à Abby. Si on traduisait, ça reviendrait à appeler ton aîné Prems.

—Ouais, eh ben, évite de dire des trucs pareils quand tu le rencontreras. Comme dirait maman, mets donc ta personnalité en veilleuse.

CHAPITRE 31

Anna venait de conclure une séance de travaux dirigés avec un groupe de troisième année très solennels. L'approche des examens finaux les avait manifestement calmés, pour ne pas dire perturbés. Elle se rappelait cette accélération du temps à l'époque où elle était étudiante. Trois ans semblent une éternité, jusqu'à ce qu'on découvre que ce n'est rien du tout.

— N'hésitez pas à me consulter si vous rencontrez des difficultés avec cette dissertation, lança-t-elle gaiement tandis que les jeunes gens sortaient les uns derrière les autres.

Elle retourna à sa boîte mails, cette avaleuse de temps jamais rassasiée. Dans l'habituelle colonne d'icônes d'enveloppes, il y en avait une de James Fraser. En objet : « Vous êtes en bonne compagnie : autres sauvetages célèbres de Luther… »

La bouche d'Anna s'étira en un sourire amusé. Elle ouvrit le mail et éclata de rire en faisant défiler trois clichés photoshoppés tirés de films célèbres.

Il y avait Richard Gere en uniforme blanc de la marine étreignant un Luther ronchon dans *Officier et Gentleman*, Ralph Fiennes en chemise de lin marchant dans le désert en compagnie de Luther dans *Le Patient anglais*, et Patrick Swayze le tenant en l'air dans le final de *Dirty Dancing*. Il avait utilisé chaque fois la même image de Luther, tête tournée vers l'objectif, grimace renfrognée, queue pendante tel un plumeau statique, et, sans qu'elle puisse s'expliquer pourquoi, cela rendait l'ensemble plus comique encore.

Le mot qui accompagnait le photomontage disait :

Merci encore d'avoir fait preuve d'un courage remarquable la semaine dernière, face au potentiel décès d'un animal de pedigree. J'ai découvert que Parlez avait un tas d'entrées gratuites pour cette pièce au Donmar Warehouse demain, *Friction Burns*. Dylan Kelly joue dedans. Les femmes semblent l'apprécier. Je ne vois pas trop ce qu'elles lui trouvent, vu qu'il se hisse péniblement à un mètre soixante dans ses chaussures compensées. Auriez-vous deux amies qui aimeraient vous accompagner ? Si c'est le cas, je vous en prie, acceptez ce témoignage de ma reconnaissance.
Je vous embrasse,

James

Tiens, il l'embrassait, à présent ? Il devait vraiment tenir à ce chat. Anna pianota du bout des doigts sur son bureau, hésitant sur la façon de répondre. D'un côté, elle n'aimait pas l'idée d'accepter des faveurs de sa part alors qu'ils avaient une relation professionnelle. De plus, il était James Fraser. De l'autre, leur collaboration autour de Théodora touchait pratiquement à sa fin, et Anna devait reconnaître que, d'après ce qu'elle avait vu jusque-là, l'application rendait vraiment bien. En ce qui concernait sa grosse peluche de chat, James déployait des trésors de galanterie pour la remercier d'avoir résolu un problème dont elle était elle-même la cause.

Elle ne lui faisait toujours pas confiance. Elle ne le pourrait jamais.

Mais Aggy la tuerait si elle apprenait qu'on lui avait proposé des tickets pour cette pièce et qu'elle ne le lui avait pas dit. Sa sœur était obsédée par Dylan Kelly, malheureusement toutes les entrées pour *Friction Burns* s'étaient vendues des mois auparavant en un battement de cœur de souris. Elle pourrait y envoyer Aggy toute seule. Mais en quoi en faire profiter un

204

membre de sa famille serait-il moins compromettant pour Anna?

La pièce se donnait au Donmar Warehouse. Elle avait toujours eu envie d'y aller. Qu'avait-elle prévu le lendemain soir, à part ça? Une soupe au micro-ondes et un DVD du coffret en cours.

Elle ouvrit un nouveau mail qu'elle adressa à Aggy et Michelle pour leur apprendre qu'elle avait déniché ces entrées – des preneuses?

Deux réponses catégoriques en vingt minutes:

Olala, Crieux? Olala, C tooooop! J'M Dylan Kelly. Keske je vais mettre? Bizzzz

Aggy. Je t'explique. Au théâtre, le public voit les acteurs, mais les acteurs ne voient pas le public. J'interprète ta réponse comme un oui.
Affectueusement,
Ta sœur – tellement plus sensée et pimbêche
Bisou

Et de Michelle:

Carrément, putain! Je vais refourguer le service à mon second. Il ne peut plus rien me refuser depuis que je l'ai chopé en train de culbuter notre dernier commis dans la salle à manger après la fermeture, le Noël dernier. La vidéosurveillance est une chienne (et moi aussi).
Bizzzz
M.
Envoyé de mon iPute

Michelle aimait changer la signature de son iPhone tous les jours.

Être à l'origine d'une telle joie mit Anna de belle humeur, et c'est gaiement qu'elle écrivit à James qu'elle acceptait son offre. Il répondit quelques minutes plus tard, disant cool, il y allait aussi et n'avait trouvé que son ami Laurence pour l'accompagner.

J'espère que vous n'y voyez pas d'inconvénient.

Ah. Zut.

Bêtement, Anna n'avait pas envisagé que James pourrait se joindre à elles. Était-ce un problème ? Il verrait Aggy, et vice versa. Et Laurence ? La soirée lui donnerait une nouvelle occasion de comprendre qui elle était. C'était prendre un risque inutile.

Néanmoins, la raison lui dictait que si James avait apparemment échoué à assembler les pièces du puzzle après de nombreuses rencontres à la lumière du jour, même en connaissant son nom de famille, il était peu probable que Laurence résolve l'énigme en deux heures dans la semi-obscurité d'un théâtre. Anna avait commencé à croire qu'elle ne serait jamais identifiée, ce qui la soulageait autant que cela la déconcertait.

Elle se devait cependant de consulter Aggy et Michelle, surtout sa sœur.

Elle ouvrit un nouveau mail qu'elle leur adressa et écrivit :

James Fraser et Laurence seront de la partie. Est-ce que vous y voyez un inconvénient ? Il ne sait toujours pas qui je suis ; nous sommes polis l'un envers l'autre.

Si tu n'en vois pas, moi non plus. En plus je pourrai le mater. Désolée, je sais que c'est un méchant, mais ça ne l'empêche pas d'être canon. Genre Johnny Depp en Sweeney Todd. Bisou. Aggy

Pareil qu'Aggy. Michelle

Anna répondit que ça ne posait pas de problème, puis rappela à sa sœur que si on lui demandait d'où elle était, il fallait qu'elle esquive et réponde Tottenham.

Patrick frappa à la porte et passa la tête dans son bureau.

—Permission de pénétrer dans le Q.G. des Avengers?

—Permission accordée, répondit Anna.

—Une tasse de thé, ça te dit?

—Oh oui, merci, dit-elle en lorgnant son écran.

La réponse de James était ouverte et elle gloussa en revoyant les photos de Luther.

—Qu'est-ce que c'est? demanda Patrick. Une autre perle d'un étudiant? Je t'en prie, partage. J'envisage de compiler un bêtisier. Un élève de Roger a épelé Savonarole « Savonne et Roule », l'autre jour. Il s'agissait vraisemblablement de l'énorme machine à roue avec laquelle il écrasait les textes hérétiques.

—Oh, non. Des clichés photoshoppés rigolos. Tu te souviens de James, de chez Parlez?

—Le vilain lycéen?

—Oui. J'ai sauvé son chat qui allait se faire écraser. Il m'a envoyé un mail de remerciements amusant.

—Oh.

Patrick haussa un sourcil. Une petite brise fraîche, à peine perceptible, souffla dans la pièce.

—Tu l'apprécies, maintenant?

—Un peu. Un tout petit peu.

—Rappelle-toi que quand les gens comme lui se montrent charmants, c'est en général qu'ils ont une idée derrière la tête. Une idée que tu ne comprendras que trop tard.

La tête de Patrick disparut brusquement.

Le sourire d'Anna s'effaça, et elle resta seule, légèrement mal à l'aise à l'idée que le cynisme de Patrick pourrait bien se révéler justifié.

Le tintement d'un mail entrant. Neil SM. Décidément, il ne se laissait pas décourager.

Chère Anna,

Ma parole ; encore de l'humour caustique, votre arme favorite d'attaque défensive. Vous avez de sacrés problèmes quand il s'agit d'entrer en relation avec le sexe opposé, Anna, et une terreur de l'honnêteté plus grande que ce que j'avais imaginé. Je vais vous prédire votre avenir : vous serez encore en ligne dans quelques mois. Et vous aurez alors peut-être très envie d'accepter ma proposition d'aller reprendre un verre... Alors à plus tard. Si je suis toujours célibataire, bien sûr. ☺

Très cordialement,
Neil

CHAPITRE 32

— M erci pour le coup de pouce, mon pote! dit
Laurence.

Assis dans le bar bondé du Donmar, ils buvaient des pintes
qui ne manqueraient probablement pas de tenter une sortie
cinq minutes après le lever du rideau.

— Pas de problème, j'avais assez envie de voir ça, dit James
en haussant les épaules.

Il doutait sérieusement de la sagesse d'arranger un rencard
pour Laurence.

— Menteur. Genre. Tu es de retour, et moi, ça me fait
bien plaisir. Elle amène qui? demanda son ami.

— Je ne sais pas très bien, dit James qui sentit un frisson
d'appréhension le parcourir.

Comment Laurence allait-il se comporter?

Son ami n'avait pas tout à fait tort. En dépit du battage
médiatique et du casting, *Friction Burns* s'annonçait une perte
de temps incroyablement prétentieuse. De plus, la pièce traitait
de l'incompatibilité entre romantisme et condition humaine,
un thème que James se serait volontiers passé d'approfondir
pour le moment.

Mais les tickets ne trouvaient pas preneurs, et aucun
trentenaire de sa connaissance n'était libre ou ne voyait
l'intérêt d'assister à un spectacle où il n'était question ni de
3D, ni d'images de synthèse, ni de Jason Statham.

James râlait, estimant que laisser les entrées pour *Friction
Burns* se perdre était du gâchis et qu'ils devraient au moins

les renvoyer au Donmar, quand un plan servant plusieurs objectifs s'était mis en place. D'abord et avant tout à l'ordre du jour : James le largué ne reste pas chez lui à se morfondre.

De plus, il se sentait redevable à Anna de ses efforts durant le Luthergate. Alors qu'ils pourchassaient cet abruti bouché, il s'était rendu compte que sa mort aurait signé la fin de sa relation avec Eva. Elle aurait complètement pété les plombs.

Il avait hésité à prévenir Anna que Laurence viendrait en mode chasse, mais avait finalement décidé de s'abstenir, craignant de paraître condescendant. C'était une femme de plus de trente ans, pas une adolescente, et Laurence n'avait pas franchement caché son intérêt à la réunion des anciens élèves. Elle était parfaitement capable de se défendre, à en juger par leurs interactions.

Une tape sur son épaule. Anna, les cheveux noirs et les yeux brillants dans son manteau d'étudiante – un spectacle agréable pour ses yeux fatigués après une heure à écouter les insinuations et les ragots de bureau de Laurence.

Elle était accompagnée d'une amie qui lui fut présentée comme Michelle, et par sa sœur, Aggy. Michelle avait un visage pulpeux, une poitrine généreuse en corniche et des cheveux courts teints en rouge cochenille. À l'expression de son visage au repos, on la devinait prête à prononcer des propos conflictuels. Michelle ne correspondait pas à l'image que James avait pu se faire d'une amie d'Anna.

De l'avis du jeune homme, la sœur d'Anna était moins belle que son aînée, bien que mieux habillée et plus maquillée. Elle débordait de cette énergie de moulin à paroles déluré et absurde que certains hommes trouvaient séduisante et pétillante, et d'autres extrêmement fatigante. Il appartenait à cette dernière catégorie.

Son imagination lui jouait-elle des tours ou les deux femmes le toisaient-elles d'une façon légèrement hostile ?

Les yeux écarquillés, Laurence fit une grimace dans leur dos quand elles se dirigèrent vers le bar, et James sentit les muscles de son ventre se durcir.

S'il te plaît, ne te comporte pas comme un con.

— La sœur ne manque pas d'intérêt non plus. Je ne suis pas sûr de l'autre – Poids Maximum Autorisé. Plutôt pas mal, le rembourrage. Mais quelle idée, cette couleur de cheveux ; on dirait l'Écossais de Russ Abbot…, chuchota Laurence.

— Loz, siffla James, qui rougissait de plus en plus.

Laurence éclata de rire ; de toute évidence, il interprétait la désapprobation de James comme de la peur d'être entendus par les jeunes femmes, alors qu'il était furieux et gêné qu'il se permette ce genre de commentaires.

— J'ai une question à vous poser, dit Laurence à Anna quand ils se rejoignirent. Comment s'est passée la fête de départ de votre cousine Beth ?

— Oh, euh…

Anna parut prise de court. Sa sœur fronça les sourcils, et James aurait juré l'avoir vue articuler : « C'est qui, Beth ? »

— Vous n'y êtes pas allée ! Vous nous avez mis un vent, et ensuite vous avez filé !

Comme Anna semblait toujours frappée de stupeur, Laurence poursuivit :

— Mais le destin nous a de nouveau réunis.

— Ou James…, dit Anna, recouvrant sa voix.

— Oui, enfin, c'est le destin qui vous a fait vous retrouver au boulot, donc, en réalité, James n'est qu'un intermédiaire, insista Laurence. Il se charge de l'administration du destin. Il lui prépare son café.

James afficha un sourire crispé en songeant que, plus qu'au destin, c'était à un festin que Laurence pensait en regardant Anna.

La pièce était atroce. Tout simplement atroce. À chaque minute qui passait, James s'enfonçait un peu plus profondément dans son siège de l'orchestre. Si la corbeille se trouvait au-dessus de lui, les ordures s'étalaient sur scène.

Et après on s'étonnait que si peu de gens aillent au théâtre. Il était à deux doigts de contacter le ministère de la Culture pour se plaindre.

Le pire, c'était que, ayant fourni les entrées, il se sentait en quelque sorte responsable du contenu. Comme s'il avait crié : «Eh, les gars, venez donc voir ça!»

Sans oublier – ô malheur! – la déconcertante et fréquente nudité. Il aurait vraiment aimé être averti du fait que Dylan Kelly Junior (plus petit encore que son petit propriétaire) allait faire plusieurs apparitions. James s'efforçait d'observer la scène imperturbablement pendant que Dylan agitait Junior en tous sens, histoire de ne pas être pris pour le prude de service qui ne comprend rien à l'art.

Il jeta un regard en biais à ses compagnons assis à côté de lui. La sœur d'Anna semblait ne pas se formaliser de la nullité affligeante de la pièce, manifestement captivée, bouche entrouverte, yeux écarquillés, buvant le moindre mot prononcé sur scène. L'amie d'Anna affichait une expression indifférente et plongeait régulièrement la main dans un paquet de crocos Haribo. Laurence, le menton dans la main, arborait son froncement de sourcils habituel quand il feignait une intense concentration intellectuelle. Anna… Anna souriait? Elle dut sentir son regard posé sur elle car elle se tourna vers lui. James lui sourit en retour. Il mima discrètement le geste de s'enfoncer un revolver dans la bouche et d'appuyer sur la détente. Le sourire d'Anna s'élargit. Le jeune homme se tourna de nouveau vers la scène, nettement soulagé.

—À quoi bon chercher la vérité dans l'amour?

Dylan Kelly tournait en rond sous la lumière d'un projecteur, prenant le public à témoin, alors que la pièce arrivait cahin-caha à sa stupéfiante conclusion, à savoir : la vie, c'est de la merde.

— L'amour est la drogue par excellence. C'est un opiacé, un analgésique censé soulager de la solitude de la condition humaine. Et, comme tous les antidouleurs, il engourdit les sens. Nous appelons amour le moment où nous trouvons quelqu'un d'autre, mais où nous nous perdons nous-mêmes.

Oh, ferme-la et enfile donc un pantalon.

CHAPITRE 33

— Ça fait vraiment réfléchir, dit Laurence.

—Oui, réfléchir aux limites de la nullité, rétorqua James.

Anna était bien placée pour savoir que James était sans pitié quand il faisait de l'esprit, mais elle devait reconnaître qu'il n'avait pas tort.

—Tu n'as pas aimé ? demanda Laurence d'une voix maniérée qu'il devait employer quand il téléphonait à un client.

—Je n'avais pas eu autant l'impression de me faire entuber par un Irlandais depuis la dernière fois que j'ai volé avec Ryanair.

Michelle éclata d'un rire gras qui lui valut un grand sourire de James. Anna se réjouit de les voir complices. Cependant, l'excitation d'Aggy l'avait rendue plus idiote qu'à l'accoutumée ; James avait accueilli ses commentaires en la dévisageant d'un air ébahi.

Laurence proposa qu'ils aillent boire un verre et ils terminèrent entassés dans un pub de Covent Garden pour provinciaux — fenêtres à petits carreaux, peinture rouge vif des bus londoniens, médailles de harnais en cuivre — où l'on servait de l'alcool chaud dans des verres à la propreté douteuse.

—J'ai tout de même appris quelque chose, ce soir : Dylan Kelly est monté comme un cheval de trait, annonça Michelle.

James et Laurence grimacèrent.

—Il fait chaud, ici, marmonna Laurence.

— Mais il était tellement sensuel…, ajouta Aggy dans un soupir en s'éventant avec son programme.

— Vraiment ? Vous trouvez ? demanda James, sincère.

En temps normal, Aggy aurait réagi à une telle question par des hurlements offusqués, au lieu de quoi elle marmonna une réponse inintelligible avant de hocher la tête en silence. James Fraser avait le pouvoir de faire taire sa sœur ? Incroyable… Un silence légèrement embarrassé s'ensuivit néanmoins.

— Moi, il m'a fait l'effet d'un couvreur pervers qui gonfle son devis, flirte avec madame et mange vos meilleurs biscuits.

Anna rit, même si le snobisme de James la fit frissonner. Couvreur ? Son futur beau-frère était décorateur. Tous les durs et honnêtes labeurs ne se faisaient pas sur un ordinateur portable, eh.

Toi et tes (grands) MacBook Air.

Michelle proposa à Aggy de s'éclipser pour fumer une cigarette, et Anna s'en trouva vaguement soulagée.

— Et vous, qu'en avez-vous pensé ? lui demanda Laurence.

Quand il la regarda par-dessus le bord de son verre, elle eut soudain la nette impression que cette sortie au théâtre était un rencard arrangé.

— Hum, commença Anna en penchant la tête sur le côté. C'était un peu… Il m'a semblé que l'auteur cherchait à assener de grosses vérités accusatrices sans jamais y arriver. Franchement, pourquoi Dylan retourne-t-il avec la directrice de la galerie, cette Eloise, là, alors qu'elle l'a traité comme de la merde ?

— Parce qu'on craque toujours pour les punitions ? avança Laurence avec un rire contrit.

— Je ne vois vraiment pas ce qu'il lui trouve. Elle est tellement froide…

— Parfois, les gens qui nous attirent le plus sont aussi ceux qui nous malmènent le plus.

— Ouais, ça va quand on a vingt-deux ans. Ce personnage est censé avoir dans les trente-cinq ans. Je ne crois pas qu'on puisse s'accrocher indéfiniment à un glaçon en Wonderbra sans que ça dise quelque chose de soi.

Elle jeta un coup d'œil à James, qui considérait le jukebox d'un air déterminé. Anna eut un pincement au cœur tardif en songeant qu'il avait pu prendre son commentaire pour lui. Mais, étant donné qu'elle n'avait jamais rencontré son ex-femme, il ne pouvait y avoir vu un jugement personnel ?

— Vous voyez ce que je veux dire. Il arrive un moment où des gens antipathiques qui baisent dans tous les sens ne sont que des gens antipathiques qui baisent dans tous les sens. Je n'ai pas très bien compris pourquoi j'étais censée les apprécier, conclut Anna.

— Tout à fait d'accord.

— J'aimerais beaucoup écrire quelque chose comme ça, mais mieux, déclara Laurence, songeur.

— Ah, ah, ah ! s'esclaffa James, ragaillardi. Sur un type qui se taperait plein de femmes ? *Zobo, le queutard rusé.* Produit par le cerveau de Laurence O'Grady.

Sans sourire, Laurence lui lança un regard courroucé.

— Tu seras comme ce mec qui a écrit *The Game : Les secrets d'un virtuose de la drague.* La version balnéaire anglaise.

— Ce n'est pas la peine de rabaisser mes propos à un niveau aussi superficiel. Je fais de l'étude de nombril à une fréquence tout à fait honorable.

— Ouais, sauf que c'est *ton* nombril que tu es censé regarder, rétorqua James.

Anna rit, bien que Laurence ne semble pas apprécier la plaisanterie.

Le téléphone de James sonna. Anna s'efforça de se concentrer sur sa conversation avec Laurence et de ne pas prêter attention à ce qui était manifestement un échange tendu.

— Bon, mais ma mère n'était pas censée savoir… Sérieusement, Eva? Maintenant? Je sais que cet animal est stupide, mais je doute qu'il se suicide d'ici mon retour… Oh, put… Très bien. Le *Lamb & Flag*. Ouaip. OK, *bye*.

Il raccrocha. Anna et Laurence se turent et le regardèrent.

— Hum. Eva a lu quelque part que le pollen des lys serait toxique pour les chats… Elle veut passer chez moi enlever une plante offerte par ma mère. Apparemment, ça ne peut pas attendre deux heures. Elle va passer prendre les clés.

Anna fut parcourue d'un frisson de curiosité à la perspective de rencontrer l'ex-femme. Si tant est qu'elle était vraiment ex – après tout, James et Eva avaient peut-être un faible pour les relations orageuses et tumultueuses, où une rupture était de mise toutes les cinq semaines histoire de pimenter la vie de couple.

— Elle se sert clairement de cette espèce d'Ewok pour te soumettre au pouvoir de sa chatte, tu ne crois pas? dit Laurence. Chatte… chat… Tu piges? Ah, ah.

James fit la grimace.

— Attends une minute, reprit Laurence. Quand lui as-tu dit que tu mettais la maison en vente?

Les yeux de James se posèrent une fraction de seconde sur Anna. Il était manifestement gêné d'avoir cette conversation devant elle.

— Aujourd'hui? insista Laurence.

Anna sentit que Laurence était ravi que l'embarras ait changé de camp.

James hocha la tête.

— Tu as compris son manège, n'est-ce pas? Elle veut savoir avec qui tu passes la soirée, et va aller vérifier chez toi qu'il n'y a pas de traces de *lutte*. Je ne parle bien évidemment pas de batailles d'oreillers.

James haussa les épaules, visiblement mortifié. Anna détourna les yeux. Laurence sous-entendait que James voyait

217

quelqu'un en particulier. Cela ne s'accordait pas vraiment au léger parfum de mélancolie qu'elle avait senti chez lui, mais peut-être était-il du genre à soigner un cœur brisé en suivant un programme soutenu de parties de jambes en l'air.

Quand Eva se glissa par les portes du pub, ce fut comme si la Debbie Harry à ses débuts était l'invitée surprise d'un reality show. Elle avait des cheveux couleur Galak, des pommettes hautes, un corps tonique et minuscule, des jambes ressemblant à un os du bonheur dans un jean foncé.

— Eva, ça alors, comment vas-tu ! lança Laurence en fondant sur elle pour l'embrasser sur la joue.

— Salut, Laurence, dit-elle sans sourire.

Son accent scandinave donnait à sa voix le tranchant sexy et dur du diamant.

James fit les présentations.

— Eva, voici Anna, sa sœur Aggy et Michelle.

L'expression d'Eva suggérait qu'il venait de lui présenter Crystal, Rio et Sugar dans une boîte de striptease. Elle les toisa rapidement, et Anna eut la nette impression que le regard d'Eva s'attardait un peu sur elle.

— Enchantée, dit Eva d'une voix blanche.

Tout le monde se remit à parler et Anna feignit d'écouter tout en tendant l'oreille pour suivre l'échange entre James et Eva. Il lui tendit les clés de la maison.

— À condition que tu les laisses sous le pot de fleur bleu quand tu as fini.

— Je vais jeter les fleurs et sortir la poubelle.

— Fais ce que tu penses le mieux, dit James. Je dirai à ma mère de s'abstenir de refaire un geste aussi inconsidéré à l'avenir.

Anna leur jeta un coup d'œil. Eva regardait James fixement, comme si elle hésitait à répliquer.

— Ça pourrait tuer Luther.

— Ouaip. J'ai compris.

Anna fut frappée par le manque de considération d'Eva, qui interrompait visiblement sans scrupule une soirée entre amis. Elle avait orienté son corps de façon à couper James de ses compagnons et s'adressait à lui d'un ton récriminateur. Il affichait une expression sinistre.

Elle répéta : « Ravie de vous avoir rencontrées » avant de partir, mais Anna y perçut des notes de défi menaçantes. Comme un policier qui dirait : « Passez une bonne journée » en pensant très fort : *Ne vous avisez pas d'enfreindre la loi.*

Pas étonnant que James se soit senti visé par sa critique du type qui s'accroche à un glaçon en Wonderbra, vu sa femme réfrigérée.

Mais je parie qu'ils sont très bien assortis, songea Anna en buvant une gorgée de son sauvignon blanc.

Dans le métro qui les ramenait chez elles, Michelle et Abby exprimèrent loyalement leur agacement vis-à-vis de James Fraser. Bon, il n'était pas trop mal élevé, concédèrent-elles. Et, oui, il était terriblement beau. Mais tellement content de lui ! Elles lui avaient largement préféré Laurence le loquace, qui, en dépit de ses laborieuses tentatives pour draguer Anna, n'avait pas trop eu à se forcer pour se montrer assez charmant.

Pour sa part, Anna avait eu l'impression que James ne la voyait pas et que Laurence la regardait trop.

CHAPITRE 34

Il fallut un peu de temps à James pour se rendre compte que Parker lui criait quelque chose par-dessus le vacarme de Duran Duran. Il était en train de sélectionner des séquences du questions-réponses d'Anna pour l'application. Elle avait raison, c'était tellement fascinant que, plus que décider quoi prendre, le problème était plutôt de savoir ce qu'il convenait de laisser. En regardant la vidéo, il se fit la réflexion que la jeune femme ressemblait beaucoup à l'impératrice Théodora. Elles avaient les mêmes yeux sombres et mélancoliques.

—Je t'ai vu hier soir, dit Parker après que quelqu'un eut baissé la musique.

—Oh? dit James, la nuque le picotant légèrement.

—Avec ta petite amie. Vous marchiez dans Covent Garden.

Lexie jeta un regard vers eux.

—Ah.

Il était troublé. La méprise était aussi facile à faire qu'à corriger. Mais c'était pratique. « Ce n'est pas ma petite amie » risquait de déclencher des questions supplémentaires au sujet de sa copine imaginaire, dont il lui restait encore à inventer la biographie. Exploiter la confusion était trop tentant. Mais avec qui Parker l'avait-il vu, exactement…?

—Tu aurais pu me le dire quand nous l'avons rencontrée à la réunion au musée!

Ah.

—Hum. Non. Toujours séparer le travail et le plaisir, etc.

Argh, mais qu'était-il en train de faire? Pas bon du tout, ça.

—Elle nous a laminés! s'esclaffa Parker.

—Ouais. Elle n'a aucun problème à appliquer la règle, dit James.

—Vous sortiez déjà ensemble?

—Euh. En quelque sorte…

«À quoi entraîne une première fausseté…» Ou, dit autrement: mentir est une très mauvaise idée.

Quel bordel.

Si seulement James avait bombé le torse quand il avait annoncé sa séparation à ses collègues, et enduré l'horrible assaut de leur pitié curieuse, il ne se serait pas retrouvé dans cette fâcheuse situation. Il avait fait preuve de faiblesse. Il avait menti, on l'avait cru, et il en payait le prix; c'était la faveur dont on ne cessait jamais d'être redevable.

—Quoi?! s'exclama Harris debout à une extrémité de la table de Subbuteo. Tu as vu de tes yeux la mystérieuse amoureuse, Parks?

Parker hocha la tête.

—Eh bien, ça…, dit Harris.

Il jouait une partie de football de table coiffé d'un chapeau melon à damier et vêtu d'un tee-shirt publicitaire vantant le «In-N-Out, le Double Double original» d'une chaîne de fast-food.

—Nous commencions à croire que ta nouvelle copine était une citrouille avec un visage dessiné au Sharpie.

—Jamais je ne commettrais des infidélités avec un membre de ta famille, je sais combien tu tiens à eux, répliqua mollement James, provoquant des gloussements en cascade.

Il détestait jouer le jeu d'Harris, mais il ne savait comment s'y prendre autrement avec lui sans tomber dans l'hostilité ouverte. C'était comme de retourner au lycée.

—Elle travaille sur l'exposition du British Museum, ajouta Parker.

Parker n'était pas méchant, mais terriblement naïf, et en fournissant des informations à Harris il risquait de faire des dégâts par inadvertance.

— *Vraiment ?* dit Harris en faisant claquer les poignées, se demandant visiblement s'il y avait moyen d'utiliser ces informations contre James. Donc, si je comprends bien, tu bosses aussi dur que tu bandes ?

— Bon sang, Harris, tu abuses ! protesta James.

— Désolé, papa ! s'écria Harris, avant de hurler : Buuuuut ! Mona, je suis le roi des mini-joueurs de foot ! Je suis le Seigneur de la danse, amen !

Là-dessus, Harris exécuta une pirouette qui mit James dans une colère noire.

Ramona monta le volume de la musique et Harris se lança de nouveau dans le récit de la fois où, sur les Kensington Roof Gardens, il avait shooté dans un flamant rose en plastique qui avait atterri juste devant Nick Grimshaw, sonnant la fin de l'épreuve de James. Pour l'instant.

James se tourna vers son ordinateur portable et fit le point. Parker reverrait Anna à la soirée de lancement de l'exposition. Deux options s'offraient à James, pas plus attrayantes l'une que l'autre : attendre de coincer Parker en tête à tête et admettre qu'il avait inventé cette histoire de petite copine en le suppliant de ne rien dire à Anna. Peut-être pourrait-il prétendre avoir commencé à prendre des antidépresseurs, ce qui lui avait un peu fait perdre les pédales au début, ou quelque chose dans le genre.

Sauf que Parker, malgré toute sa bonne volonté, n'était vraiment pas malin. Il ferait une gaffe, ou bien mettrait Harris dans la confidence. Il entendait déjà les blagues de ce microbe mangeur de chair sur la « petite copine végétale », qui feraient probablement encore un tabac en 2020. Non, avouer à Parker revenait à le dire à tout le monde.

Ce qui l'amenait à l'option numéro deux, et la concurrence était dure en termes d'enjeux déplaisants. Se débrouiller pour qu'Anna et Parker ne s'adressent pas la parole pendant la soirée de lancement, et prier pour que cette histoire ne revienne jamais aux oreilles de la jeune femme.

Ouaip. James allait devoir opter pour l'option deux, dite « de la corde raide ».

CHAPITRE 35

Même si ce n'était jamais agréable à admettre, Laurence avait manifestement vu juste. L'enquête à laquelle procéda James en rentrant du théâtre suggéra qu'Eva avait effectué une sorte d'inspection surprise à domicile.

Il avait examiné le cercle pâle laissé par le pot de fleurs sur le rebord de la fenêtre. Pour ronger le feuillage sous une pluie de poudre ocre brun, il aurait fallu que Luther atteigne les fleurs d'un bond et les entraîne jusqu'au sol entre ses dents. Or on n'imaginait pas précisément ce chat capable d'incroyables prouesses athlétiques – et pour cause : Luther semblait souvent surpris par sa propre queue. Et James était quasiment sûr d'avoir laissé la porte de la chambre entrouverte, et non pas fermée comme il la trouva. À moins qu'Eva ne soit allée récupérer quelques affaires.

Mais le lendemain elle lui envoya un message où elle lui proposait de la retrouver en fin d'après-midi au parc d'Heath pour une balade et une conversation. Depuis son départ, c'était la première fois qu'elle faisait un pas en avant vers une possible réconciliation avec James. Il semblait donc que la menace de mettre la maison en vente ait commencé à faire effet. La victoire avait un goût amer.

La soirée était douce pour la saison. Quand il vit Eva qui l'attendait, les cheveux coiffés en deux charmants petits chignons sur la nuque, son cœur et son corps se firent lourds et il se sentit soudain très vieux. Eva alla droit au but, les bras croisés et serrés contre la poitrine tandis qu'ils parcouraient

224

les allées du parc, à une allure qui suggérait qu'ils allaient quelque part.

— Tu ne crois pas que tu devrais me demander avant de mettre la maison en vente ?

— Je l'ai fait. Je t'ai dit que je la faisais estimer.

— Je n'ai pas souvenir que nous ayons pris la décision de la vendre.

— Tu es partie. Je n'ai pas besoin d'une maison aussi grande pour moi tout seul.

— Serais-tu en train de me pousser à prendre une décision ?

James se fit violence pour ne pas se mettre en colère. « Homme hurlant dans un parc » n'était pas le rôle qu'il souhaitait jouer ce soir-là.

— Te *pousser* ? Suis-je censé rester assis à attendre comme un crétin que Finn et toi ayez fini la série « Canapé au fusain » ? Avant « Bain à remous à l'aquarelle » ? Tu m'as quitté, Eva. Tu sais ce que ça veut dire, non ?

Il inspira de l'air si froid que sa gorge et ses poumons lui firent mal, et attendit qu'Eva lui annonce que c'était fini avec Finn, que ça avait été une erreur, qu'elle ne voulait pas vendre la maison. Pour quelle autre raison aurait-elle souhaité le voir, sinon ?

Elle ne dit rien.

— Vous devez être un peu à l'étroit, chez Sara. Ça ne dérange pas son mec ?

Il lança un regard en biais. Eva contemplait le sol devant elle.

James tituba, comme s'il avait franchi un dos-d'âne à bord d'une vieille Mini Cooper aux suspensions fatiguées.

— Tu n'habites pas chez Sara ?

Elle pinça les lèvres et secoua la tête.

Sa cage thoracique parut soudain bien trop petite pour tous les organes qu'elle contenait. Il voulut demander si c'était fini d'une manière énergique, mais sa trachée semblait comme aplatie.

Ils continuèrent à marcher.

— Plus question d'abstinence, hein ? Voilà un développement choquant, finit-il par dire, conscient de la souffrance qui perçait dans sa voix.

Il ne s'agissait plus de compter les points. Il avait perdu.

— J'espère que tu me pardonneras si j'estime que tu t'es foutue de moi en appelant art ce que moi j'appelais préliminaires. Comme quoi j'avais vu juste…

— Et voilà. La seule chose qui importe, pour toi, c'est de savoir si j'ai couché avec lui. Les raisons pour lesquelles je suis partie ne t'intéressent pas.

— Tout ce que tu as dit, c'est que tu t'ennuyais. Je ne sais pas à quoi tu t'attendais en m'épousant. Nous vivions déjà ensemble, de toute façon. Se marier, c'est une fête, des vacances, et puis on retourne à ce qu'on avait avant. Alors tu comptes réussir à mener une vie excitante avec Finn ? Dis-moi, comment ça va fonctionner quand il sortira en boîte pendant que tu entreras dans la quarantaine ?

— Finn me parle comme à une égale. Pas comme à une *hausfrau* dont il juge les opinions ridicules.

— Ah, Eva. Genre. Tu te prends pour Betty Draper avec un fusil de chasse, tout à coup ?

— Tu veux savoir quand j'ai compris qu'il fallait que je parte, James ? Le soir où Jack et Caron sont venus dîner à la maison.

— Quoi ? Mon tagine n'était pas si mauvais.

— Tu as passé la soirée à discuter avec Caron.

— La fonctionnaire ?

— Tu buvais ses paroles, riant à tout bout de champ. Alors que tu te moques complètement de ce que je peux avoir à dire. Tu me trouves insignifiante.

— Bien sûr que je me suis intéressé à ce qu'elle avait à dire, il le fallait. Ça s'appelle être poli avec ses invités.

— Et quand elle a déclaré que l'enseignement privé ne devrait pas être subventionné par l'État, tu as dit que tu étais d'accord avec elle.

— Elle a bien défendu son point de vue. Et de toute façon je croyais que tu partageais cette opinion ?

— Je perdrais mon boulot !

James se souvint d'un de leurs premiers rendez-vous dans un pub gastronomique de Clapham, et d'une conversation au cours de laquelle Eva avait expliqué qu'elle ne faisait ce travail que pour mettre de l'argent de côté et s'établir comme professeur particulier. Elle projetait d'enseigner gratuitement à des élèves talentueux qui n'auraient pas les moyens de se payer des cours, tout en ayant des clients plus aisés, histoire de participer à l'avènement d'un monde meilleur. Il se rappelait s'être émerveillé de sa générosité, et du fait qu'il n'avait jamais rencontré personne à qui le beige allait si bien.

— Et mes amis… Comment les as-tu surnommés ? Bite d'or et ses fausses blondes-vraies connes.

Ach, il fallait dire qu'ils étaient réellement atroces… Wolfram, l'ami coiffeur d'Eva et tombeur invétéré, aurait été capable de reprocher à sa mère mourante de ne pas soigner sa coupe et son brushing. Et les harpies clubbeuses autoproclamées « créatives de premier plan » qui s'étaient rencontrées à son salon étaient tout simplement terrifiantes. Des vélociraptors en escarpins Kurt Geiger. James était presque sûr qu'une d'entre elles lui avait fait des avances au cours d'un pique-nique organisé par Eva à Kew. Et il ne faisait aucun doute qu'elles avaient vivement encouragé Eva à vivre son histoire avec Finn.

— Avec qui étais-tu, l'autre soir, au pub ? poursuivit Eva, comme si ça avait quoi que ce soit à voir avec leur discussion.

— Il y avait plusieurs personnes…

—La femme aux cheveux longs qui m'a dévisagée.

Lueur d'espoir. Étant donné que ça ne pouvait être vrai, Eva projetait-elle de la rivalité ?

—Anna ? Je travaille avec elle.

—Vous sortez ensemble ?

James ne savait pas trop comment répondre. Perdait-il une bonne occasion de déstabiliser Eva en admettant qu'elle n'avait aucune raison d'être jalouse ? Il opta pour un peu de provocation vague.

—Ça te poserait un problème ?

—Tu fais ce que tu veux, James, tu es libre. Vous sortez ensemble, alors ?

—Donc non, tu n'en as rien à faire.

Ils dépassèrent deux amoureux qui marchaient dans l'allée. Les deux inconnus leur sourirent, comme s'ils faisaient tous partie du Club des Couples Heureux.

James regarda un gamin qui faisait voler un cerf-volant un peu plus loin ; il gazouillait de contentement en regardant les rubans onduler.

Eva s'arrêta et se tourna vers lui, le nez et les joues rosis par le froid. Alors que le visage de la plupart des gens ressemblait à une grosse tranche de jambon cuit par ce temps, elle avait l'air d'une souris en sucre.

Il était temps de prendre l'initiative.

—Je mets la maison en vente. Je ne sais pas où tu en es avec Finn, mais je vais commencer à aller de l'avant.

—Est-ce que tu sors avec cette femme ?

James hésita. Le fait qu'elle veuille savoir était bon signe. *Ne mens pas, mais ne lui ôte pas tous ses doutes non plus.*

—Nous sommes seulement devenus très amis.

En rentrant chez lui, James prit son courage à deux mains et se connecta à Internet afin de consulter le profil de Finn Hutchinson, mannequin. Il trouva un site entier dédié à sa personne, où il découvrit que Finn aspirait à «devenir musicien» – *évidemment* – et qu'il était un «surfeur passionné, toujours en quête de la bonne vague».

Fais-moi plaisir, va donc voir à Beachy Head si elle y est.

James se retrouva à faire défiler les photos du portfolio, frappant furieusement la touche «suivante», tel un singe muni d'un marteau à toffee.

L'une montrait Finn en smoking, cravate dénouée, assis dans un fauteuil jambes écartées, dans le pur style mâle dominant d'une campagne publicitaire des années 1970 pour un brandy ou des cigarettes Dunhill. «Excellente séance photo. Ambiance Rat Pack, smoking classique.»

Sur une autre, dans une pose faussement modeste exaspérante, il se passait la main sur la nuque avec un sourire satisfait, penché vers l'objectif, cheveux en épis, tee-shirt à col V Fruit of the Loom et plaques militaires argentées. «Les gens me qualifient de hot, mais je pense être surtout barge.»

Sur le cliché suivant, il arborait un chapeau de cow-boy et une chemise en jean. La légende disait : «Ce look-là me correspond complètement : j'aime la vie au grand air.»

Mais oui, c'est bien connu, la banlieue de Londres est réputée pour ses élevages bovins.

À qui tout cela le faisait-il penser ? À Eva. Un jour que James la complimentait sur sa facilité à adapter ses tenues selon les occasions, elle avait répondu qu'elle avait une âme d'actrice. Elle adorait jouer des rôles. James se demanda s'il n'était pas passé à côté d'un nombre incalculable de signes avant-coureurs.

Comment cela avait-il pu arriver ? Il avait toujours su qu'il lui faudrait repousser les rivaux avec Eva, mais il n'avait pas pensé la perdre alors qu'ils en étaient encore à secouer les grains de riz pris dans leurs cheveux.

Il soupçonnait la réponse de se trouver dans les qualités mêmes qui lui avaient semblé irrésistibles au début de leur histoire, conformément au vieux cliché qui prétend qu'on en vient à détester ce qu'on aimait au début. Comme le requin, Eva ne pouvait nager que vers l'avant. Ou comme le bus dans *Speed*, qui exploserait s'il roulait à moins de quatre-vingts kilomètres-heure. Il avait trouvé Eva tellement exaltante que ça en devenait presque effrayant. Et avait fait l'erreur d'essayer de construire sa vie avec effrayant et exaltant.

Désormais, il n'était plus qu'effrayé. En pleine crise, ils ne semblaient pas avoir assez de points communs pour trouver le langage qui leur permette de s'en sortir en discutant.

Se pouvait-il… ?

N'y pense pas, James. Essaie de ne pas y penser.

Il regarda la photo de Finn, torse nu, appuyé sur une moto, un chiffon graisseux jeté négligemment sur l'épaule, de fausses traces d'huile sur la joue, vêtu d'un jean baggy. « Ma philosophie de la vie ? J'aime être celui qui crée des moments "waouh, putain !" ».

Alors qu'il contemplait ces jeunes gens magnifiques, James ne put empêcher l'horrible question de se former dans son esprit.

Se pouvait-il qu'il soit amoureux de quelqu'un qu'il n'appréciait pas ?

CHAPITRE 36

— Toc, toc! Docteur Alessi, vous êtes visible?
— J'y suis presque, Patrick! cria Anna.
Par pitié, ne va pas m'imaginer à poil.

Nerveuse, Anna vérifia une dernière fois sa coiffure et son maquillage dans son miroir taché et rajusta sa robe bleue en laine sur son ventre.

Elle veillerait à garder son manteau aussi longtemps que possible, au moins jusqu'à ce qu'elle ait bu un verre d'alcool. La robe n'était pas décolletée, mais plus près du corps que ce à quoi elle était habituée.

Toujours aussi peu portée sur le shopping, elle avait attendu la dernière minute pour dépenser 200 livres et résoudre le problème de sa tenue spéciale vernissage de l'expo.

— Victoria nous accompagne, annonça Patrick du ton alarmé que les gens emploient pour avertir un collègue que leur patron est à portée d'oreille – «Nous sommes en *live*, ne dis ni putain ni merde.»

— Merveilleux. Prête! lança Anna en ouvrant la porte.

Les exclamations admiratives de Patrick furent interrompues par les regards noirs que jetait Victoria derrière lui.

Victoria Challis n'était pas seulement une chef de département impressionnante, elle était impressionnante tout court. Elle mesurait un mètre cinquante environ; sa chevelure grise avait la forme d'un moule à pudding et se prolongeait bizarrement par des pattes. Au cas où l'on n'aurait pas compris qu'elle ne faisait pas dans la dentelle, elle s'habillait toujours d'un tailleur pantalon assorti d'une chemise d'homme et d'une cravate. Anna aurait volontiers pris le temps d'admirer son pied de nez aux codes vestimentaires si elle n'avait pas été trop occupée à la craindre.

Si l'on se fiait aux stéréotypes, on pouvait présumer que Victoria était attirée par les personnes de son sexe ; pourtant son mari depuis trente ans, Frank, travaillait au département de mathématiques.

« Elle ressemble plus à son mari que lui », avait fait remarquer un collègue discourtois.

Le trajet à pied de l'UCL jusqu'au musée n'était guère long, mais il sembla s'éterniser sous le feu des questions dont Victoria bombarda Anna au sujet de l'exposition. Le ton était intimidant, même si la jeune femme était tout à fait à même d'y répondre.

Inspirée par les spectacles de contorsions coquines de son héroïne, Anna connaissait Théodora à l'envers, dressée sur la tête, avec de l'orge parsemée à des endroits surprenants. Malgré tout, Patrick paraissait préoccupé à l'idée qu'elle ne puisse répondre à une question, et ne cessait d'essayer d'ébranler Victoria avec des déclarations du genre : « Tu me disais, Anna, que John Herbert était enchanté de ton travail ? » sans une once de subtilité.

Gagnée par l'irritation, Challis la Vénéneuse finit par aboyer : « Cette femme a des cordes vocales, docteur Price ! » Parler à Victoria, c'était comme ouvrir la porte d'un haut fourneau. Ils étaient en train de tendre leurs manteaux au personnel des vestiaires du British Museum, et Anna en oublia son intention de garder le sien.

Quand elle en fut débarrassée, Patrick resta sidéré, bouche bée, yeux écarquillés. La jeune femme commençait à regretter d'avoir choisi cette robe. Elle chérissait sa relation platonique avec Patrick et n'avait aucune envie de la perturber en paradant dans une tenue moulante rappelant qu'elle était une femme.

—Anna, si je peux me permettre, tu es *sensationnelle*! s'exclama Patrick.

Victoria leva les yeux au ciel.

Anna se réjouit que la salle offre d'autres choses bien plus sensationnelles à regarder. De nuit, la grande cour du British Museum était tout à fait spectaculaire. Au centre, la salle de lecture circulaire était illuminée par un anneau de vives lumières blanches ; tout autour, des bannières verticales annonçaient l'exposition Théodora. Le ciel nocturne était taillé en une multitude de diamants par le toit voûté. Anna était folle d'excitation.

Elle tendit l'oreille au brouhaha des conversations des invités, observa le ballet des serveurs portant des plateaux chargés de flûtes à champagne et d'amuse-gueules panés hérissés de piques à cocktail. Puis ses yeux s'arrêtèrent sur les présentoirs où trônait le livre de l'exposition et les bornes sur lesquelles télécharger l'application officielle, ainsi que les invités circulant dans l'exposition elle-même… Eh bien. Comme dirait Aggy : *Trop top*. Ils étaient tous là pour Théodora. Anna n'aurait peut-être jamais d'enfant, mais elle imaginait que ce qu'elle ressentait en cet instant était ce qu'il y avait de plus proche de l'émotion qu'elle ressentirait le jour de leur remise de diplôme ou de leur mariage.

Elle prit une profonde inspiration et essaya de suivre le conseil que son père lui avait donné des années auparavant : s'accrocher par n'importe quel moyen à un moment de calme au milieu de la mêlée, et le savourer. Une recommandation particulièrement précieuse si vous cohabitiez avec Judy et Aggy.

Elle s'y évertuait quand elle sentit des yeux sur elle – c'était la deuxième fois en peu de temps que cela lui arrivait au milieu d'une foule – et s'aperçut que James Fraser l'observait avec une expression de curiosité amusée.

Je parie qu'il est en train de se dire qu'une robe élégante sur moi est une aberration drolatique, comme ces peintures de chiens qui jouent au poker.

Elle lui adressa un signe de tête, et le jeune homme leva son verre de champagne à son intention.

— Professeure Alessi, bienvenue, bienvenue ! Je crois que nous avons fait honneur à notre vieille amie, non ?

Anna se retourna pour voir le charmant John Herbert qui la regardait, tout sourires.

— Oh, John, c'est le plus beau jour de ma vie ! ne put s'empêcher de s'extasier Anna.

— Que diriez-vous d'aller distribuer les poignées de main et d'expliquer à tout le monde le merveilleux travail que vous avez fait ? dit-il.

Après avoir circulé parmi les invités, discuté, s'être assurée d'avoir suffisamment flatté les égos des représentants des sponsors de l'exposition, avoir dûment informé les journalistes artistiques et écouté le discours du directeur du musée, Anna se sentit pompette et extrêmement fière.

Elle sentit qu'on lui tapotait l'épaule : Parker se tenait debout derrière elle. Quelle intéressante chemise… Étaient-ce bien des cloches qui pendaient du tie-dye ?

— Qu'avez-vous pensé de l'application ?

— Vous avez fait un travail fantastique, dit Anna. Merci.

Après avoir été le pourfendeur de Parlez pendant le fameux meeting, Anna était sûre d'avoir été la seule à verser quelques larmes en regardant les extraits des reconstitutions dans son bureau.

Elle avait redouté que le personnage de Théodora ne soit mal rendu, mais la femme au nez aquilin, à l'allure sereine et aux yeux couleur grain de café était d'une ressemblance qui donnait la chair de poule.

— Vous voyez la partie sur les vêtements, intitulée « Habillée pour régner » ? C'était moi.

Anna sourit.

—Excellent.

—Bon, donc, maintenant que le projet est bouclé, vous n'avez plus besoin de cacher que vous sortez ensemble ? dit Parker.

—Pardon ?

—Ne vous inquiétez pas, chuchota Parker. Je vous ai vus. Je suis au courant.

—Vous m'avez vue ?

—Je vous ai vus, James et vous. Au théâtre. Je sais que tous les deux, vous…

Avec un grand sourire, Parker fit le geste le plus indigne du monde consistant à entrer et sortir rapidement un index de son autre poing fermé.

Un James extrêmement agité se dressa soudain entre eux. Il baissa les yeux vers les mains de Parker, puis regarda l'expression perplexe d'Anna et souffla :

—Oh, non, Parker. Qu'est-ce que tu as fait ?

—J'étais en train de lui dire que vous n'étiez plus obligés de vous planquer ! James m'a expliqué que vous préfériez séparer travail et plaisir, mais vous pouvez maintenant vous consacrer pleinement au plaisir. Wocka wocka wouah, wouah…

Parker exécuta un petit pas de côté en se déhanchant.

James se frotta les yeux, l'air de vouloir s'évaporer.

—Vous croyez que nous sortons ensemble ? demanda Anna à Parker avant de jeter un coup d'œil à James.

—C'est ce qu'il a dit…, dit Parker en se tournant vers James.

—Euh… Je… Il nous a vus, et…

James transpirait et grimaçait sensiblement, et Anna se rendit compte qu'elle adorait le voir dans cet état. Pour être honnête, elle était stupéfaite que James ne se soit pas

235

récrié : « Elle ? Beurk ! Ça va pas !? » Au lieu de ça, voilà que James Fraser se sentait ridicule devant elle.

Sweet dreams are made of this…

— Tu étais censé n'en parler à personne, protesta-t-elle.

James écarquilla les yeux. Long silence.

— Ouais. Désolé.

— Sérieusement. On essaie d'avoir une relation ultra-top secrète. Sans que – littéralement – personne soit au courant…, ajouta-t-elle en soutenant le regard de James.

Elle souriait. James osait à peine y croire.

— Fallait pas aller à Covent Garden, opina Parker. Fallait vous trouver un endroit naze où personne ne va. Genre Shoreditch, ah ah. On vous verra à la soirée de la boîte ?

— Mmm ?

Anna regardait maintenant James d'un air désespéré.

Le jeune homme resta bouche bée une fraction de seconde avant de prendre la parole, bafouillant quelque peu.

— Oh, euh… Ouais, j'aurais probablement dû t'en parler… ?

— Écoute, si tu n'avais pas l'intention de m'inviter…

Elle minauda, feignant d'être froissée histoire de lui laisser le temps de reprendre ses esprits. James sourit, ravi, le visage illuminé par la gratitude. Anna se sentit fondre. Bien évidemment, c'était la faute du champagne et d'un accès de mansuétude. Et… peut-être aussi de sa silhouette. Mais il ferait bien de reconsidérer le cas de sa barbe de Capitaine Haddock.

— Non, non, tu es carrément invitée, protesta James.

— Bon, je vais y aller, annonça Parker.

— Ouais, ton travail ici est terminé, marmonna James avec un regard sardonique à Anna, qu'elle ne put s'empêcher de trouver drôle et charmant.

CHAPITRE 37

I l avait suffi qu'il laisse Parker une minute sans surveillance… Sérieusement, ça n'avait pas dû être beaucoup plus, mais il avait trouvé le moyen de se glisser jusqu'à Anna tel un serpent monté sur des rollers. Et en plus, bien sûr, il avait fallu qu'il ouvre sa grande bouche. James se repentait. (Et pourquoi, alors qu'on lui avait bien dit qu'il s'agissait d'une soirée habillée, Parker était-il affublé de ce qui était, aux yeux de James, un déguisement de « Bouffon Squelettique de Rave Party » ?)

Cette situation était d'autant plus contrariante que James avait espéré qu'il serait plus facile de réintroduire Eva dans le paysage si aucun de ses collègues n'avait rencontré sa « petite amie ». Quoique, à présent qu'elle avait emménagé avec Finn, l'argument pouvait sembler discutable.

— Va sonner chez lui et mets-lui ton poing dans la figure, lui conseilla Laurence, l'expert analyste, face à ce rebondissement. Débrouille-toi pour que ta chemise Thomas Pink soit déchirée dans la bagarre. Les femmes aiment bien que les hommes se battent pour elles.

— Moi et un mannequin ? Ça ne serait pas tellement plus spectaculaire que deux filles en train de se donner des gifles.

— Encore mieux si vous êtes mouillés. Rappelle-toi la scène de la fontaine dans *Bridget Jones*.

Au lieu de ça, Parker avait ouvert la bouche, et James était passé pour un abruti fini. Il aurait pu signer à l'instant même la décharge de Dignitas, histoire de recevoir leur baiser chimique salvateur. Et puis, ô surprise… Anna l'avait héliporté loin de Saigon. Tout à fait incroyable. Décidément, quelle femme étonnante…

Elle portait une robe bleu foncé qui révélait que, sous ses pulls informes, elle cachait une jolie silhouette. Elle avait coiffé ses cheveux en une queue-de-cheval lâche sur la nuque. Ses traits étaient mis en valeur par du khôl qui soulignait ses yeux et un rouge à lèvres foncé.

Il l'avait observée pendant qu'elle circulait parmi les invités, remarquant la façon dont les hommes la dévisageaient, complètement fascinés, l'index sur les lèvres, ponctuant ses paroles de ce hochement de tête rapide d'universitaires brillants.

Oh, chère Anna, vous croyez que c'est votre avis d'expert qui les subjugue, mais non. Ce sont vos seins, ne put-il s'empêcher de penser.

— Je suppose que maintenant vous attendez de moi ces explications et excuses élaborées dont les gens raffolent de nos jours, dit-il en attrapant deux flûtes sur un plateau qui passait par là.

Il lui faudrait réussir un numéro de charme de la catégorie plutonium pour rattraper le coup. Elle devait en ressortir *irradiée*.

— Vous l'aurez compris, Parker nous a vus ensemble et a mal interprété la situation. Il vous a prise pour ma nouvelle petite amie…

— Et cela ne va pas contrarier la vraie ?

— Il n'y en a pas. Je leur ai dit que je sortais avec quelqu'un pour m'éviter le cauchemar de me rendre seul à la soirée de la boîte et les tentatives sans fin de me maquer.

— Et qui comptiez-vous emmener ?

— Je n'en étais pas encore arrivé là.

— Ah.

238

Bon sang, quelque chose chez Anna, quelque chose dans sa façon d'être, le poussait à prendre des risques fous avec la vérité.

— J'envisageais de raconter que j'avais rompu avec vous.

Anna resta bouche bée, et James craignit un instant d'avoir poussé sa chance un peu trop loin.

— Seulement pour vous éviter d'y assister ! s'empressa-t-il d'ajouter.

— Et vous vous donnez le beau rôle ! Pourquoi ce n'est pas moi qui vous aurais largué ?

— C'est un très bon argument, et beaucoup plus plausible. Sauf que je ne leur ai pas dit non plus qu'Eva m'avait quitté ; je voulais essayer d'avoir l'air un peu moins pathétique que je ne le suis.

— Ha-llu-ci-nant, dit Anna, le nez dans son verre, sans la moindre rancœur.

— Argh, je sais. J'ai l'impression de revivre le lycée, si vous voyez ce que je veux dire.

Cette fois, Anna se garda bien de relever.

— Pour le cinquième anniversaire de Parlez, nos boss ont organisé je ne sais quelle surprise à South Bank, puis une soirée bowling. Hum. Au point où nous en sommes… accepteriez-vous de m'accompagner ? (James fut le premier surpris par son propre culot.) Ne vous gênez pas pour refuser, je comprendrais parfaitement que cette mascarade tordue vous dépasse. C'est seulement dans le cas où vous n'auriez vraiment rien de mieux à faire ce soir-là. Ce qui n'est probablement pas le cas.

Waouh, vraiment, tu assures, James.

Anna but une gorgée de champagne et inclina la tête de côté.

— Comme dans… avec vous ?

James dansa d'un pied sur l'autre, mal à l'aise.

— Ouais. Je ne vous le propose pas uniquement pour couvrir ce mensonge stupide. Être en compagnie d'une femme intelligente pourrait sérieusement illuminer la soirée. Mais, encore une fois, ne vous gênez pas pour me jeter le contenu de votre verre au visage. C'est ce que je ferais à votre place.

— Donc nous n'avons pas rompu ? Je ne peux pas vous jeter ?

James grimaça.

— À moins que ce ne soit ce que vous souhaitez ? Je peux aussi tout avouer et confesser que je suis un raté.

Elle haussa un sourcil.

— Comment saurais-je que vous avez bien confessé ?

— Je pourrais demander à quelqu'un de me filmer avec mon téléphone.

— Bien sûr.

— Vous avez toutes les cartes en main, dit James. Je le ferai même habillé en femme, si vous insistez.

— Mmm. Si ça se trouve, ce faux rencard stupide sera plus amusant que les vrais que je me coltine.

— Sérieusement ?

Anna haussa les épaules.

— Ouais.

Ça alors. Il lui devait vraiment une fière chandelle.

Il cogna légèrement sa flûte contre la sienne.

— Eh bien, super. Et félicitations pour l'exposition. Après des débuts incertains, je suis heureux que vous ayez approuvé notre travail.

— Je n'imaginais pas que vous aviez besoin de mon approbation. Au musée, ils ont adoré ce que vous avez fait.

— C'est la plus difficile à gagner ; la satisfaction n'en est que plus grande.

Ses paroles parurent la surprendre.

— Oh non ! s'exclama distraitement Anna en se décalant légèrement de façon à se trouver parfaitement en face de James. Je crois que Tim McGovern m'a surprise en train de le regarder.

240

— Qui ça ?

— Tim McGovern ? De la télé ? J'en pince méchamment pour lui.

James jeta un coup d'œil vers un homme grand, mince, élancé, au look sophistiqué – veste Paul Smith à volutes, crâne chauve brillant et lunettes de designer à montures noires style années 1960. Il leur rendit leur regard, et but une gorgée de sa boisson, l'air sérieux. James n'eut aucun mal à interpréter son coup d'œil appuyé où brillait l'éclat d'un intérêt libidineux : « Comment vais-je faire pour te détacher d'elle ? »

Son visage lui disait quelque chose.

— Oh, ce ne serait pas cet historien qui fait des documentaires sur BBC4 ? demanda-t-il.

— Si.

— Les amours du monde des intellectuels doivent être différentes de celles du monde réel. Moi, il me fait penser à un pois chiche lubrique. Effectivement, si vous en pincez pour lui, la vie vous joue un méchant tour.

Anna gloussa. James estima qu'elle devait être assez éméchée. Les fêtes auxquelles on se rendait directement après le boulot finissaient toujours de la même manière – champagne, presque rien dans le ventre, complètement bourré à 21 heures. Il lui était arrivé autrefois de se réveiller aux côtés de collègues avec qui rien n'aurait dû se passer, et chaque fois ça avait été la faute des bulles. Elles semblaient avoir pour effets secondaires indésirables des yeux secs et un corps imprudent.

— Nooon. Il est incroyable. C'est vraiment une tête dans son domaine.

— Ouais, mais il porte des mocassins en peau de zèbre. Le pouvoir est un aphrodisiaque, pas un somnifère.

— Je pourrais l'écouter parler pendant des heures.

— Et je parie qu'il pourrait s'écouter parler pendant des heures aussi. Ça vous fait un point commun.

Ils s'esclaffèrent en chœur, et James se rendit compte que partager des rires de conspirateurs avec un membre du sexe opposé était assez intime. Cette façon de soutenir le regard de l'autre tout en perdant le contrôle, après avoir partagé une confidence. Il jeta un nouveau coup d'œil par-dessus son épaule. Télé Tim leur lançait toujours des regards voraces.

—Il est clairement intéressé. Ça vous dirait de l'appâter ?

—Comment ?

—Ah, alors. Dans un instant, je vais vous murmurer quelque chose à l'oreille gauche. Penchez-vous pendant que je parle, et souriez comme si vous n'étiez pas dupe de mon numéro de charme. Vous prenez plaisir à la situation, sans pour autant marcher complètement. Puis riez de façon légèrement aguicheuse, comme si je venais de dire quelque chose d'osé. Compris ?

—Vous êtes sérieux ?

—Oui. Si vous jouez correctement votre rôle, il rappliquera dans la minute qui suit pour se présenter.

—Pourquoi ?

—Parce que s'il croit que je vous fais des avances, il aura une bonne raison pour venir tenter sa chance.

—Et s'il nous croit ensemble ?

—Les hommes ne font pas ce genre de choses avec une femme avec qui ils sortent déjà. Il est très facile de différencier un couple d'« un homme et sa conquête potentielle » en se fiant au langage du corps. Écoutez, je suis pote avec Laurence, et il a fait beaucoup de recherches sur le terrain. Faites-moi confiance. Prête ?

—Prête, acquiesça Anna en s'efforçant de se composer une expression, un demi-sourire aux lèvres.

James se pencha vers elle. Il huma son parfum, à la fois fleuri et salé par le contact avec sa peau. Il écarta une mèche de cheveux de son oreille, ce qu'il n'avait pas prévu de faire mais qui ajouta à l'effet recherché, et chuchota :

— Je meurs d'envie de vous le dire depuis le début de la soirée, alors voilà… Luther est constipé. Je me suis procuré des médicaments, mais Eva a pété un câble : elle estime qu'il faut le soigner de manière complètement naturelle. Elle veut que j'ajoute du potiron en conserve à sa pâtée. J'en ai donc acheté, mais impossible de lui en faire avaler. Je me suis rendu compte que j'avais sans le vouloir choisi de la garniture de tarte au potiron. J'ai dû acheter une citrouille, la faire bouillir et l'écraser en purée. Luther l'a dévorée et a disparu. Devinez où je l'ai retrouvé, les pattes baignant dans une diarrhée orange ? Dans mon tiroir à sous-vêtements, que j'avais laissé ouvert. Je peux désormais dire qu'un chat a chié dans mes calbutes.

Anna se rejeta en arrière, une main sur la bouche, secouée de rire.

— Pauvre Luther.

— Là-dessus il s'est enfui avec un truc ressemblant vaguement à une carotte pendouillant de son arrière-train.

James se pencha un peu plus et conclut d'une voix rauque :

— Mais le caleçon que je porte ce soir est propre, *baby*. Nous reparlerons plus tard de la carotte pendouillante.

Anna rit de plus belle.

Quel sale charmeur je peux être, quand je m'y mets, songea-t-il en souriant.

Pendant quelques instants, il fut trop occupé à savourer le moment et l'expression d'Anna pour se rendre compte que sa manœuvre était un franc succès : Télé Tim était miraculeusement apparu à ses côtés.

— Bonsoir, excusez-moi de vous interrompre. Vous êtes le professeur Alessi ?

— Oui ! Bonsoir, dit Anna, légèrement choquée.

Elle recouvra vite son calme et lui serra la main.

— Et vous êtes… ? demanda Télé Tim à James sur un ton qui suggérait clairement : *personne !*

243

— … pressé d'aller aux toilettes, si vous voulez bien m'excuser, répondit James.

Il les quitta avec un dernier sourire à Anna.

Quand il revint, ils discutaient toujours. Télé Tim lui lança un regard en biais.

Ouais, ouais, tu gagnes, mais seulement parce que je n'essayais pas vraiment, songea James.

Alors qu'il se dirigeait vers la porte, un type roux et pâle le bouscula.

—Désolé, dit James, par réflexe.

L'autre ne s'excusa pas, le dévisageant même avec une expression de haine non contenue. C'était tellement intense, et manifestement intentionnel, que James feignit de regarder deux fois par-dessus son épaule pour vérifier que c'était bien à lui que ce regard s'adressait.

Bizarre. Et, encore plus bizarre… cette petite femme ronde debout à côté de lui. Était-elle travestie en *homme* ? Tous deux auraient pu être figurants dans *Le Hobbit*.

Il comprit qu'il y avait autant de fous dans cet endroit que chez Parlez. En fait, c'était Parlez avec des doctorats.

James salua et sortit dans l'air nocturne, immédiatement dégrisé par le froid, se demandant si la soirée d'Anna s'achèverait de la même façon que les siennes autrefois.

Une heure plus tard, affalé de tout son long sur son canapé, un paquet de chips aux crevettes ouvert sur la poitrine, il eut la surprise de recevoir une réponse à sa question. Son iPhone gazouilla pour lui annoncer l'entrée d'un texto : *Anna*.

Le remerciait-elle ? Il espérait que non. Il se passerait volontiers de voir ses hypothèses confirmées. Cela renforcerait son sentiment de solitude. Il leva le portable au-dessus de son visage, fit glisser le verrou, entra son mot de passe et lut.

Vous saviez ? C'est obligé… non ?

Les chips aux crevettes glissèrent par terre tandis qu'il tapait :

Hein ? Quoi ?

* Bzzz *

À PROPOS DE TIM

« Il va falloir m'aider, Anna. Je ne comprends pas… »

* Bzzz *

IL EST HOMO. IL NOUS A ABORDÉS PARCE QUE VOUS LUI AVIEZ TAPÉ DANS L'ŒIL.

Oh, non ! Désolé. Ah, ah. Je suppose que ses chaussures étaient un indice. J. P.-S. : Vous pouvez me passer son numéro ?

CHAPITRE 38

—Félicitations, ô Anna, roucoula Patrick, qui entra dans le bureau de la jeune femme en feignant une révérence de courtisan servile.

Il ne prononçait pas son prénom correctement — il disait «Ana»—, mais elle ne l'avait jamais corrigé.

—Comment allons-nous ce matin? Couronnée de gloire? Baignée au lait d'ânesse?

—Nous souffrons, répondit Anna, mais c'est pour la bonne cause.

Elle était au septième ciel. La soirée d'ouverture de l'exposition n'aurait pas pu mieux se passer, et elle pouvait désormais imaginer des flots de visiteurs défilant par la porte. Elle avait l'intention de retourner bientôt au musée en se fondant dans la masse du public. Cela dit, elle était au septième ciel mais avait également l'impression qu'une transfusion de sang totale ne lui aurait pas fait de mal. Bleuuurg… Le champagne flottait comme un papillon et piquait comme une abeille.

—Ça t'a plu?

—Ah, oui. Mais j'ai dû filer assez tôt. La guilde m'attendait, expliqua Patrick.

Anna hocha la tête en signe de compréhension, même si cette fois elle n'était pas sûre de le croire. Patrick n'aimait pas la foule ni les grands événements, à moins qu'ils ne soient composés de pixels.

—Tu étais la belle du bal, dit Patrick maladroitement.

246

—Oh non! Ne me dis pas que j'avais l'air aussi soûle qu'à la fête du département d'histoire, où j'ai discuté en gesticulant de cette dissertation de théologie sur «Le pénis de Dieu et la sexualité divine»?

—Non, non! Mondaine, pétillante…

Anna avait néanmoins l'impression que Patrick voulait lui dire quelque chose et tournait autour du pot.

—Tim McGovern a eu l'air très intéressé par ton travail, poursuivit-il. Je vous ai vus en grande conversation pendant une demi-heure. J'espère qu'il ne va pas t'escamoter et faire de toi sa séduisante co-présentatrice. Tu nous manquerais à l'University College, tu sais.

—Ne t'inquiète pas, il n'était clairement intéressé que par mon travail, dit Anna avec un rire bref.

—Est-ce que… vous avez échangé vos numéros?

Elle fut légèrement déconcertée par la brutalité de la question. Anna réfléchit à sa petite mise en scène avec James avant que Tim les aborde. Les spectateurs avaient pu tirer toutes sortes de conclusions erronées.

—Ah, non, dit-elle.

—Je crois qu'il est parti avec une autre dame, donc… Un séducteur?

Anna gloussa.

—Patrick, Tim est une tata, comme dirait Michelle. Une tante.

—Quoi?

—Il est homo. Il est uniquement venu me parler parce que James Fraser, de Parlez, lui avait tapé dans l'œil. À peine James a-t-il eu le dos tourné qu'il a commencé à me bombarder de questions du style : «Mais qui est donc ce magnifique sosie de Brandon Routh?» Je me suis sentie parfaitement idiote.

—Oh, ce dragueur de l'agence digitale est tout à fait atroce! cracha Patrick.

—Pourquoi? S'est-il montré grossier avec toi? demanda Anna, légèrement alarmée.

Elle avait changé d'opinion sur les manières de James et ne le croyait pas capable d'impolitesse. En tout cas pas ouvertement. Plus à présent.

—J'ai bien vu comment il se comportait avec *toi*, dit Patrick en remontant ses lunettes sur son nez, ses yeux pâles lançant des éclairs derrière les verres. Et que je te chuchote, et que je te drague, et que je te flatte…

Anna rit – doucement, car ses zygomatiques lui faisaient mal.

—Ah! Ce n'est pas ce que tu crois. Même si manifestement il a très bien joué son rôle…

—Je te demande pardon, Anna, mais en tant que spécimen de la variété XY de l'espèce humaine, je peux t'assurer que c'est exactement ce que je crois.

—Je t'assure que non. Il faisait semblant de me draguer pour m'aider à attirer l'attention de Tim. Et ça a marché. Malheureusement, légèrement sur la gauche par rapport à là où je me tenais.

—Et pour quelle raison aurait-il voulu t'aider?

—Pour se payer une tranche de rigolade? Parce qu'il a une dette envers moi?

—Ça, je suis sûr qu'il s'en paierait bien une tranche. Vraiment, fais attention. Je n'ai pas oublié combien tu étais horrifiée à l'idée de travailler avec lui.

Mmm, il n'a pas tort.

—Notre collaboration touche à sa fin, et tout s'est passé sans encombre. Patrick, je trouve que tu frises parfois la paranoïa en ce qui concerne les ruses masculines.

Anna massa ses tempes parcourues d'élancements. Bon sang, pourquoi fallait-il toujours qu'elle oublie d'alterner un verre d'alcool et un verre d'eau?

—Ahem. S'il ne t'a pas à l'œil, moi oui.

— Victoria ! s'exclama Anna.

Challis la Vénéneuse venait d'apparaître derrière Patrick.

Victoria mit efficacement fin à la visite de Patrick, et bien que la sienne ait eu théoriquement pour but de complimenter Anna sur l'exposition, la jeune femme resta avec l'impression qu'on venait de lui passer un léger savon.

À peine Challis la Vénéneuse partie, Anna examina le blanc de ses yeux strié de framboise dans son miroir de poche, puis décrocha son téléphone.

— Michelle, coassa-t-elle. Je ne peux pas aller au concert de Penny ce soir. Je suis une loque.

— Oh, ho, ho ! Tu rêves, ma cocotte. Avale deux Nurofen Plus, un Americano et un croissant jambon-fromage de chez Prêt et arrête ton numéro de mauviette. Hors de question que je me le coltine sans toi.

CHAPITRE 39

Même Michelle, qui avait bien du mal à lui trouver des qualités, reconnaissait que Penny, la petite copine de Daniel, chantait juste.

Son groupe, les Non-Dits, était quatrième sur le programme de l'arrière-salle d'un pub du nord de Londres, qui se distinguait par ses concerts et des toilettes qui puaient tellement qu'on aurait pu s'y croire dans le caleçon du diable.

Anna sirotait un Coca en s'efforçant d'avoir l'air poliment intéressée par le groupe de rock junior qui précédait les Non-Dits. Ses membres, des gamins de treize ans, portaient des chemises à carreaux ouvertes sur des tee-shirts à l'effigie de groupes qui s'étaient séparés bien avant leur naissance.

— La prochaine chanson parle d'une fille de l'école… je veux dire du bahut… qui n'arrête pas de mentir et qui croit que ça lui donne l'air cool alors que ça lui donne juste l'air d'une menteuse, annonça le chanteur, le visage dissimulé derrière une frange. Elle s'intitule *Sarah est une menteuse*. Nous espérons que ça vous plaira. Sauf si, euh… vous êtes Sarah.

— Je devine que quelqu'un n'a pas apprécié que la nouvelle de son impuissance circule pendant le cours de géo. Tu crois que la suivante va s'appeler *Je n'ai pas demandé à naître* ? dit Michelle.

Anna rit, mais indiqua d'un geste gêné un groupe de parents près d'elles, manifestement très fiers des prouesses musicales de leurs rejetons. Elle fut atterrée de constater qu'ils n'étaient guère plus âgés qu'elles.

Heureusement, le chanteur était particulièrement friand de la fameuse technique vocale appelée hurlement, et le sarcasme de Michelle se perdit dans les beuglements des guitares et de paroles larmoyantes.

« Va te faire foutre, Sarah, tu n'es qu'une sale pute
Tu te la joues emo, mais tes fringues puent la thune
Ton mec a dix-neuf ans, pas vingt
Va te faire foutre, Sarah, je me fous d'où tu viens… »

— Je crois que je l'aime bien, cette Sarah, dit Michelle. Et si on allait tenir compagnie à Daniel ?

Elles le trouvèrent derrière une table montée sur des tréteaux et couverte de tee-shirts en coton aux transferts brouillés. Assis sur un tabouret, il était plongé dans la lecture des mémoires de Peter Cook. Parmi les groupes dont il vendait la marchandise : Siège social et Amertume. Il n'y avait pas vraiment de cohérence dans la programmation : du rock au trash en passant par les Non-Dits, quel que soit leur style. Michelle parlait de folk-mièvre, mais Anna se doutait qu'ils ne se définissaient pas ainsi.

— Les affaires marchent doucement ? demanda Michelle.

— On peut dire ça comme ça, Michelle, à moins que la ruée n'ait lieu une fois que les groupes auront fini.

— C'est vraiment adorable de ta part de t'occuper de ça pendant ta soirée libre. Tu es un mec en or, tu sais, dit-elle.

— Ah, bah. Penny cuisine pour moi pendant ses soirées libres, répliqua-t-il en clignant de ses grands yeux.

— Tu veux qu'on aille te chercher une bière ? proposa Michelle.

Daniel désigna un demi à ses pieds.

— Hurle si tu en veux un autre, dit-elle avant de glisser discrètement à Anna : Ses soirées libres de quoi ?

Puis, une fois qu'elles eurent pris position dans la salle, elle ajouta :

— Remarque, « Sarah est une menteuse » énonçait une vérité universelle : tout le monde a connu un gros mytho au lycée. Un mec de mon bahut, Gary Penco, disait qu'il avait un faucon pèlerin et une Ferrari Testarossa dans un box… En parlant de lycée, maintenant que l'expo est lancée, tu n'es plus obligée de revoir James, pas vrai ? Tu dois être sacrément soulagée.

— En fait…

Anna se tut. Cela lui semblait assez incroyable, à présent qu'elle le racontait à Michelle.

— Je l'accompagne à une soirée de sa boîte. En tant que fausse petite amie.

Michelle toussa dans sa bière, projetant de la mousse sur la manche d'Anna.

— Excuse-moi, je crois que tu as parlé en italien. Tu vas à sa quoi ? En tant que quoi ?

— Certains de ses collègues nous ont vus tous les deux. Au théâtre, tu sais ? Ils ont cru qu'on sortait ensemble et que je l'accompagnerais à la fête. Donc, plutôt que d'ajouter à la confusion générale, je lui ai fait une faveur et j'ai dit que j'irais. Ce n'est qu'une soirée d'entreprise.

Michelle fronça les sourcils.

— Pourquoi lui rends-tu service ?

Anna haussa les épaules.

Très bonne question.

— Tu te souviens ? Je pensais que travailler avec lui était la pire chose qui pouvait m'arriver ? Eh bien, en fait, ça s'est plutôt bien passé. L'expérience m'a prouvé qu'il n'avait plus l'avantage. Les choses sont différentes aujourd'hui.

— Il ne sait toujours pas qui tu es ?

— Non.

— Tu comptes le lui dire ?

—Non…

—Pourquoi?

—Je préfère laisser tranquillement le passé là où il est.

—Alors en quoi est-ce une aube nouvelle? Tu crois qu'il se comporterait comme un connard avec toi s'il savait?

—Non…

Très bonne question numéro deux.

Elle imaginait que James se sentirait quelque peu coupable et plein de pitié. Dans quelles proportions, elle n'en était pas sûre. Mais Anna ne voulait surtout pas inspirer la pitié.

—Écoute, dit Anna, forcée de feindre de l'assurance vis-à-vis de quelque chose dont elle doutait. Je suis mon instinct. Je me sens bien. C'est le nouveau chapitre dont tu parlais en me poussant à aller à la réunion.

—Ça impliquait d'être toi-même. Faire semblant d'être sa nana me semble aussi bizarre qu'inutile. Et il mérite que dalle de ta part.

—Même si c'est stupide, ce n'est qu'une soirée. Après, fini.

—Mmm. Voici mon verdict officiel sur le sujet, Anna: mmm.

Les Non-Dits comptaient deux hommes en plus de Penny, qui portait pour l'occasion une robe en laine et des bottes aux mollets style années 1960. Elle avait une voix absolument magnifique, claire et mélodieuse, et chantait avec aisance.

Leurs compositions n'étaient malheureusement pas à la hauteur. Comme le fit observer Michelle, ça ne volait pas plus haut que ces rengaines gnangnan entendues dans les publicités qui prétendent vendre aux femmes des voitures pour transporter joyeusement leur marmaille, ou émouvoir les téléspectateurs au sujet de l'ouverture d'un grand magasin à Noël, où ils pourront claquer leurs primes de fin d'année.

Quand Penny se mit à agiter des clochettes et fit le tour de la scène en se trémoussant et en chantant combien elle aimait le café chaud les matins froids, Michelle craqua :

— Est-ce que, dans leurs non-dits, il y a qu'ils sont tellement guimauve que tu risques de terminer avec un diabète type 2 à force de les écouter ? chuchota-t-elle à l'oreille d'Anna.

Celle-ci lui fit signe de se taire et Michelle rit.

— Notre prochain titre est une reprise de Nirvana que vous reconnaîtrez sûrement, annonça Penny en regardant le public par-dessous ses cils.

Ils se lancèrent dans un morceau tiré de l'album *MTV : Unplugged*, aux accents particulièrement sincères et douloureux. Malheureusement, les Non-Dits l'interprétèrent un peu trop mollement.

— Ce n'est pas possible, dit Michelle à Anna dans un chuchotement enroué. Ils ne sont quand même pas en train de jouer une version folk-mièvre de *Where Did You Sleep Last Night* ? Tu vas voir qu'après ce sera *Rape Me*, sauf qu'elle le chantera en chouinant. «Wape Meee»…

— Michelle ! siffla Anna.

Au même instant, Dan apparut à leur côté.

Anna lui adressa un sourire amical suivi d'une mimique excitée (très proche de la grimace «j'ai hyper envie de faire pipi») dans l'espoir de paraître emballée.

— Ils s'en sortent bien, non ? dit-elle.

Le groupe entonna un morceau acoustique très doux et tremblant.

En général, Anna avait du mal à discerner les paroles des chansons, mais la voix claire de Penny rendait chaque mot distinct.

Son Coca à la main, Anna se concentrait afin de conserver une expression approbatrice neutre. Quand elle entendit «rencontré un homme / serveur dans un restau», elle faillit se tourner vers Dan pour lui adresser un signe de tête complice, mais se retint quand elle comprit que la teneur générale de la chanson était angoissante. Le refrain jouait sur les mots « servir » et « servile ». Dans l'ensemble, la chanson semblait pouvoir rejoindre le répertoire des ballades sur le thème « Faut que je te lourde ».

Il y eut quelques applaudissements épars à la fin ; Michelle et Anna évitèrent de croiser le regard de Daniel. Quand Michelle proposa d'aller leur chercher une autre bière, Daniel refusa en disant qu'il allait aider Penny à remballer ses affaires et s'en fut.

Les deux amies se lâchèrent sur le chemin du métro.

— Puuutain. Tu as compris la même chose que moi dans la dernière chanson ? demanda Anna.

Michelle secoua la tête.

— Cette fille n'est pas ce qu'elle prétend être, crois-moi.

— Comment se fait-il que Dan supporte ça ?

— Il se dévalorise complètement vis-à-vis des femmes. Tout au fond, il doit être persuadé qu'il ne mérite pas mieux. Ça me rend dingue.

— Tu crois qu'il savait qu'elle allait chanter ça ?

— Nan. Je crois que cette nana est une aberration. Tu sais, je ne l'ai jamais dit à Dan sur le moment, mais je suis presque sûre qu'elle escamotait les pourboires.

— Comment ça ?

— À l'époque où elle travaillait à *L'Office*. Nous partageons toujours les pourboires à la fin du service. Mais si elle en recevait un gros, elle l'empochait. Je ne peux pas le prouver, mais je fais ce boulot depuis suffisamment longtemps pour reconnaître les gens qui ne laissent pas de pourboire, et Penny semblait s'occuper d'un nombre étrangement élevé de clients dont je ne m'attendais pas à ce qu'ils ne laissent rien.

— Et tu ne l'as pas dit à Dan ?

— Ça ne m'a pas semblé nécessaire. Je me suis contentée de la virer, elle était nulle. Et, juste après, il a fallu qu'ils sortent ensemble. Je ne referai pas la même erreur. La prochaine fois qu'un ami sort avec un abruti, je ne me gênerai pas pour le lui dire. Je ferai usage de mon droit de réaction à chaud. Te voilà prévenue, si tu décides tout à coup de tenter ta chance avec le Vilain Lycéen.

— Impossible ! C'est bien la dernière personne avec qui je sortirais.

— Il n'y a rien de pire que perdre un ami au profit d'un connard, déclara Michelle tandis qu'elles atteignaient la station. Le jour où Dan m'a annoncé qu'ils étaient ensemble, j'ai pensé : homme à terre.

CHAPITRE 40

En arrivant à South Bank à proximité du petit troupeau branché debout sous la bruine dans la pénombre, Anna se sentit mal à l'aise. Que fichait-elle là ? Elle n'avait rien à faire à une soirée de Parlez, d'autant que sa présence en tant qu'invitée de James ne tenait qu'à un malentendu.

Elle regrettait quelque peu sa décision. L'ivresse due à un abus de Moët & Théodora l'avait rendue excessivement insouciante et exagérément généreuse. Michelle avait raison. Il ne fallait pas qu'Anna oublie que, mis à part un coup de poing dans la figure, elle ne devait absolument rien à James Fraser. Elle envisagea un instant de lui poser un lapin, en guise de revanche.

Pourquoi était-elle venue ? Pour l'aider à sauver sa dignité ? Alors qu'il avait sauvagement piétiné la sienne une demi-vie auparavant ?

Par curiosité, supposa-t-elle. Même après son humiliation et en dépit de son indignation, elle ne résistait pas à la tentation de passer à la clandestinité pour l'espionner. Comme pour la réunion d'anciens élèves, cela ne l'engageait à rien. C'était elle qui décidait quand elle entrait et sortait de la situation. Elle avait cru que revoir James dans le cadre de son travail était une méchante plaisanterie de Dieu, mais… s'il s'agissait en fait d'un petit coup de pouce du Très-Haut ? Va. Observe cette créature et rends-toi compte que, vraiment, lui et ses semblables n'ont rien d'exceptionnel.

À vingt mètres, elle sentait déjà la forte puanteur de la mode d'avant-garde. Elle s'était arraché les cheveux pour trouver une tenue qui aurait assez de style pour ne pas paraître fade, mais pas suffisamment pour signifier quoi que ce soit, et elle avait fini avec une autre de ces robes noires clichés. Elle ne s'était pas vraiment faite à l'idée d'être considérée comme la copine de James. Sa *copine*? Sa fausse copine, d'accord, mais sa copine tout de même. La jeune Aureliana la regardait, stupéfaite. Ou peut-être furieuse?

Le staff de Parlez était tout en undercuts, crânes rasés et coupes au bol, piercings étonnants, vêtements d'hiver extravagants, talons haute couture. Un homme arborait une moustache qui rappelait celle d'un acrobate de l'époque victorienne. Une femme avait les cheveux coiffés en quelque chose qui n'était ni un chignon ni une choucroute haute, mais évoquait une sorte de bec de canard posé sur le sommet de son crâne. Anna l'entendit commenter son espèce de tutu en loques à un collègue, qualifiant son style de «courtisane steampunk».

Mais qu'est-ce que je fous ici?

Elle avait passé tellement de temps dans sa vie à espérer qu'on ne la remarquerait pas qu'elle n'arrivait pas à comprendre qu'on puisse chercher ainsi la controverse.

La moyenne d'âge devait tourner autour de vingt-sept ans. Les collègues de James l'examinèrent avec une curiosité détachée.

—Bonsoir! lança Anna avec la voix d'une prof remplaçante empruntée.

Elle agita vaguement la main et fut soulagée de voir que James l'avait repérée et se détachait du groupe.

Il portait un caban bleu marine; Anna poussa un soupir de soulagement en constatant qu'il n'avait pas lui-même opté pour une tenue ultrabranchée, à moins de considérer comme du dernier chic de s'habiller comme un papi.

Le froid avait accentué la pâleur de son teint, et il avait les yeux brillants et les cheveux ébouriffés par le vent. Quand il se pencha vers elle pour l'embrasser sur la joue, Anna sentit son traître et puéril estomac faire un tour, d'autant plus pathétique qu'il ne s'agissait que d'un baiser pour la galerie. Quand leurs regards se croisèrent, ils échangèrent une œillade complice qui disait leur mutuel embarras.

— Je vous présente Anna. Anna, je te présente… tout le monde. On verra plus tard pour les prénoms.

Il y eut quelques saluts murmurés de-ci, de-là, puis tous se remirent à discuter, sauf une fille menue au long carré blond, et au visage poupin et ouvert. De ses yeux bleu pâle de chouette, elle continua de considérer Anna avec fascination, attentive sans être hostile.

Ah-ah. Je connais ce regard. Tu as le béguin pour James. C'était évident qu'il y en aurait une, songea Anna.

James se frotta les mains l'une contre l'autre en soufflant dessus et expliqua :

— Nous ignorons toujours pourquoi on nous a convoqués ici. Beaucoup ont parié que notre boss, Jez, avait appris à manger du feu juché sur un monocycle. Pour ma part, je serais ravi de le voir essayer.

— Votre attention, s'il vous plaît ! lança un homme aux cheveux gris au carré dans un manteau Crombie.

À ses côtés se tenait une femme blond vénitien emmitouflée dans une redingote fauve au grand col de fourrure. Ils rayonnaient d'une autosatisfaction de nantis qui formait comme un halo isolant autour d'eux.

— L'heure est venue pour Fi et moi de donner le coup d'envoi de la soirée : tour au champagne dans The Eye !

— The Eye ? marmonna James, incrédule. Ben merde, alors. Nous serons donc les premiers Londoniens à monter dans le London Eye…

Il adressa un sourire contrit à Anna, qui lui répondit par une grimace crispée, l'estomac en émoi, émoi qui n'avait absolument rien à voir avec l'allure d'idole des jeunes — et moins jeunes — de James. Pas une minute elle n'avait envisagé qu'ils puissent faire un tour dans le London Eye. Pourquoi n'y avait-elle pas pensé?

Gloussant, papotant et frappant dans leurs mains gantées, le groupe descendit le South Bank. En arrivant au pied de la grande roue, le riche couple s'entretint avec le personnel de The Eye.

— Je suis sûr que c'est un cadeau d'un client. Quels radins! dit James à Anna histoire de faire la conversation.

La jeune femme se contenta de hocher la tête avec un sourire crispé, s'efforçant de contenir la vague de panique qui menaçait de la submerger. Elle se sentait coincée. Si elle disait: « Je ne peux pas », elle se donnerait en spectacle devant tous ces gens effrayants. Tandis qu'elle hésitait, l'homme au manteau Crombie attira de nouveau l'attention de la troupe.

— OK, nous disposons de deux nacelles! On vient de me faire remarquer qu'à cette heure-ci, le tour est très romantique. Donc, au lieu de vous partager en deux groupes, pourquoi ne pas laisser un couple en tête à tête? Qui est partant?

En guise de réponse, il y eut beaucoup de murmures, mais pas de volontaires. La femme blond vénitien chuchota quelque chose à l'oreille de M. Crombie. Quand il releva la tête, ses yeux se posèrent sur James.

— James. Qu'en penses-tu? Que diriez-vous d'en profiter, ta douce et toi?

Tous les regards se braquèrent sur eux.

— Oh. OK?

James consulta Anna du regard et elle hocha sèchement la tête pour donner son accord.

Mon Dieu, mon Dieu, mon Dieu…

Il était désormais trop tard pour se défiler.

Muette, elle le suivit dans la nacelle futuriste. Elle ressemblait à une allumette dans une bulle sur le point d'être projetée dans les airs par le souffle d'un géant.

Ne vomis pas ne vomis pas ne vomis pas…

Elle parvint à atteindre le banc de bois au centre et se concentra sur la sensation du siège sous ses doigts. Derrière eux, la porte fut fermée et verrouillée. Pour Anna, c'était comme d'entendre le tour de clé du geôlier. Non pas qu'elle tienne à ce qu'elle soit mal scellée… Combien de temps durerait son calvaire ? *Une éternité.*

— Seigneur. Une grande roue pour touristes. Désolé que ce soit si nul. Au moins, il y a à boire, dit James en sortant la bouteille de champagne du seau à glace. Je vous sers ?

Momentanément incapable de répondre, Anna secoua la tête.

— Vous vous sentez bien ?

Elle hocha la tête, mais, clairement, ça n'allait pas et James la dévisagea.

— J'ai le vertige, dit-elle d'une petite voix, et elle grimaça quand ils se mirent en branle.

— Vraiment ? Pourquoi n'avoir rien dit ? Ne serait-ce que pour nous donner une bonne raison nous barrer…

— Je ne voulais pas faire d'histoires… Je veux dire, il m'a semblé que mon personnage n'était pas censé être sujet à la peur du vide.

James afficha une expression perplexe mais satisfaite.

— Vous êtes vraiment héroïque.

Il l'examina attentivement avant d'ajouter :

— Vous n'allez pas dégueuler partout, si ?

CHAPITRE 41

L a nacelle commença doucement son ascension. Anna garda les yeux fermés et ordonna à son contenu gastrique de rester à sa place. Quand elle rouvrit les yeux, James buvait à petites gorgées dans sa flûte pleine, manifestement préoccupé.

— Je suis terriblement désolé, Anna. Vous auriez dû dire quelque chose.

— Profitez de la vue, ne vous inquiétez pas. Ça va aller, couina-t-elle en agitant le bras.

Elle le regarda s'approcher de la vitre courbe, son verre à la main. Ils gardèrent le silence un moment.

— Vous ne pouvez vraiment pas du tout regarder dehors ? finit par demander James. Je sais que je me suis montré cynique, mais c'est assez incroyable. Peut-être que le champagne fait déjà son effet.

— J'aimerais beaucoup, mais non, soupira Anna en baissant les yeux vers ses phalanges blanc-gris.

— Est-ce que ça vous aide à vous focaliser sur autre chose quand je parle ? Ou vaut-il mieux que je me taise ?

— Parlez, incontestablement.

— À quand remonte votre phobie du vide ?

— Oh, merci de me changer les idées !

Ils éclatèrent de rire.

— Du jour où, enfant, je suis montée au sommet de la tour de Pise.

Silence.

—C'est vrai ? Il vous arrive d'être si pince-sans-rire que je ne sais pas quand vous plaisantez.

—Sérieusement. Plus italien tu meurs, non ? Dans la veine de : « J'ai reçu une grosse part de pizza dans l'œil et je suis devenue aveugle. » À l'époque, on pouvait monter en haut de la tour, et il n'y avait aucune rambarde de sécurité. Bien évidemment, c'était bien avant l'ère des règlements de santé publique et de sécurité à tout-va, et autres avocats chasseurs d'ambulances.

» Mon père m'a laissée monter devant lui. Alors que nous approchions du sommet, j'ai bondi dehors sur un des balcons et j'ai failli tomber dans le vide. Mon père m'a rattrapée de justesse en empoignant mes cheveux que j'avais très longs à l'époque. J'entends encore ce « Oh, non ! » dans ma tête au moment où j'ai compris que j'allais tomber. J'ai su que, pour moi, cela signifiait tirer le rideau. En tout cas autant qu'une gamine de six ans et des brouettes peut le concevoir. Ce n'est pas un âge où l'on devrait être confronté à l'éventualité de notre mort. Je n'ai plus jamais été capable d'affronter les hauteurs depuis. C'est comme un trouble de stress post-traumatique en continu. Cela réveille ce souvenir.

—C'est fou comme une seule mauvaise expérience peut se répercuter au fil des ans, non ? fit remarquer James.

Sa réflexion était si douloureusement à propos qu'Anna se dit qu'il *savait* peut-être. Mais il ajouta :

—Ça me rappelle la fois où mon ancien patron m'a persuadé d'essayer les pilules d'un client, censées dissoudre la graisse. Après, ce qui sort de vous ressemble à du fromage à pizza. Je n'ai plus jamais regardé les margheritas de la même manière.

Anna rit. Un autre blanc dans la conversation.

—Comment ça se passe en ce moment, les rencontres par Internet ? finit par demander James.

—Rien à signaler, comme d'habitude.

—Peut-être que votre profil mérite d'être remanié?

—Waouh, merci! «Peut-être que c'est votre faute?»

—Non! s'exclama James, le sourire jusqu'aux oreilles.

Anna avait l'impression qu'aucune femme ne lui faisait autant la vie dure qu'elle et qu'il aimait ça.

—Ce n'est absolument pas ce que je sous-entendais. En fait, mon raisonnement était plutôt qu'il ne peut y avoir d'autre explication. Dites, et si on y jetait un coup d'œil? Je travaille avec Internet et je fais aussi de la rédaction. J'entends également assez souvent Laurence analyser les profils qu'il consulte. Écouter le point de vue de quelqu'un de l'autre côté pourrait peut-être aider?

—Maintenant?

—Ça vous changerait les idées, insista James.

Il sortit son téléphone en la regardant l'air de dire: «Allez, pour me faire plaisir…»

—Avez-vous l'intention de me mettre mal à l'aise? dit Anna en sentant son estomac se nouer, autant à cause de l'altitude que de leur passé commun.

—Je vous promets que non. Allez. Plus embarrassant que ce que je vous ai avoué à la soirée d'ouverture de l'expo?

Anna rit et inclina la tête de côté.

—Pas faux…

Elle n'aimait pas trop l'idée que James lise son argumentaire à l'intention de partenaires potentiels. Mais son opinion l'intéressait. OK, il était le mal incarné, mais aussi un homme intelligent et… séduisant. Oui. Elle voulait son avis.

Anna lui donna son pseudo sur le site et attendit, tendue, pendant que James marmonnait quelque chose au sujet du signal 3G.

—O… K. Vous voilà.

—Défense de se moquer!

— Défense de se moquer. Mais joker si vous avez écrit : « Apprécie les plaisirs de la vie ». Voyons voir… Jolies photos. Trois, c'est tout… ?

— Oui, dit Anna, décontenancée de devoir expliquer son raisonnement. Une relation fondée sur l'apparence ne m'intéresse pas.

— Parfaitement louable, mais vous cherchez à rencontrer quelqu'un dans le monde réel, qui n'a rien à voir avec celui où vous souhaiteriez vivre. Ajoutez-en quelques-unes… « Aime voyager ». C'est une de ces expressions pH neutre, non ? Vu que vous n'êtes pas nomade, cela se réduit à « Aime les vacances » ?

Anna gloussa.

— Je remplacerais par quelque chose de plus spécifique… Mmm. « Sportive et active ». Vraiment ? Non !

James leva une main en voyant la bouche d'Anna former un O outragé et poursuivit :

— Seulement parce que « sportive et active » est souvent un bel euphémisme pour « chieuse ennuyeuse ». Ou « Va travailler à pied ». À moins que vous ne soyez une joueuse de tennis professionnelle, je supprimerais aussi. Ils voient bien que vous ne sucrez pas les fraises, et c'est tout ce qui les intéresse. Ce qui me renvoie à mon premier argument au sujet des photos : mettez-en d'autres.

Anna songea que c'était une soirée bien étrange, coincée dans une nacelle se balançant au-dessus de Londres, en compagnie de James Fraser qui faisait la cour à des hommes pour elle, tel son Cyrano de Bergerac.

— Ah. OK. Vous dites que vous êtes une romantique désespérée ?

Anna sentit le rouge lui monter au visage et bénit l'éclairage tamisé.

— Ouais.

— J'éviterais. Les hommes interpréteront : « M'appellera en larmes à 3 heures du matin au bout d'un mois. »

— Je sous-entends seulement que je cherche quelque chose de sérieux. Je ne… batifole pas, quoi.

— Oh non… Ne dites pas « Fatiguée de jouer ». C'est la phrase la plus effrayante qui soit, venant d'une femme. Je traduis : « Vous vous réveillerez et me trouverez en train de lécher la lame d'un couteau Sabatier. » Je te croyais différent, James. Tu ne veux pas finir comme tous les autres, James ?

Anna éclata de rire.

— Bon, et qu'est-ce que je devrais mettre, gros malin ?

— Il faut qu'on y trouve l'essence d'Anna. Faites de l'annaesque sans complexe. Et indiquez « N'aime pas les chats ». C'est un argument de vente clé.

— Mais alors j'élimine d'un coup tous les hommes propriétaires de chat.

— Soyez honnête. Avez-vous déjà rencontré un propriétaire de chat que vous avez apprécié ?

— À bien y réfléchir, non, dit Anna.

Et ils échangèrent un sourire.

— Le plus probable, c'est que les hommes ayant un chat seront amusés et intrigués. Et puis, avez-vous vraiment envie de sortir avec M. Amour-des-chats-exigé ? Je parie qu'il écoute Noah & The Whale, mange du quinoa et souffre d'impuissance sexuelle.

— Ah, ah. J'imagine que non. Comment se fait-il que vous soyez un tel expert ? Vous étiez un habitué des rencontres sur Internet, autrefois ? demanda Anna tout en songeant : *Genre*.

— Non, mais je suis sorti avec des filles. Et le principe que j'appliquais quand je chassais était : est-ce qu'une femme qui me plairait aimerait l'endroit où je vais ? Internet, c'est pareil. Plus vous le faites vôtre, plus vous avez de chances de rencontrer la personne qui vous correspond. Visualisez l'homme que vous cherchez et écrivez seulement à son intention.

— Mmm. Je ne suis pas sûre de savoir qui je cherche.

—Vous êtes célibataire depuis longtemps ? demanda James en rangeant son téléphone dans sa poche.

Quelque chose dans l'étrangeté de la situation poussa Anna à dire la vérité. À quoi bon essayer d'avoir l'air cool ? Elle ne serait jamais une courtisane steampunk.

—Depuis toujours. Enfin, pas toujours… Sept ans à peu près.

—Waouh.

—Eh bien, merci.

—Non, je veux dire : waouh, c'est difficile à croire.

Anna prit sa remarque comme une platitude polie.

Elle haussa les épaules.

—Je suis restée un an et demi avec quelqu'un après l'université. Joseph. Nous avons vécu ensemble un certain temps. Il était gentil. Et, étudiante, j'ai eu un horrible petit copain, Mark, qui refusait de m'embrasser quand on s'envoyait en l'air et critiquait tout le temps mon apparence. Je suis bien contente de ne plus penser, comme à dix-neuf ans, qu'il vaut mieux être mal accompagnée que seule.

Quelqu'un devrait faire une étude sur l'effet désinhibant de l'altitude, songea Anna.

—Bon sang, dit James en se tournant. Ce type a l'air… atroce.

Mais il ne m'a jamais menti pour me faire monter sur une scène avant de me traiter d'éléphant, James.

—Je crois même n'avoir jamais été amoureuse.

Veinarde ! dit James. Ça vous donne l'avantage.

—Voilà qui est bien cynique !

—Je le pense pourtant.

James s'avança pour se resservir du champagne, soulevant la bouteille hors de la neige fondue crissante du seau à glace.

—Vous n'en voulez toujours pas ? Ça pourrait apaiser vos angoisses. Allez, un verre pour vous donner du courage…

—Un petit, alors, dit Anna.

Rhôô, encore du champagne.

James remplit à demi la flûte et la lui tendit.

— Vous n'avez pas l'intention de lâcher ce siège, pas vrai ?

— Ah, ah. Non.

— Logique. Si la nacelle se détachait et que nous tombions dans la Tamise, vous survivriez probablement en vous accrochant à ce banc. Vous pourriez pagayer jusqu'à la rive à cheval dessus comme sur une bouée de sauvetage.

— Oh, allez vous faire foutre ! dit Anna en riant, tandis que James posait le pied de la flûte près d'elle et la tenait jusqu'à ce qu'elle parvienne à se convaincre de lâcher le banc pour s'en saisir.

Elle appréciait le mélange de taquinerie et de prévenance dont il faisait preuve. Il retourna se planter devant la vitre et elle réussit à avaler une grosse gorgée, cognant le verre contre ses dents dans sa précipitation. Elle en but deux autres, et elle eut fini.

— Je veux dire, il m'est arrivé de m'attacher… (Oh, non, voilà que l'alcool et l'altitude se liguaient pour la faire parler.) Mais je ne peux pas dire que j'aie un jour éprouvé de tout mon corps cette sensation écrasante d'un amour dévorant pour un homme. Un homme que j'aie l'impression d'avoir attendu toute ma vie. Qui me comprenne et que je comprends, avec qui on serait comme les meilleurs amis du monde… Enfin, des amis qui ne peuvent arrêter de se toucher.

James se retourna.

— Je ne suis pas persuadé que ce genre d'amour existe en dehors des comédies romantiques. Ou du moins après la première semaine.

— Merci, c'est très encourageant, dit Anna.

— Ah, désolé. Ne demandez pas à un homme dont la femme couche avec un autre son opinion sur les relations amoureuses.

— Elle a rencontré quelqu'un ?

— Un mannequin. Il a vingt-trois ans. Je commence à avoir une idée de ce que peuvent ressentir les premières femmes de rock-stars.

— Il est canon ?

— Non, il est mannequin-mains, il a la tête de Frank Sidebottom. Oui, il est canon, merci, docteur Feelgood.

Ils s'esclaffèrent, jusqu'à ce qu'elle sente que James pensait à sa femme ; leurs rires s'éteignirent. James Fraser amené à se sentir physiquement inférieur était une notion intéressante.

— Vous pensez que vous allez vous remettre ensemble ? demanda Anna.

— Ah, j'sais pas. Encore récemment, si vous m'aviez posé cette question, je vous aurais répondu par un oui prudent. Aujourd'hui, je n'en ai aucune idée.

— Mais vous voudriez ?

— Apparemment oui. Pas très sûr de pourquoi.

— Parce que vous vous consumez d'un amour de comédie romantique pour une femme ?

— Parce que je suis masochiste.

Ils retombèrent dans le silence.

— Bon, alors, récapitulons le nouveau profil d'Anna. « Historienne… »

— Ça donne l'impression que j'ai soixante-huit ans et que j'utilise une tondeuse pour poils de nez rechargeable.

— « Mais je suis jeune et je n'utilise pas de tondeuse pour poils de nez rechargeable. Pensez plutôt à une femme intrépide qui, munie d'une torche en bambou, explorerait la tombe d'une momie maudite aux côtés d'Indiana Jones. »

— Vous venez de décrire une archéologue…

— Chut ! Et pour finir : « Je suis canon. Je déteste les chats. J'aime bruncher de petits pains à l'omelette. Appelle-moi. »

— Ah, ah, ah ! Canon ? *(Pas si canon que ça et pas votre genre.)* Je dois reconnaître que vous n'êtes pas trop mauvais à ce jeu.

— Oh, l'incrédulité dans votre voix…, dit James en souriant. J'ai plein de responsabilités, vous savez. Je gère tous les comptes de médias sociaux de mes clients. Un faux mouvement sur Hootsuite et la réputation des semelles Scholl serait ruinée.

Là-dessus, incroyable, ils retrouvèrent la terre ferme.

Ils riaient toujours en franchissant les portes de la nacelle. Anna avait oublié le groupe.

— Vous avez fait une bonne balade ? lança d'un ton légèrement narquois un petit homme vêtu d'un manteau vert vif, d'un pantalon pied-de-poule et d'un béret.

Anna remarqua que ceux qui les attendaient affichaient des expressions semblables. C'était quelque chose auquel elle n'était pas habituée. Tellement pas qu'elle mit un moment à l'identifier. *Envie.*

Vraiment ? Les collègues de James enviaient leur tour en tête à tête ? Leur fausse histoire d'amour naissante et leurs plaisanteries secrètes ?

Anna songea que, très souvent, pour soigner l'envie, il suffisait d'apprendre la prosaïque vérité.

CHAPITRE 42

James ne s'était pas attendu à apprécier la séance de bowling, mais, une fois dans le petit bar-restau rétro de All Star Lanes, il s'amusa comme un fou. Et malgré de gros doutes de dernière minute du genre *mais qu'est-ce qui t'a pris, putain*, la présence d'Anna en fit un moment encore plus agréable.

Elle était fantastique avec tout le monde : détendue et amicale, tout en s'efforçant de faire bonne impression. Si elle resta peut-être un peu sur la réserve au début, l'alcool l'aida à se désinhiber. Elle se focalisa instinctivement sur Lexie, voyant manifestement en elle la personne la plus sympathique ; James ne put qu'approuver ses goûts.

Il imagina Eva à sa place, subissant la conversation d'Harris ou de Ramona avec, sur son visage de sphinx, une expression légèrement critique mais impénétrable, avant de rejoindre James pour lui faire des commentaires désobligeants. Lui, légèrement nerveux, n'en restait pas moins fier d'être accompagné de la fille la plus cool de la pièce. Il se rendit compte qu'elle ne lui donnait jamais l'impression d'être assez bien non plus.

Il essaya de trouver une qualité à Eva autre que ces particularités superficielles qui impressionnent à l'adolescence. Gentille ? Non. Prévenante ? Mmm. Mais bon, il n'avait pas besoin de sortir avec une bénévole à la soupe populaire. Pas la peine de se complaire dans l'auto-apitoiement.

Quand il avait appelé sa sœur Grace pour lui apprendre qu'Eva l'avait quitté, elle avait dit : « Elle a toujours donné l'impression de faire peu de cas de toi. Mais tu apprécies ce genre de personnalités. » Comme il s'étonnait, elle avait précisé : « Ouais. Les filles méchantes. Et les garçons méchants. »

En fait, il ne connaissait personne qui ait passé avec succès le Test Grace, mais ça restait un examen qui méritait d'être réussi.

Si Eva revenait, que penserait sa famille ? Rien de bon, craignait-il. Mais ce qui comptait, c'était ce que lui voulait et pensait, non ? *Si* elle revenait. Il avait du mal à envisager l'alternative. Il manquait d'entraînement en matière de frustration.

En parlant de manquer d'entraînement, il remarqua qu'Anna aurait eu bien besoin de leçons de bowling. Elle était terriblement nulle, riant bêtement aux éclats chaque fois qu'elle effleurait les quilles. Finalement, James décida qu'il ne pouvait pas la regarder jeter vainement une autre boule dans la gouttière.

— Puis-je émettre une critique constructive ? dit-il en la rejoignant d'un bond, poursuivant sur le registre du nouveau petit copain hyperprévenant.

Anna écarta ses cheveux brun-roux de son visage, impassible. Avec sa robe de cocktail, ses collants imprimés et ses chaussures de bowling ridicules, elle était tout à fait adorable.

— Tout d'abord, pourquoi avoir choisi une boule aussi lourde ? On dirait un boulet de canon en ciment. Elle doit peser la moitié de ton poids.

Elle rougit. Anna l'insolente, l'intelligente, rougissait à la mention de son poids. Que les femmes pouvaient être bizarres, parfois.

— C'est que… euh. J'aimais bien sa couleur nacrée.

Sa réponse lui valut un grand sourire de James.

— D'accooooord. Bon, puis-je te suggérer celle-ci ? La couleur n'est pas aussi attrayante, mais elle est bien plus adaptée si tu as l'intention de renverser des quilles avec.

Il lui prit sa boule et la remplaça par une autre, qu'il soutint dans sa paume le temps qu'elle glisse les doigts dans les trois trous sur le dessus.

— Balance-la, dit-il en lui montrant le geste d'un mouvement de bras balayant. Ne quitte pas des yeux l'endroit où tu veux qu'elle aille et évite de la lâcher comme si tu te débarrassais d'un cadavre dans un vide-ordures. Un mouvement fluide…, mima-t-il. Tu me détestes, là, pas vrai ?

— Je pense que tu es pire que Fred West, même si tu possèdes certains de ses tricots…, rétorqua Anna, ce qui fit rire James aux éclats.

Anna balança la boule d'avant en arrière avant de la laisser tomber bruyamment sur la piste depuis une faible hauteur. Elle la regarda dévier d'un côté et renverser trois quilles avant de disparaître dans un claquement.

— C'est mieux…, dit James, une main sur la nuque. Encore un peu approximatif. Puis-je me permettre une hypothèse ? Tu étais nulle en sport à l'école ?

James sourit de nouveau. Elle sourit poliment, mais parut légèrement décontenancée. Il devait reconnaître qu'il la provoquait beaucoup, ce soir-là. Il avait juste envie de la faire rire. Elle avait le sens de la repartie, et il adorait se mesurer à elle. Si elle avait été une collègue, il aurait été content d'aller travailler le matin.

— Ça t'ennuie si je te fais une petite démonstration ? Oh, de toute façon, tu me détestes déjà autant qu'un tueur en série, alors je n'ai pas grand-chose à perdre.

— Ah, tu crois ça ? répliqua Anna. D'accord, vas-y.

— OK, donc, si tu te tiens comme ça…

Il alla se placer derrière elle, et guida son bras tandis qu'elle tenait la boule et la balançait. Elle fit un écart quand elle la lança, si bien qu'ils furent momentanément projetés l'un contre l'autre.

James sentit une décharge. La soudaine proximité de leurs corps provoqua une indéniable étincelle, comme si on avait tourné une clé sur un tableau de bord et que toutes les lumières de ses terminaisons nerveuses s'étaient allumées d'un coup – ding!

Il recula et continua de prodiguer des encouragements en gardant ses distances.

Eh bien, voilà qui est surprenant, étant donné qu'elle ne me plaît vraiment pas, pensa-t-il.

Voyons, loin de lui l'idée de cracher dans la soupe : Anna était jolie. Si ce genre de femme vous branchait, elle était à tomber raide dingue amoureux. Elle devait avoir une horde vorace aux trousses parmi les cerveaux avec lesquels elle travaillait, il en aurait mis sa main au feu. Surtout que, parmi les universitaires qu'il avait vus, beaucoup semblaient tout droit sortis du Jim Henson's Creature Shop.

Mais même s'il décidait de se lancer dans un « projet free-lance », Anna n'était clairement pas la femme indiquée pour une liaison pendant une rupture entre époux. Elle était trop importante et trop sérieuse pour ça. S'il le faisait, il choisirait… une Lexie, peut-être. Pas une Anna. Anna, il voulait la garder comme amie. Personne ne l'avait intrigué comme elle depuis des lustres.

En fait, il fallait qu'il trouve une façon de lui dire : « J'aimerais que nous continuions de nous voir en tant qu'amis » sans avoir l'air de vouloir autre chose, car il savait qu'elle n'était pas le moins du monde attirée par lui non plus. Argh. Comment faire comprendre qu'il ne sera pas question de sexe sans suggérer qu'il en était question au départ?

Après leur défaite au bowling, il perdit Anna dans la mêlée. Une demi-heure plus tard, quand elle reparut, ce fut pour lui annoncer qu'elle partait.

— Lexie est dans un sale état. Elle a trop bu. Je vais la mettre dans un taxi, annonça la jeune femme.

— Oh.

James eut soudain le moral à zéro. Anna était le seul point positif de cette soirée et il avait espéré la convaincre de la finir dans un bar, où il avait prévu de la divertir en lui racontant toutes les rumeurs scandaleuses qui couraient chez Parlez. Si elle partait, il n'avait plus rien à faire là.

— Lexie a-t-elle vraiment besoin qu'on l'accompagne ?

— Je ne sais pas, mais je vais le faire, rétorqua Anna.

James se demanda si son imagination lui jouait des tours ou si ses manières étaient devenues cassantes.

— Je vous rejoins dehors, dit James alors qu'elle avait déjà tourné les talons. Je vais chercher mon manteau.

Un autre avantage d'avoir une fausse petite copine : les autres se contentèrent de hocher la tête et de cligner de l'œil quand il leur expliqua qu'il s'esquivait tôt.

— Tout va bien ? demanda James, une fois dans la rue.

Anna aidait une Lexie sérieusement imbibée à s'asseoir sur un banc pendant qu'ils attendaient un taxi. Quand elle se retourna pour lui faire face, il comprit à son expression que c'était loin d'être le cas.

— Laurence m'a appelée pour m'inviter à prendre un verre avec lui, dit-elle.

James sentit une bouffée d'irritation l'envahir.

Tu ne pourrais pas t'abstenir de harceler les femmes qui font semblant de sortir avec moi ?

— Il m'a dit que vous lui aviez donné mon numéro ?

Bon sang, qu'est-ce qui lui avait pris ? Il s'était montré paresseux : Loz l'avait tanné et il avait cédé trop facilement.

— Il m'a également appris que vous ne m'aviez invitée au théâtre que pour lui faire une faveur. Et que vous aviez décrit ma sœur comme « une avancée capitale de la science dans le domaine des transplantations de cerveau ».

James demeura bouche bée, les boyaux tordus par l'embarras.

—Merci, Laurence. Ces deux informations ont été sorties de leur contexte.

—Donc vous n'émettez pas de jugement offensant sur des femmes que vous connaissez à peine ? dit Anna, hautaine, telle Théodora s'apprêtant à donner l'ordre de l'exécuter sans la moindre hésitation.

Elle tira sur ses cheveux que le vent avait emmêlés autour de son visage.

—En général, non… Enfin j'espère.

—Alors j'ai dû mal entendre à la réunion d'anciens élèves. J'aurais juré voir les mots « pas si canon que ça et pas mon genre » franchir vos lèvres.

James avala sa salive avec difficulté. Oh, oh. Ce commentaire à Laurence… elle l'avait entendu. Aïe…

—Je ne voulais pas dire… Écoutez, Loz remue la merde dans le but de se glisser dans votre culotte.

—Tandis que vous, vous êtes un modèle d'intégrité masculine qui passe la soirée avec une femme à qui vous avez demandé de jouer les amoureuses transies ?

—Je n'ai jamais dit que j'étais parfait. Juste un peu moins mauvais que lui, se défendit James, lamentablement. Allez-vous accepter l'invitation de Laurence ?

Anna haussa les épaules.

—Ce ne serait pas pire que de sortir avec vous ce soir.

Elle avait gardé le bras tendu et un taxi noir à la lumière jaune vint enfin se ranger le long du trottoir.

—Si vous pensez que Laurence vaut mieux que moi, vous êtes de l'autre côté du miroir. Croyez-moi, Anna, il va vous faire du mal. Ne faites pas ça.

—Votre opinion sur mes fréquentations masculines ne m'intéresse pas.

— Je comprends parfaitement, mais je vous dis ça en tant qu'ami. Laurence n'est vraiment pas l'homme avec lequel vous voulez avoir une relation amoureuse.

— Un ami…, renifla Anna.

— Je pensais l'être.

— Pendant un moment d'égarement, moi aussi. Mais je crois qu'il vaut mieux que nous en restions là. Bonsoir. Ou plutôt adieu.

Après avoir installé Lexie sur la banquette, manipulant ses membres mous comme ceux d'une marionnette, Anna la suivit à l'intérieur du taxi et claqua la portière. Elle ne se retourna pas quand la voiture s'éloigna.

Chapitre 43

A nna s'agitait dans son appartement comme un scarabée, se demandant si elle pouvait s'inventer un déjeuner avec un demi-bocal de piments jalapeños rouges, un paquet de pain de mie rassis et un morceau de cheddar tacheté de bleu-vert, ou si elle devrait se résoudre à sortir faire des courses, quand elle vit sur l'écran de son ordinateur portable ouvert qu'elle avait reçu un mail de James Fraser.

Un samedi ? Elle ne savait pas à quoi s'attendre quand elle ouvrit le mail, mais elle se prépara à être énervée par sa lecture. S'il lui présentait ses excuses, c'était probablement pour tenter de la dissuader de raconter à un de ses collègues qu'elle n'était pas vraiment sa petite amie.

Pourtant, en l'ouvrant, Anna fut surprise par la longueur du message. James Fraser ne lui semblait pas le genre d'homme à avoir besoin – ou même à vouloir – de femmes qui lui faisaient des histoires. À part la sienne.

Serrant une tasse de thé entre ses mains, elle lut.

Chère Anna,

Je suis désolé si ce courrier vous importune. Vous pouvez toujours me marquer comme un spam, ou m'envoyer le gif d'une paire de fesses sautillantes en guise de réponse. Je tenais à m'expliquer.
Vous me détesterez peut-être toujours après la lecture de ce mail, mais au moins j'aurai la consolation – bien

278

maigre – de savoir que vous me détestez pour la vérité, et non à cause de la propagande de Laurence. Je dois vous demander de bien vouloir me faire confiance et de croire en ma sincérité. Je sais, c'est assez énorme vu les circonstances. Je n'arrête pas de penser à l'opinion que vous avez dû avoir de moi après votre conversation téléphonique avec Laurence et… ce n'est pas joli. Ma version des faits ne redore pas particulièrement mon image. Et si j'interprète correctement vos dernières paroles avant votre départ hier soir, il y a de fortes chances pour que je ne vous revoie plus. Alors à quoi bon mentir ?

C'est vrai que je vous ai en partie invitée au théâtre parce que Laurence m'avait demandé de l'aider à vous revoir. Comme vous l'aurez compris, vous lui avez tapé dans l'œil à la réunion d'anciens élèves. Vous proposer cette sortie faisait plaisir à Laurence et me convenait, car j'apprécie beaucoup votre compagnie. Si, comme il le prétend, je ne l'avais fait que pour lui, pourquoi me serais-je joint à vous ? Je vous garantis que mon intérêt pour la vie sexuelle de Laurence et le théâtre contemporain provocateur ne va pas si loin.

Aussi, il est vrai que j'ai dit que je trouvais votre sœur pénible. Je suis désolé, ce n'est jamais agréable d'entendre critiquer quelqu'un qu'on aime. Je n'éprouve aucune antipathie pour elle, mais elle est tellement différente de vous, je suppose que j'ai été surpris. J'ai vraiment apprécié votre amie Michelle. Au risque de paraître arrogant, je ne crois pas avoir fait quoi que ce soit de mal en émettant une remarque désinvolte. J'ai le droit d'avoir des opinions peu flatteuses sur les gens, même s'ils sont liés à des amis. Loz a répété mes paroles uniquement pour que j'aie l'air d'un salaud, au risque de vous blesser, ce qui, à mon sens, en dit plus long sur lui que sur moi.

Quant à mon commentaire vous concernant à la réunion d'anciens élèves, il n'avait pour but que de décourager Laurence de vous faire des avances. J'ai cru que vous accompagniez quelqu'un et je ne voulais pas que Laurence provoque un esclandre. C'était de la dissuasion vide de sens pour l'arrêter – un discours machiste, rien de considéré. Je ne sais pas comment me rattraper sans aller trop loin dans l'autre sens et paraître un peu dégoûtant. Je veux dire, il est vrai que, de façon générale, vous n'êtes pas mon « genre », mais je suis sûr que cela ne vous dérange pas le moins du monde et que ce sentiment est mutuel.

Eh bien, j'arrive à la fin de ma tirade et je me rends compte que l'image que je donne de moi est encore pire que prévu. Je pourrais me mettre à genoux et vous dire combien je vous trouve géniale, combien vous avez été merveilleuse avec tout le monde hier. Au lieu de ça, je crois que je vais sortir l'artillerie lourde. En pièce jointe, une photo de Luther aux toilettes, l'air furieux. Il est tellement poilu que tout son corps n'entre pas dans la litière, et que sa tête dépasse par la porte battante pendant qu'il fait la grosse commission. Amusez-vous bien.

Affectueusement,
James

Anna cliqua sur la pièce jointe et éclata de rire malgré elle en découvrant un Luther mécontent et désincarné, scrutant l'objectif avec ses yeux couleur marmelade, l'air aussi dégoûté que s'il était en train de lécher de la pisse sur des orties.

Elle lut et relut le mail. Elle avait du mal à savoir ce qu'elle pensait de cet homme. D'un côté, il avait pris le temps de rédiger ses confessions, charmantes dans l'ensemble. Elle le respectait pour ça. De l'autre, elle trouvait son arrogance naturelle fort déplaisante. C'était tellement inné chez lui que, quand elle affleurait, il ne s'en rendait même pas compte. Franchement, qu'est-ce que ça pouvait lui faire qu'il apprécie Michelle ? Elle n'avait pas besoin de son approbation quant à ses amis et sa famille. Quel ego…

Et le passage où il revenait sur le fait qu'elle n'était pas son genre ? Incroyable !

Merci pour l'info, prière de me communiquer ma note finale quand vous l'aurez.

Il avait manifestement interprété que ne pas avoir été jugée assez séduisante l'avait blessée dans son amour-propre, au lieu de voir son aversion générale pour les hommes qui émettent ce genre de jugement sur les femmes.

Cependant, elle reconnaissait que les gens disent bien des choses sans réfléchir sur lesquelles ils souhaitent parfois revenir ensuite, elle comprise.

Anna décortiqua le mail, jusqu'à ce que, enfin, elle se décide à lui répondre.

Cher James,

Même si je suis prête à accepter que tout ce que vous dites est vrai, il y a quelque chose que je ne comprends pas : si Laurence est un tel salaud et qu'il vous traite de cette manière, comment se fait-il qu'il soit toujours votre meilleur ami ? Est-ce quelqu'un que vous connaissez depuis l'école ? J'imagine qu'il a été votre témoin à votre mariage, etc. ?

Anna

Elle reçut une réponse dans les cinq minutes, et son ego se rengorgea légèrement à l'idée que James ait pu actualiser la page de sa boîte de réception.

Bonne question. À laquelle je n'ai malheureusement pas de bonne réponse. J'ai quelques séances d'introspection en souffrance. Laurence est très drôle, mais il est capable de se retourner et de vous baiser, comme il aimerait tant vous le faire découvrir.
Mais je pourrais me défendre en disant que le fait de le connaître depuis si longtemps me rend moins coupable de l'avoir choisi comme ami, vu qu'à l'époque du lycée notre cerveau n'est qu'à moitié développé. Le temps de comprendre à qui on a affaire, on est coincé avec ses amis. Je dis que je *pourrais* me défendre, car, ne voyant pas votre expression, j'ignore à quel point vous êtes fâchée et si j'ai une chance de m'en tirer…
Et Loz n'a pas été mon témoin. Ma sœur Grace m'a fait cet honneur.

J.

Anna riposta immédiatement, consciente que cela revenait à lui pardonner. Peut-être que c'était de le voir se distancier par rapport à des choix qu'il avait faits au lycée qui l'y poussa.

Votre sœur ? Vraiment ?
Affectueusement,

A.

Oh, non ! « Affectueusement » !?
Anna Alessi, tu es apparemment une proie facile. Il suffit à un homme de rédiger un joli mail…, songea-t-elle.
La réponse de James ne se fit pas attendre.

Ouaip. J'ai des images qui le prouvent. Elle est photographe de guerre, actuellement au Mali. Ce n'est pas très bon pour les nerfs de ma mère. Grace a reçu le cerveau, le cran et le talent dans ma famille, c'est assez injuste. Elle a vingt-six ans, ne se laisse marcher sur les pieds par personne et risque de recevoir une balle perdue ou de marcher sur une mine, pendant que je réfléchis à la meilleure manière de commercialiser des yaourts probiotiques à boire.

En fait, et, promis, je ne dis pas ça pour m'extirper des eaux sombres du lac Pipicaca, elle me fait un peu penser à vous. Surtout dans son empressement à me signifier quand je me comporte comme un connard. Ce serait chouette que je puisse vous présenter un jour, même si ma dignité en prendrait un sacré coup. Elle vous apprécierait beaucoup.

Je vous embrasse,

J.

Tout James Fraser en quelques lignes, songea Anna. Un message chaleureux – il voulait la présenter à un être cher –, et l'espoir tacite que, bien qu'il l'ait insultée, il y aurait d'autres occasions de se revoir.

OK. J'accepte vos excuses. Au fait, Laurence m'emmène faire du patin à glace. Je ne m'attendais pas vraiment à ça de lui.

A.

Cette fois, Anna attendit sa réponse une demi-heure. Elle se demanda si l'idée qu'elle voie Laurence lui déplaisait. Elle imaginait pourquoi : jusqu'à présent, les révélations de Laurence au sujet de James n'avaient pas joué en sa faveur.

Et pourquoi avait-elle accepté? Après tout, Laurence avait l'air assez nuisible. Son approche avait été directe et plutôt désarmante. Le téléphone d'Anna avait sonné alors qu'elle sortait des toilettes à l'All Star Lanes, et quand elle avait répondu en mentionnant où elle se trouvait, Laurence avait demandé d'un ton brusque : «C'est un vrai rendez-vous galant?»

Puis, après qu'elle lui eut expliqué que non, il avait dit : «OK, bon, je n'ai jamais fait ça de ma vie, mais voilà : c'est la première fois que je rencontre quelqu'un avec qui je sens aussi immédiatement une étincelle et que j'ai envie de mieux connaître, et même si j'imagine que rien de ce que vous avez vu ou entendu à mon sujet ne vous donne envie de sortir avec moi, je veux vous voir. Donc, plutôt que de ruser, j'ai décidé d'être parfaitement honnête et de vous supplier tout simplement de m'accorder une soirée en votre compagnie. Aucune obligation, aucune pression. Si vous refusez, je vous promets de ne plus jamais vous le proposer.»

Bizarrement, il avait été difficile de décliner cette proposition. Et ensuite, alors qu'elle pesait le pour et le contre, boum, Laurence avait balancé : «James m'a donné un coup de main parce qu'il sait que je suis fou de vous, donc je ne suis pas sûr de ce que ce soir signifie. Mais il peut se montrer hypocrite, parfois…» Curieuse, Anna avait demandé à Laurence ce qu'il avait voulu dire. D'où les révélations déplaisantes.

Anna avait écouté son laïus en observant Lexie, qui, affalée, lorgnait James sans la moindre retenue, attitude typique des gens vraiment bourrés. Lexie avait longuement expliqué à Anna combien James était incroyablement gentil et intègre au travail. Vu que Lexie en pinçait complètement pour lui, Anna avait accueilli avec quelques réserves sa tirade dithyrambique sur la grandeur de James. Car manifestement son intégrité n'allait pas de pair avec l'honnêteté au sujet de sa situation amoureuse.

Il y avait eu un moment étrange, dont elle ne parlerait à personne, quand James l'avait aidée à lancer sa boule. Il s'était retrouvé pressé contre elle, et pendant un instant elle avait trouvé ça… elle avait trouvé ça parfaitement naturel. En fait, elle n'arrêtait pas de se rejouer la scène et de se remémorer la sensation de son corps contre le sien, imaginant qu'il la serrait contre lui. Mon Dieu, elle souffrait beaucoup plus de la solitude qu'elle ne voulait bien l'admettre. Elle allait devenir comme ces femmes en prison, qui se masculinisent, se font tatouer des panthères sur les bras et commencent à se frotter désespérément à leurs codétenues.

Laurence et James. Au Mock Rock, lequel des deux remportait la palme de la méchanceté ? James. C'était lui qui l'avait attirée sur scène.

Michelle – et même James – ne lui avait-elle pas assuré qu'elle avait perdu son temps en ne rencontrant sur Internet que des M. Valeur Sûre-Ennuyeux ?

Anna avait donc répondu : « OK, Laurence. Pourquoi pas ? »

Vous avez donc accepté un rencard avec Loz ? Eh ben. J'ai hâte de savoir comment ça s'est passé. À moins que vous ne vous retrouviez à témoigner au tribunal, par vidéo interposée, en utilisant ces poupées dont se servent les victimes d'abus sexuels. (Désolé. Mais ne buvez rien qui ait un goût bizarrement crayeux.)

J.

CHAPITRE 44

En ce lundi matin, James commençait doucement sa journée, alternant les petits sommes sur sa chaise et la rédaction d'un mail à sa sœur, quand il se rendit compte que quelqu'un se tenait juste derrière lui. Il sursauta, surpris et vaguement coupable.

Ce n'était que Lexie, ouf. Elle avait fini en piteux état le vendredi, et la pauvre fille avait encore des petits yeux et une mine de papier mâché. Bien sûr il était possible qu'elle soit aussi sortie pendant le week-end – elle n'était pas la version féminine du vieux con qu'incarnait James ces derniers temps. Sans savoir pourquoi, il l'imaginait plutôt rester chez elle, à boire du rosé et manger des truffes au chocolat chaussée de pantoufles grises en forme de pattes de monstre.

— Pourras-tu remercier Anna de ma part de m'avoir raccompagnée chez moi ? dit-elle. Je suis tellement gênée…

— Bien sûr, pas de souci. Ça nous est tous arrivé de prendre une cuite quand c'est le patron qui paie les coups, ne t'inquiète pas.

— Est-ce que j'ai fichu en l'air ta soirée ?

— *Ma* soirée ?

— Oui… ?

Oooh. Anna l'avait raccompagnée seule chez elle. Il avait espéré que Lexie aurait oublié ce détail, mais ce n'était manifestement pas le cas. Oups.

— Non, pas du tout, je t'assure, s'empressa-t-il de répondre. Tu n'étais pas trop raplapla samedi matin ?

286

— J'ai été affreusement malade. La tête retournée façon *L'Exorciste*, expliqua Lexie. J'avais vomi avant de quitter le bowling. Anna s'est montrée tellement gentille. Je voulais rester, nous étions aux toilettes et quand elle m'a entendue, elle a dit : « Je sais que tu n'as pas envie de partir, mais si tu rentres chez toi maintenant, je te promets que tu ne le regretteras pas. Si tu restes, tu vas avoir des trous de mémoire, tu ne te rappelleras plus ce que tu as fait ou dit, et c'est pire que tout. » Un truc tellement *girl power*, tu vois, le genre de chose que seule ta meilleure pote te dirait.

Ouais, Lexie avait clairement un lit à baldaquin blanc drapé de tentures Liberty achetées sur Etsy, des fleurs dans des arrosoirs à l'ancienne et l'intégrale de *True Blood*.

— Ah, c'est sympa. Ouais, Anna est très prévenante, non ? Je le lui transmettrai, Lex.

Chic Charles, qui manifestement n'avait pas perdu une miette de leur conversation, fit pivoter son fauteuil.

— Si je peux me permettre, je trouve que c'est une perle. Je n'ai pas vraiment eu l'occasion de connaître ton ex-femme, mais Anna est très… accessible. Une jeune femme charmante. Elle m'a parlé de son travail, ce doit être une tête.

— Oui, approuva Lexie en hochant la tête d'un air sinistre. Anna est absolument adorable.

— Je ne jamais compris comment toi *und* Eva étaient ensemple, intervint Christabel, une Allemande en charge de la comptabilité qui discutait à l'occasion de sa vie sexuelle d'une façon tellement explicite et détachée que James terminait en nage. Elle faissait un peu reine des glaces. Et toi tu semplais plus sérieux quand tu étais avec elle, pas le James si trôle que nous connaissons.

James trouva étrange qu'ils considèrent tous que le « vrai » James était celui du boulot, pas celui qui accompagnait sa femme.

—Tu es passé à la version 2.0, intervint Parker. Tu as aplani les défauts. Meilleure utilisabilité.

Sans jamais chercher à être con, Parker y parvenait souvent.

James grimaça. Voilà qui était bizarre. Il avait toujours pensé que, Eva présentant bien, tout le monde avait été impressionné par elle. Il n'aurait jamais cru qu'ils valoriseraient autant la gentillesse. Il se sentit légèrement honteux, voire humble. Il avait jugé ses collègues insignifiants, et voilà qu'ils lui mettaient sous le nez la preuve de sa propre futilité. Il avait des zones de superficialité cachées.

—Oui, pour ce qui est de la dernière, bon débarras! opina Harris, saisissant avec empressement l'occasion de critiquer, comme si «la dernière» était une façon respectueuse de parler de l'être humain vis-à-vis duquel vous aviez récemment jugé digne de vous engager pour la vie.

Il détesterait être en deuil et côtoyer Harris. «Pense que tu n'as pas perdu un proche, mais une carte de vœux à écrire chaque année!»

S'ensuivit un chœur de marmonnements approbateurs: de l'avis de tous, l'affinité qui avait existé entre Eva et lui était largement inférieure à celle qu'il avait feinte avec Anna. James en ressentit un certain malaise.

Il avait tellement bien menti qu'ils se permettaient de lui dire ce qu'ils pensaient vraiment de la femme dont il était encore amoureux. S'ils se remettaient ensemble, l'annonce de leurs retrouvailles serait terriblement embarrassante pour tout le monde.

James se tourna vers son écran, considérant d'un regard vide le mail enjoué qu'il était en train d'écrire à Grace, et cliqua sur «Sauvegarder le brouillon». Sa gaieté s'était volatilisée. Que disait le proverbe? Bien mal acquis ne profite jamais.

À moins que? Il venait de recevoir un mail de Laurence. N'ayant pas la force testiculaire de l'affronter face à face ou sur FaceTime, il lui avait envoyé un message où il n'avait pas mâché ses mots pour lui signifier qu'il avait été un vrai connard de dire ce qu'il avait dit à Anna.

Cet épisode l'avait effectivement quelque peu alarmé. Il savait que, quand il était en chasse, Laurence était un salaud impitoyable, mais c'était la première fois qu'il écrasait James sur son passage.

Peut-être parce que tu ne t'étais encore jamais trouvé sur son chemin, lui chuchota une petite voix.

James se rappela les fois où il avait ri avec Laurence du dernier message hystérique laissé sur son répondeur par une femme dédaignée, ou celles où il avait couvert Laurence après avoir planté une conquête dans un bar en filant par la sortie de secours.

En amour comme à la guerre et au bowling, tous les coups sont permis, Jimmy! Sérieusement, désolé, je ne pensais pas que tu en avais quoi que ce soit à foutre d'elle, sinon j'aurais modéré mes propos. Elle a commencé à poser des questions sur toi et j'ai parlé sans réfléchir, vraiment désolé. Venge-toi en divulguant mes expériences du glory hole sur LinkedIn, par exemple.

J'ai quand même fini par décrocher un rencard. Je suis en train de dépoussiérer mon costard Ciro Citterio tout en m'aspergeant de « Consentement Implicite » de Sean John…

Loz

CHAPITRE 45

B ien que parfaitement inutile dans tous les sports et presque toutes les activités physiques, mis à part peut-être « flâner », Anna n'était pas trop mauvaise en patin à glace. Son père l'emmenait enfant à la patinoire du coin pour couper court aux séances de shopping avec sa femme et sa cadette. Il lisait alors un livre et adressait obligeamment un signe de la main à Anna chaque fois qu'elle terminait un tour.

Le truc, c'était de se persuader qu'on pouvait le faire, glissant en avant en poussant sur ses pieds dans de gracieux mouvements en piqué. L'avantage était que, quand on était amateur, pas besoin d'être spécialement souple, il fallait juste de l'équilibre.

Anna et Laurence étaient allés chercher leurs bottines dans le bâtiment adjacent à Somerset House. Après les avoir lacées, tirant sur les lacets à s'en couper la circulation dans les pieds, ils titubèrent jusqu'à la piste comme des poulains nouveau-nés. La jeune femme s'attendait à moitié à voir Laurence se lancer dans des figures compliquées avant de piler dans un crissement en projetant une giclée de neige derrière ses talons.

Au lieu de ça, Laurence semblait sincèrement terrifié, et la hauteur de son centre de gravité le rendait particulièrement gauche. Il passa beaucoup de temps agrippé à la balustrade, la mine sinistre. Anna n'arrivait pas à définir s'il avait misé sur la sympathie qu'éveillerait son incompétence ou s'il s'était simplement trompé dans son plan – à son avantage. Il n'avait jamais autant manqué d'assurance, et Anna ne l'avait jamais autant apprécié. Après qu'il lui eut fait signe de continuer, elle fit quelques tours de piste toute seule.

—Vous auriez pu me prévenir que vous étiez douée, dit Laurence la troisième fois qu'elle passa devant lui alors qu'il progressait péniblement derrière une flottille d'écolières munies de leurs sacs à dos Hello Kitty.

—Ah, ah, je ne suis pas douée! Je n'en avais pas fait depuis des années. Il faut juste avoir confiance en vous, c'est tout.

—Vous faites partie de ces gens capables de marcher sur l'eau, qui assurent en tout sans faire le moindre effort, c'est ça? Ou plutôt capables de filer sur de l'eau gelée…

—Je vous assure que non, vraiment pas.

Anna remonta sur son menton son écharpe en grosse laine noire faite maison (la seule production de l'Atelier Judy Alessi qu'elle portait encore). Intérieurement, le compliment, quoique immérité, la fit se tortiller de plaisir comme une petite fille. Attendez. Elle s'amusait pendant un rencard? Incroyable. Avec Laurence? Encore plus incroyable. Un homme que James décrivait comme le diable habillé en Hugo Boss. Une relation, même une passade, était-elle ne serait-ce que vaguement envisageable?

Physiquement, le style paon n'était vraiment pas sa tasse de thé, mais Anna pouvait imaginer qu'il devait plaire énormément à celles que ce genre d'hommes attirait.

Quand il ne faisait pas du patin à glace, il avait ce pouvoir de séduction inné de l'homme peu recommandable bien dans sa peau, le genre d'assurance dont on espérait s'imprégner en se frottant à lui. Et son visage expressif, asymétrique était, à sa manière, plus irrésistible que celui d'un apollon. Comme Anna avait déjà eu l'occasion de le constater, on aimait plus longtemps les choses qu'on mettait du temps à aimer.

—Vous voulez vous tenir à moi? demanda-t-elle, curieuse de voir comment Laurence le macho prendrait sa proposition.

—Je ne vais pas vous faire tomber ?

—J'en prends le risque.

Laurence accepta précautionneusement son bras et lâcha la rambarde. Au lieu de patiner, il essayait de marcher avec des patins à glace. Son poids tirait sur l'épaule de la jeune femme.

—Poussez vers l'avant, expliqua-t-elle en lui faisant la démonstration avec ses pieds. Persuadez-vous que vous ne perdrez pas l'équilibre, et vous y arriverez.

Laurence esquissa un mouvement légèrement plus fluide.

—Vous voyez ! s'exclama Anna en le guidant vers le centre de la patinoire, hors de la trajectoire d'une bande d'étudiants.

S'éloigner de sa zone de sécurité près de la rambarde eut un mauvais effet psychologique et le poids de Laurence sur son bras s'accentua.

—Tout ira bien, souffla-t-elle d'une voix apaisante. Patinez…

—*Patinez !* Comme s'il suffisait de le dire…, s'exclama Laurence en feignant l'irritation.

—Désolée, vous avez raison, dit Anna en riant. « Vas-y, skie » ne me serait probablement d'aucun secours.

Quelques minutes passèrent, durant lesquelles elle pensa qu'il commençait à avoir pris le coup, quand elle sentit une brusque secousse dans le bras.

—Attendez, ah-ah-ah… Aaaaaah.

Sans prévenir, Laurence vacilla vers l'arrière, puis vers l'avant, puis enchaîna quelques petits pas rapides sur place, avant de s'écrouler, entraînant Anna dans sa chute.

Celle-ci atterrit sur le dos, tandis que Laurence s'étalait en un magnifique soleil, effrayant une poignée de vieux touristes japonais au bord de la piste, qui se mirent à prendre des photos dès qu'ils furent remis de leurs émotions.

Anna se traîna péniblement jusqu'à Laurence.

—Oh, non ! Ça va ? Laurence ! Vous êtes-vous cogné la tête ?

Toujours allongé, il leva les yeux vers elle.

—Suis-je mort? Suis-je au paradis?

Remise de sa panique, mais toujours sous le coup d'une puissante montée d'adrénaline, Anna se surprit à rire, le corps secoué de spasmes. Elle aurait dû savoir qu'il en faudrait plus pour ébranler l'impassibilité légendaire de Laurence.

—Si j'en crois les rumeurs, vous n'irez pas au paradis, s'étrangla-t-elle.

—Vous êtes sûre? Vous ressemblez à un ange.

—Ça vous arrive de laisser tomber le baratin deux minutes?

Laurence se hissa sur ses pieds en grimaçant.

—Je crois que c'est assez pour une séance d'initiation, dit Anna en lui tenant le bras, soulagée que personne ne lui ait patiné sur les doigts.

—Dieu soit loué.

—Pourquoi avoir choisi le patin à glace si vous n'aimez pas ça?

—J'ai pensé que ce serait mémorable, expliqua Laurence. Honnêtement, si vous voulez mon avis, accrocher des lames de couteaux à ses pieds avant de se lancer sur une surface glissante est une pure folie.

L'un boitant, l'autre marchant bruyamment, ils regagnèrent le bord de la piste pour remettre leurs chaussures.

À la tombée de la nuit, la patinoire devenait un lieu de rendez-vous amoureux de plus en plus pertinent. Face au scintillement de l'arbre de Noël colossal, à l'éclat bleu-vert de la glace et à l'éclairage savant du bâtiment majestueux, Anna se sentit transportée dans une comédie romantique, que complétait l'incident de leur chute grotesque. Une fois installés dans une des cabines surplombant la piste, d'où l'on pouvait regarder les patineurs, la combinaison de l'air froid et du cidre chaud eut sur elle un effet attendrissant. Les conditions étaient propices pour tomber amoureux.

Elle regretta alors de se trouver en compagnie d'un homme qui lui jouait son répertoire d'anecdotes amusantes, maintes fois répétées, pimentées d'allusions désinvoltes à ses réussites professionnelles, passant soigneusement sous silence ses autres conquêtes. Anna finit par se lasser de son numéro et de l'impression d'être son public et non son égale.

— Laurence, dit-elle doucement. Je n'ai pas besoin d'une version de l'homme que vous croyez que je veux rencontrer. Je préférerais passer du temps avec vous. Oubliez un moment que je suis une femme.

— Pas si facile, rétorqua Laurence avec un clin d'œil. Je recommence, pas vrai ? (Et ils rirent en chœur.) Vous avez raison, j'ai tendance à en faire un peu trop quand je suis nerveux.

— Nerveux ? répéta Anna, en haussant un sourcil sceptique.

Il y eut un court silence.

— Je suppose que votre plaisanterie sur le fait que je n'irai pas au paradis découle des renseignements fournis par James Fraser ? demanda Laurence.

— Et de mes propres observations.

— Il n'est pas toujours facile d'avoir James comme meilleur pote.

— Oh, allez, je ne crois pas pouvoir arbitrer beaucoup plus de combats ! dit Anna en levant les yeux au ciel.

— Non, je ne dis pas ça à cause de quelque chose qu'il aurait fait. C'est sa façon d'être. Il attire les femmes comme un aimant. C'était pareil au lycée.

Anna s'agita sur son siège et vida son verre d'un trait.

— C'est mettre son ego à rude épreuve que de se tenir au côté de Superman dans son déguisement de Clark Kent, parfois. Vous êtes invisible, et les gens ne viennent vous parler qu'en désespoir de cause. Peut-être ai-je joué le meilleur copain « plus grand que nature » pour compenser. Vous voyez ce que je veux dire ? On se résigne : « OK, je ne peux pas être ça, donc je me contenterai d'être ça. »

— Oui, acquiesça Anna, je vois.

— La même chose ? proposa Laurence en regardant son verre, et Anna hocha la tête.

Son téléphone vibra pendant que Laurence était au bar, indiquant qu'elle avait reçu un texto.

Alors, comment ça s'est passé ? J.

Ça se passe toujours. C'est sympa, en fait. Je crois que Laurence a plus de choses pour lui que vous ne le croyez… A.

ARGH MERDE NON ! Vous tombez dans le panneau de son numéro de l'homme derrière le mythe, pas vrai ? Anna, c'est une arnaque de débutant. Je vous croyais plus intelligente que ça. Avez-vous l'intention de le revoir ? J.

Si Anna n'avait pas eu la certitude que c'était impossible à tous les égards, elle aurait soupçonné James d'être un peu jaloux.

Peut-être. A.

OK. Allons boire un verre ; je dois vous ramener à la raison. Peu importe que vous soyez d'accord ou pas, il s'agit d'une opération de sauvetage. Il faut qu'on parle… de Laurence. J.

Laurence revint avec leurs boissons et les posa devant eux.

— Alors, avez-vous séduit des tas de femmes avec ces histoires, Laurence ? demanda la jeune femme après avoir bu une gorgée.

Il afficha un grand sourire.

—Pas des tas. Et je n'ai jamais rencontré quelqu'un qui compte, sinon je ne serais pas ici.

—Vous voyez, vous êtes tellement drôle, dit Anna. Si j'étais un homme, vous vous vanteriez d'en avoir eu des centaines. Mais je suis une femme, et vous croyez que ce que je veux entendre, c'est que celles que vous avez rencontrées jusqu'à présent « n'ont pas compté, baby ».

Le sourire de Laurence s'élargit encore et il se frotta un œil.

—Ce n'est pas le cas ?

Anna haussa les épaules.

—Si vous n'avez aucun regret, pourquoi le cacher ? Je suis partisane de l'honnêteté.

—À cause des suppositions que cela entraîne. Que vous êtes superficiel, ou que vous traitez mal les gens.

Anna le soupçonnait des deux. Elle s'interrogea sur le bien-fondé de ses idées préconçues sur le genre d'homme avec lequel elle voudrait sortir ou pas. Elle soutenait à Laurence que son tableau de chasse ne l'influencerait pas, mais ce n'était pas complètement vrai. Était-ce juste ?

—Théoriquement, de manière générale, je suppose que si quelqu'un se sert des gens avant de les jeter, on a tendance à croire qu'il vous jettera assez facilement aussi, corrigea-t-elle prudemment.

—Mmm. Pour moi, quand on a faim, on sort dîner. Si quelque chose a l'air sympa, il l'est probablement. Mes motifs et mon comportement ont toujours été plutôt directs. Mais tôt ou tard on vous colle des étiquettes : tombeur, homme à femmes, ou je ne sais quoi. Moi je pense qu'il ne s'agit que d'humains se comportant comme des humains.

Anna réfléchit.

Peut-être fait-il simplement preuve d'honnêteté et que je suis catégorique dans mes jugements.

Mais n'est-ce pas précisément ainsi que fonctionne un grand séducteur ? En vous déstabilisant à coups de relativisme moral, en ajoutant un peu d'autodérision, d'eau de Cologne épicée et d'alcool chaud ? Et tout à coup vous ne comprenez plus rien à ce qui se passe et vous rendez compte que vous ne portez plus de culotte…

— Je suppose que je ne voudrais pas non plus qu'on me juge sur mes choix, dit-elle.

— À savoir ?

— Cela a principalement consisté à attendre désespérément quelqu'un qui compterait pour moi.

— C'est ce que je fais. Sauf que je suis resté occupé entre-temps.

— Vraiment ? dit Anna.

— Oui.

Laurence soutint son regard tout en buvant une petite gorgée de son cidre. Anna se demanda si, vu son entraînement, il était vraiment bon au lit.

— Eh, regardez ça ! dit-elle, ravie de la distraction, en désignant un couple d'une vingtaine d'années aux cheveux ébouriffés et aux bottines blanches immaculées qui tournoyait autour de la piste.

Ils enchaînaient des figures consistant à regarder derrière eux par-dessus leur épaule et à croiser les pieds tout en zigzaguant en arrière, donnant presque l'impression de flotter. Ils étaient si rapides et si doués qu'ils dansaient entre les autres patineurs.

— Vous me trouviez bonne… Eh bien, eux, oui, ils savent ce qu'ils font.

— Vous êtes bien modeste pour quelqu'un qui a tant de raisons de ne pas l'être.

Laurence avait à peine jeté un coup d'œil aux deux patineurs.

Anna eut l'impression qu'il lisait dans un manuel le chapitre « Comment lui faire sentir qu'elle est la seule femme dans la pièce ».

—Oh, je vous en prie, pas de ça entre nous.

—Vous voyez? Incapable d'accepter un compliment.

—Croyez le bon et vous devrez aussi prendre le mauvais au sérieux.

—Vous n'en êtes que plus précieuse, croyez-moi. Les belles femmes sans prétention et pas trop névrosées ne courent pas les rues.

Mentionnez explicitement sa beauté, mais insistez bien sur le fait qu'elle est beaucoup plus que ça. James avait raison, Laurence devrait écrire sa version de *The Game*.

Anna secoua la tête.

—Il n'est certainement pas nécessaire d'être belle pour être névrosée.

—Ha. Vous êtes mal placée pour le savoir.

Ah bon? Elle comprenait rapidement qu'il était impossible d'avoir une vraie conversation avec lui, car il était bloqué sur ce mode séducteur. Chaque réplique avait été répétée, chaque regard soigneusement pesé.

Ci-gît l'Expérience Laurence. Il n'était pas pour elle.

Il fait partie de ces hommes qui considèrent qu'une femme reste une proie.

Et une fois qu'ils l'avaient capturée, dépecée et… euh… mangée… OK, cette analogie n'était pas très heureuse. Donc, une fois arrivés à leurs fins, ils s'ennuyaient et avaient besoin de repartir en chasse. Il ne voulait pas apprendre à connaître Anna, il voulait la mettre dans son lit. Essayer de rencontrer le vrai Laurence était inutile, et de toute façon elle doutait de l'apprécier si elle y parvenait.

—Alors, que pensez-vous du patin à glace, à côté du bowling? demanda-t-il.

—La comparaison n'est pas équitable, vu que je ne vaux rien au bowling alors que je suis vaguement compétente au patin.

—Je pensais plus comme cadre pour un rendez-vous…

—Quoi ? Le bowling n'en était pas un.

—Je sais, mais… faites-moi plaisir. Classe Mon Rencard Point Com.

—Mais c'est quoi votre problème, à tous les deux ?

Anna revit soudain James et Laurence au Mock Rock, debout dans les coulisses, se délectant, triomphants, de son humiliation complète. Ce combat de coqs était leur nouveau jeu et, une fois encore, elle en faisait les frais.

Et une fois encore elle participait à ce coup monté de son plein gré, naïvement. Alors que la lumière se faisait, elle se sentit légèrement dégoûtée d'elle-même.

—S'agit-il d'une sorte de concours, d'un pari entre vous deux ? Est-ce pour cela que vous m'avez sorti le grand jeu avec votre : « Je vous supplie désespérément de m'accorder un rendez-vous » ?

—Allons, Anna, ce n'est pas ce que je voulais dire au sujet du bowling. Je plaisantais.

—Merci pour les verres. J'espère que vous n'aurez pas trop mal aux fesses demain, dit-elle en se levant. Ou à l'ego.

Malgré les protestations véhémentes de Laurence qui soutenait qu'elle avait mal interprété une remarque sans importance, Anna insista pour partir.

—Laurence, votre princesse vit dans un autre château.

—Qu'est-ce que ça veut dire ?

Anna hésita.

—Je ne sais pas. C'est mon collègue Patrick qui dit ça.

CHAPITRE 46

J ames Fraser n'avait pas immédiatement mis à exécution ses menaces de lui passer un savon au sujet de Laurence. Il avait probablement appris depuis que son ami n'avait pas réussi à conclure et devait considérer son intervention superflue.

Bon débarras fois deux, songea Anna.

Jusqu'à ce que, une semaine plus tard, revenant d'un cours magistral donné à des deuxième année catatoniques, elle trouve un mail de James l'attendant sur son écran. Elle s'efforça de ne pas prêter attention à l'agréable décharge que cette découverte lui procura.

> Alors, Anna. Nous devions nous voir, non ? Courez tant que vous voulez, vous ne m'échapperez pas. J'ai des hommes partout. Ne citez pas cette phrase hors contexte. J.

Elle en avait assez de les caresser dans le sens du poil, ces deux-là. Elle programma donc ses pistolets Phaser sur Sarcasme Massif et fit feu :

> Une autre soirée passée à en écouter un m'expliquer pourquoi il est meilleur que l'autre alors que vous êtes faits sur le même moule ? Merci bien. Je crois que j'ai des toilettes à déboucher. A.

Ça devrait faire l'affaire, songea-t-elle avec une sinistre satisfaction.

James était habitué à ce que les femmes se jettent à ses pieds, n'est-ce pas ? Elle savourerait sa réponse perplexe et sèche. La colère du jeune homme ne pouvait l'affecter, étant donné que lui plaire ne l'intéressait aucunement.

Ooooh ! *Shocking !* Eh bien, je vous plains, Alessi la Grincheuse : devinez qui est en possession d'une copie du docu de Tim McGovern sur Théodora, rapport à une certaine exposition ? Et qui s'apprêtait à proposer d'organiser une projection en avant-première exclusive ? Et d'offrir à boire ? EH OUI. Une chose est sûre, vous n'allez pas tarder à me demander d'excuser vos manières, espèce de monstre.

J.

P.-S. : pour déboucher vos toilettes, je vous recommande le produit de chez Wilkinson, celui dans la bouteille orange, qui en viendra à bout aussi sûrement que Laurence des joueuses d'une équipe de netball.

Anna éclata de rire. Elle joua avec son crayon, relut le mail et gloussa encore. Elle hésitait sur la réponse à lui faire. Avec toute son assurance insouciante, James avait décidé qu'ils étaient amis. Se rendre était facile. C'était bon. Et puis – merde – elle mourait d'envie de voir ce documentaire.

— Je suis un imbécile vieillissant et prétentieux qui a mal évalué la durée de son jogging, désolé, dit James en ouvrant la porte.

Il tira sur son tee-shirt, sur lequel la sueur dessinait un V, pour le décoller de son torse.

Anna marmonna quelque chose de poli sur le fait que ça n'était pas un problème. Elle était déjà contente qu'ils aient un sujet de conversation. Désormais, ils avaient officiellement franchi la limite entre l'obligation et l'amitié hésitante. Le rencard avec Laurence ne se reproduirait pas, ils avançaient à l'aveugle.

— Trouveriez-vous très incorrect de ma part de monter prendre une douche rapide ?

James s'essuya la joue sur la manche de son tee-shirt bleu marine. L'effort fourni faisait rayonner son visage et ses cheveux luisaient de transpiration. Anna imaginait Lexie s'évanouissant devant cette combinaison de *Man of Steel* et de musc masculin.

— Non, pas du tout, dit Anna en faisant glisser son manteau de ses épaules tout en le suivant dans le salon.

Elle laissa tomber son sac près du canapé rose. James apporta un seau à glace en argent qu'il posa sur la table de la salle à manger et servit un verre de vin blanc qu'il lui mit dans la main. Puis il plaça les télécommandes de la télé et du lecteur DVD à côté d'elle.

— Préparez donc mon fan Tim. Mais attendez-moi pour commencer, pas question que je manque un seul bibelot.

Anna se rendit compte qu'elle se sentait de plus en plus à l'aise en compagnie de James. Elle ne lui faisait pas vraiment confiance, mais, vu le mélange de peur et de dégoût avec lesquels elle l'avait accueilli au début, il était indéniable qu'elle s'était quelque peu familiarisée avec son sens de l'humour. Elle n'avait jamais eu de frère, mais peut-être que ça aurait ressemblé à ça.

Elle tripota les télécommandes, sans parvenir à faire apparaître une image à l'écran. Luther entra en se dandinant dans la pièce, observant l'intruse d'un air impassible.

— Bonjour, Luther, dit-elle poliment.

— Bwaaaaap ! cancana le félin.

Il s'approcha d'un coussin bleu sarcelle manifestement coûteux posé sur un repose-pied, puis étira une patte et y planta ses griffes. Il jeta ensuite à Anna un regard maussade par-dessus sa fraise de fourrure, tel un sale mioche qui, laissé aux bons soins d'une baby-sitter, la défie d'émettre une objection.

— Je ne suis pas sûre que ce soit une bonne idée…

— Bwuuuuuurrrp !

Il tira le coussin par terre et entreprit de s'y faire les griffes avec l'enthousiasme d'un enfant arrachant le papier enveloppant un cadeau de Noël.

Anna se leva et essaya de le lui reprendre. Il répondit en y enfonçant plus profondément les griffes. Un bruit de tissu qui se déchire se fit entendre et Anna arrêta de tirer. Ce chat était-il donc déterminé à faire de chacune de ses visites un désastre ? Œuvrait-il sur ordre de sa maîtresse ? Luther cessa de labourer le tissu.

— Merci ! dit Anna.

Le chat positionna son postérieur et fit une grimace horriblement ressemblante à celle de la photo de la litière.

— Oh, non ! James ! cria la jeune femme.

Elle essaya d'extirper le coussin de sous Luther, mais il y avait de nouveau enfoncé ses griffes. Hors de question d'être tenue responsable de la crotte qu'allait laisser cette créature sur quelque chose qui devait coûter une fortune chez Heal's. La dernière fois, elle avait commis l'erreur de ne pas vérifier le protocole. Elle avait appris sa leçon.

Aucun bruit ne provenait de l'étage. Anna gravit quatre à quatre et bruyamment les marches en bois qui sonnaient creux, étant seulement couvertes en leur milieu d'une bande de tapis d'herbe marine.

— James ? James !

À présent qu'elle était montée, il fallait qu'elle continue. En grimpant les dernières marches, elle entendit le bruit de cascade de l'eau qui coule. Au moment où le son atteignait ses oreilles, ses yeux découvrirent une vue surprenante à l'autre extrémité du palier. James. L'intégrale. Ou plus précisément tout ce qu'on pouvait voir de lui de dos.

Il avait la tête couverte de shampoing et, avec les rivières de savon qui ruisselaient le long de son dos, on aurait dit une publicité ultraréaliste pour Coca Light.

Anna ouvrit la bouche pour parler, mais ne put émettre qu'un croassement à la Luther. Message urgent à l'intention de ses pieds étonnamment lents à la détente : James n'allait pas tarder à se retourner. À tout moment, désormais, il pouvait l'apercevoir, et si elle ne détournait pas son regard dans les meilleurs délais, elle risquait de le voir de face et… ce qui devait arriver arriva, oui… Il était en train de se retourner ! Anna eut le temps d'apercevoir un flash de peau rose et de poils noirs en dégringolant les marches.

Qu'est-ce qu'elle fichait ? James était marié. Elle avait été sur le point de lorgner le pénis d'une autre femme.

Elle retourna se percher sur le canapé, attrapa son verre et tâcha de faire fi de la clameur qui résonnait dans son crâne. En buvant une gorgée de vin, elle se rendit compte qu'elle avait la bouche sèche. Il fallait qu'elle se ressaisisse. Il s'agissait d'un stimulus visuel. Cela avait été assez surprenant, rien de plus. Elle attendit que son rythme cardiaque, ainsi qu'un sentiment qu'il lui faudrait appeler désir s'apaisent.

Pense à Boris Johnson en mankini fluo, les poils de son torse rasé pour former un B géant.

Ça marchait. Elle se sentait plus calme. Tout allait rentrer dans l'ordre.

—Cwaaarpp !

Luther poussa un cri strident tout en roulant au bas du coussin miraculeusement immaculé et grimpa sur ses genoux. Il s'accommoda maladroitement, tel un vieillard arthritique, et s'installa, se mettant à ronfler bruyamment.

Anna tendit la main et caressa précautionneusement sa fourrure.

— Phweeeee, émit Luther en guise de drôle de bruit de satisfaction.

Quelle maison bizarre. Un palais doré pour une magnifique reine blonde qui avait abdiqué son trône ; un homme à l'érotisme troublant qui prenait des douches dangereuses ; et un chat, véritable coussin péteur ambulant, qui lui rappelait les Tribbles dans *Star Trek*.

James reparut, son cul provocateur de désastre désormais dissimulé par un jean et sa moitié supérieure vêtue d'un tee-shirt propre. Il frottait ses cheveux trempés avec une serviette blanche.

— Devinez quoi. J'ai trouvé le moyen de ne pas fermer la porte correctement, et elle s'est ouverte. Je me suis senti comme un vieux cochon exhibitionniste en imper.

Aaaaargh, non, non, non ! Pourquoi fallait-il qu'il fasse allusion à ça ? Anna n'avait pas envisagé cette possibilité. Elle se sentit rougir instantanément, la peau comme du métal en fusion, en se remémorant la menace perverse de ses fesses musclées. Ah, quel fesse-tacle…

CHAPITRE 47

James plaisantait, mais, à l'expression alarmée d'Anna, à son changement de couleur et à la façon dont elle goba l'air au lieu de parler, il fut évident qu'il l'avait prise de court.

Il savait qu'elle était une femme digne et pudique, mais il ne la croyait pas prude au point que la seule mention d'une porte de salle de bains ouverte suffise à provoquer cette réaction.

L'avait-elle aperçu? Il éprouva un soupçon d'embarras et de honte, mais aussi d'autre chose. Elle s'était bien gardée d'y faire allusion et de se moquer de lui… Se pouvait-il qu'elle n'ait pas complètement détesté l'expérience? Alors là, il était vraiment un gros vicelard si l'idée qu'elle ait apprécié la vue lui plaisait.

—Je vois que Luther commence à prendre ses aises avec vous, dit-il histoire de combler le silence gêné.

—On dirait, dit Anna d'une drôle de voix.

Houlà, il leur fallait un sujet de conversation, et vite. James saisit le second verre qu'il avait sorti et se servit une grande rasade de vin.

—Vous avez donc survécu à votre sortie avec Loz?

—Comme si vous ne lui aviez pas demandé comment ça s'était passé…

—Tout ce qu'il m'a dit, c'est qu'il n'avait pas réussi à vous convaincre de sa sincérité. Ce qui n'est guère surprenant, étant donné qu'il n'était pas sincère et que vous êtes intelligente.

James s'assit dans le fauteuil. Il n'était pas question qu'il partage le canapé avec elle après l'épisode de la bite à l'air. Bon sang, il espérait avoir contracté ses abdominaux. Il n'avait plus vingt-deux ans. Et même s'il savait n'avoir aucun souci à se faire de ce côté-là, il espérait qu'Anna n'avait pas un ex doté d'un concombre de mer.

— Il n'était pas sincère ? répéta Anna avec un sourire.

— Il souhaite sincèrement coucher avec vous, tout comme il a sincèrement souhaité coucher avec un tas de femmes.

— Le fait qu'il ait couché avec un tas de femmes aurait-il été un problème s'il avait mis fin à ses activités si nous étions sortis ensemble ?

James écarta une mèche de cheveux mouillés de ses yeux et lui adressa un sourire narquois.

— Oh, là, là. Vous pensez que vous serez celle qui lui donnera enfin l'envie de se poser ?

— Non ! dit Anna avec tant de véhémence qu'elle renversa un peu de son vin sur Luther, lequel ne parut pas s'en rendre compte. Laurence ne m'intéresse absolument pas. Par contre, savoir pourquoi vous pensez que votre meilleur copain est à éviter à tout prix sous prétexte qu'il a fait du chemin, si. On n'est pas en 1951.

— Le nombre de conquêtes n'est pas le problème, bien sûr. Vous n'êtes pas en train d'acheter une voiture.

— Oui. Je veux dire…, commença Anna. Après tout, coucher avec un tas de gens n'a rien de moralement répréhensible ?

James crut percevoir de la nervosité dans ses paroles.

— Non. En théorie. Mais les baiseurs professionnels comme Loz sont généralement des menteurs sournois. Les mâles, en tout cas. En pratique, coucher à tout-va est quasiment impossible sans faire l'impasse sur les sentiments des autres et sans les manipuler pour arriver à ses fins. La première victime de la guerre, c'est la vérité, etc.

— Pourtant, Laurence m'a semblé assez direct sur le sujet…

— Ouais, bien sûr, jusqu'à un certain point. (James but une gorgée de vin.) C'est du mensonge masculin avancé pour menteur expérimenté. Il sert son laïus « j'ai pleinement vécu ma virilité », en évitant les détails sordides pour ne pas vous rebuter. Et vous, vous pensez : « Oh, il me confie quelque chose qu'il n'a jamais dit à personne, je dois être unique à ses yeux. » Il vous lance un regard « peut-être que cette fois ce sera différent », vous convainquant que son intérêt pour vous ne se réduit pas à un simple désir charnel. Il n'a pas menti à proprement parler, mais sa tactique d'approche vous a fait croire qu'il avait baissé la garde. Que *vous* n'aurez pas droit au répondeur du jour au lendemain, après deux mois de plans cul intenses dans des palaces commodément situés dans le centre, trouvés sur lastminute.com. Qu'il ne voit personne d'autre, et que vous êtes peut-être en train de tomber amoureux l'un de l'autre. Faux, faux, et au moins faux à cinquante pour cent. Et, comme dans toute bonne arnaque, le temps que vous compreniez que vous vous êtes fait avoir, il aura obtenu ce qu'il voulait et disparu depuis longtemps.

Pourvu qu'Anna ne pense pas qu'il suggérait qu'elle avait été stupide de croire qu'elle pouvait intéresser Laurence. Il était évident que Laurence ferait un coup de maître s'il parvenait à la séduire. Il ne la méritait pas, pas plus qu'il ne l'appréciait, au-delà du physique. Le problème, quand des gens bien rencontraient des méchants, c'était qu'ils ne disposaient pas de la carte de ce pays étranger. Pour sa part, y ayant fait plusieurs incursions, James y avait quelques repères.

— Voilà une image assez saisissante.

— C'est un truc vieux comme le monde. Donc non, bien sûr, il n'y a rien de mal à coucher avec lui, à condition que vous sachiez à quoi vous en tenir. Je ne voulais pas que vous tombiez dans le panneau. Il fut un temps où des femmes m'appelaient parce qu'elles n'arrivaient pas à joindre Laurence. Cette fois-ci, je n'ai pas eu envie de rester sur la touche et d'assister à ce gâchis sans rien dire.

Elle s'interrogea sur le « cette fois ». Parce qu'il la connaissait ?

— Il prétend être traumatisé par une vie passée dans votre ombre...

— Ah, ah, ah ! Non ! C'est *ma* faute ? Oh, Laurence. Une scène incroyable. « Voilà, c'est ma blessure intérieure secrète, je me sens tellement vulnérable en me confiant. Caresse-moi pour alléger ma douleur, Anna. Non, un peu plus bas, là, c'est bien, voilààà. »

Ils éclatèrent de rire. James tripota le revers de son jean.

— Et pourtant, c'est votre meilleur ami, fit remarquer Anna.

— Meilleur, je ne sais pas. Disons l'ami que je vois le plus régulièrement. Le problème, dans les meutes de mâles en général, c'est que c'est le plus gros connard qui gagne. Vos amis vous font beaucoup plus honneur, j'en suis sûr, dit James. Plus... originaux.

— Originaux ? Je ne les ai pas choisis par pitié !

— Non, bien sûr !

Sous l'effet du vin et de la bonne compagnie, James sentait comme une boule de chaleur dans son estomac.

— Et ma sœur est une idiote ? dit Anna.

— Oh, allez, je me suis excusé pour ça, protesta James. Et je l'ai incluse dans mes followers sur Twitter.

— Que demander de plus ? Les Rois mages apportèrent de l'or, de l'encens et de la myrrhe, et annoncèrent à l'Enfant-Jésus : « Nous sommes tes followers... »

James rit, d'un rire franc montant de cette boule de chaleur dans son ventre. Anna était très spirituelle.

— Écoutez. Aggy travaille dans les relations publiques...

— Ce qui a moins de valeur que ce que vous faites ?

—Oufff. Soyons honnêtes. Cela se résume à organiser des fêtes. Elle se décrit comme «The party girl» dans sa bio sur Twitter. J'ai beaucoup de mal à voir au-delà de détails comme celui-ci et à faire preuve d'ouverture d'esprit, mais je m'y efforce. Si j'apprends qu'elle aime The Hoosiers ou autre, je ferai avec.

Anna leva les yeux au ciel et sourit, feignant l'irritation.

—Bon, on regarde Tim, alors? proposa James.

Anna suivit ses instructions et pressa les touches de la télécommande, ne réussissant à faire apparaître à l'écran qu'une tempête de neige monochrome. James râla, la traitant d'inutile, pour finalement se rendre compte, quand il prit le relais, que le lecteur DVD était bel et bien H.S.

—Le problème avec toute cette technologie moderne prétendument rationalisée, c'est que si la télécommande foire, on est foutu, dit-il en la cognant contre le bras du fauteuil. Quelle camelote!

—Je crois que mon beau-frère a le même modèle. Si vous regardez bien, il y a un bouton…

Anna avança à quatre pattes sur le tapis et s'agenouilla devant l'appareil.

James s'absorba dans la contemplation des reflets chocolat dans ses cheveux ondulés rassemblés en chignon, ainsi que des petites boucles sur sa nuque.

—Ouais, il faut sortir de là, c'est le menu «Langage», dit-il distraitement.

—Merci pour le renseignement: j'essayais de sélectionner le grec puisque Théodora est chypriote.

Puis, peu après:

—C'est fichu. Je m'avoue vaincue, finit-elle par dire après avoir inutilement pressé quelques boutons et secoué la télécommande.

— Nous pourrions le regarder sur un ordinateur portable, mais ce ne serait pas pareil. Et vous ? Vous avez un lecteur DVD et une télé ?

— J'ai deux télés et un lecteur. Je suis « The party girl ».

James consulta la pendule.

— Nous avons largement le temps d'attraper un taxi et d'aller chez vous. Si vous n'y voyez pas d'inconvénient… ?

Anna parut indécise.

— Avez-vous pu déboucher vos toilettes ? demanda James.

— Elles sont aussi disponibles que moi ce soir. Cette phrase était délibérément insultante.

— Vous savez quoi ? Je m'en *doutais*.

Chapitre 48

Le vin était une sacrée drogue. Si Anna n'en avait pas sifflé une demi-bouteille aussi rapidement, elle aurait peut-être analysé un peu mieux la situation. Durant le trajet en taxi, son malaise ne cessa de s'accroître. Même dans le meilleur des cas, inviter James Fraser chez elle n'était pas une bonne idée, mais lui ouvrir la porte de son appartement alors qu'ils venaient directement de sa maison digne d'un numéro de *Elle Décoration*…? Et qu'elle n'avait pas eu le temps de ranger un peu?

Même en ordre, son appartement n'était pas destiné à être vu. C'était un fouillis de choses dont elle avait besoin et de choses qu'elle aimait. C'était son cœur sur une assiette. Pouvait-elle le laisser en franchir le seuil?

—Bon, mon appartement est un dépotoir, contrairement à Casa Croosh End, annonça-t-elle avec un accent snob en glissant sa clé dans la serrure de sa porte dont la peinture s'écaillait.

—J'ai vécu en coloc avec des mecs à l'université, et même plus tard, il en faut beaucoup pour me choquer, la rassura James. À moins que des suspensoirs de rugby ne sèchent sur vos radiateurs…

Sa plaisanterie n'empêcha pas la jeune femme d'être gênée de l'exiguïté de son entrée, de sa faible hauteur de plafond et de tous ses meubles agglutinés au petit bonheur la chance.

— C'est sympa, dit gentiment James une fois qu'elle l'eut guidé jusqu'au canapé rouge décoloré par le soleil et qu'elle eut posé un verre de vin devant lui.

— Ah, ah, vous vous fichez de moi.

— Non, pas du tout. C'est chaleureux.

Le long des murs du séjour en crépi gouttelette s'alignait une bibliothèque bon marché en bois laqué noir. Il y avait aussi une reproduction de la couverture originale Art déco de *Gatsby le Magnifique* dans un cadre Habitat et une petite cheminée en émail. Anna alluma des bougies dans l'âtre, espérant ne pas avoir l'air de suggérer quoi que ce soit. Elle misait sur l'éclairage tamisé pour cacher un peu la misère.

— Si je vends, il se pourrait que j'emménage à Stokey. Tout seul, je ne peux pas me permettre de rester à Casa Crouch End…

Et ils discutèrent poliment des mérites de divers quartiers londoniens.

Ils durent bientôt se rendre à l'évidence : ils étaient bien trop éméchés pour se concentrer sur un documentaire historique. L'appartement d'Anna était peut-être crasseux et exigu en comparaison de la maison de James, mais il favorisait aussi une atmosphère plus détendue.

Elle mit l'album *Rumours* de Fleetwood Mac après que James, s'étant levé pour examiner son unique rangée de CD, l'eut qualifiée de « sélection de cadeaux du *Mail on Sunday* dignes d'une ménagère de cinquante ans dont les enfants ont quitté le nid ». Anna aurait probablement dû se sentir offensée par ses piques, mais elle ne perçut aucune malveillance derrière ses taquineries. Dans les sarcasmes de James, ou quand il riait à l'une de ses répliques, elle percevait seulement le plaisir sincère d'être sur la même longueur d'onde.

— Je parie que les CD exposés dans votre salon sont terriblement snobs et poseurs, dit Anna.

—Je n'ai plus de CD. Je les ai balancés en même temps que l'ancienne essoreuse à linge. Chanson préférée ? demanda-t-il en étudiant la boîte de l'album.

—*You Make Love Fun*. C'est tellement plein d'espoir.

—Effectivement. Ça raconte la liaison de Christine McVie avec un technicien lumière doté d'une grosse moustache à la Burt Reynolds dans *Playgirl*. Ce n'est pas le miracle auquel je choisirais de croire si je devais commencer à croire aux miracles.

—Humpf. Vous me l'avez gâchée. Merci, grogna Anna en se rasseyant.

—Puis-je… ? demanda James en poursuivant son inspection des étagères, tel un invité à un dîner mondain cherchant des sujets de conversation.

—Il n'y a rien dont je puisse avoir honte, dit Anna. Enfin si, mais pas ce soir, je suis trop bourrée.

—Pas possible ! Des *Harlequin* ? s'exclama James en repérant une rangée de minces ouvrages écarlates alignés sur une étagère à hauteur des yeux.

—J'adore lire des Harlequin, déclara Anna. Et je refuse d'appeler ça un plaisir coupable.

—Ouais, plutôt une douleur coupable.

Il choisit un titre et le retourna dans sa main libre.

—*La Maîtresse du Seigneur*. « Il peut la prendre dans son lit, mais jamais elle n'acceptera de prendre son nom ! » Ouf. Putain.

—Ça, ce sont les romances historiques. On retrouve généralement les putains dans les séries les plus osées de la collection « Passions Intenses ».

—Ah, ah. Vous voyez, je ne comprends pas. Vous êtes intelligente et drôle. Et ces livres ne sont pas intelligents du tout.

—Mais très drôles, dit Anna.

James fit une grimace sceptique. Il replaça *La Maîtresse du Seigneur* dans le rayonnage, posa son verre de vin sur le manteau de la cheminée et prit un autre livre. Il le feuilleta et lut.

— « De ses yeux cruels, lord Haselmere parcourait ardemment le corps nubile et tremblant de Tara, tel un tison dans des charbons ardents. » « Ardemment » et « ardent » dans la même phrase… Qui est chargé de réécrire ces trucs ? « Elle jouait les coquettes, mais elle n'était qu'une ensorceleuse ! Il mourait d'envie de l'emporter, tel un Viking en maraude avec son butin. Mais ce butin était une dame, une dame qu'il ne pourrait jamais épouser. Peu importait. Il devait faire ce que ferait tout homme vigoureux face à un tel trésor, et que le diable emporte son titre de noblesse et son énorme héritage » – « énorme héritage », mais bien sûr. « Il n'en restait pas moins un homme, avec des besoins d'homme. » Ah, « besoins »… J'ai cru un instant lire « bisons ». « Ôtez votre corsage, ordonna-t-il d'une voix rauque… » « Rauque », ah, ah, ah. Voyons, à quoi ressemble une voix rauque ? Je recommence. « Ôtez votre corsage ! »

James répéta la phrase dans un marmonnement guttural de pervers et Anna éclata de rire tant et si bien que des larmes perlèrent au coin de ses yeux.

— OK, c'est drôle, je vous l'accorde, dit James. Mais, en ce qui me concerne, l'effet comique ne tiendrait pas jusqu'à la fin. Pourquoi les femmes aiment-elles tant les romances ? Eva n'a jamais été portée sur les fleurs, les chocolats et tout le bataclan, mais à l'approche de ses règles elle regardait des films affligeants où un gars court après un car dans le soleil couchant pour expliquer à une femme qu'elle fait de lui un homme meilleur ou je ne sais quoi. Qu'est-ce qui vous attire là-dedans ?

— C'est une vraie question ?

— Absolument. Je veux comprendre. Bon, ensuite, il n'est pas exclu que j'essaie de vous faire aider.

— Tant que vous ne vous moquez pas…

Anna tira un coussin violet mou et taché sur ses genoux et le serra contre elle.

— C'est le point culminant – non, pas de jeu de mots vulgaire – de la scène de la déclaration. C'est le grand moment de la romance. Dans la vraie vie, personne ne déclare sa passion. On capte quelques signaux, on se soûle et on finit au lit, et puis ça devient une habitude. J'adore que le héros déclame à la femme qu'il aime ces mots que nous rêvons d'entendre mais que personne ne prononce jamais.

James hocha la tête.

— « Prenez-moi dans vos bras, il pleut, vous ne pouvez pas ! » Ce genre de choses ?

— Oui. Ou… vous savez. Quelque chose qui ait du sens. Il faut qu'il explique pourquoi elle est unique à ses yeux ; et elle, elle découvre enfin que l'homme qu'elle aime partage ses sentiments, qu'elle n'était pas seule à se consumer d'amour.

Anna ne pouvait ajouter que ce désir en elle provenait probablement du fait qu'à une certaine époque elle n'osait même pas demander l'heure à un type de peur de se prendre un vent.

— Et, après sa tirade, il l'enveloppe de ses bras virils, l'embrasse et l'emporte dans son château pour un corps-à-corps en bonne et due forme.

— Je crois que le château est un élément de première importance dans ces fantasmes, dit James. Vous voulez toutes Bernie Ecclestone avec le physique du « Torse de la Semaine » de *Heat magazine*. Je ne vois aucun livre, là, intitulé *Prise par un gueux*.

— Le troisième en partant de la droite, dit Anna en désignant l'étagère. Oui, cette maladie qui conditionne les genres explique probablement pourquoi je n'ai jamais rencontré personne, poursuivit-elle, légèrement morose. Je mets la barre trop haut.

— Nan. La raison pour laquelle vous n'avez rencontré personne, c'est que la plupart des hommes sont des connards. Je détesterais être femme ou homo… Aïe! C'était censé être une séquence Homme Nouveau d'anthologie et le résultat est tout à fait désastreux.

Tous deux lâchèrent un gloussement alcoolisé. Anna se demanda si son frigo recélait quelque chose de comestible et d'à peu près présentable.

— Hein…?

James tira sur le marque-page coincé à la fin du volume Harlequin qu'il feuilletait : le prospectus d'une clinique de chirurgie esthétique. Afin de ne laisser planer aucun doute sur ses intentions, Anna vit qu'elle avait obligeamment gribouillé dessus l'heure et la date d'une consultation qu'elle avait annulée ensuite.

— Oh, non! Laissez ça! aboya-t-elle.

Contrairement à ce qu'aurait exigé la situation, la jeune femme se sentait bien plus amusée que gênée : c'était tellement pathétique que ça en devenait hilarant. L'ébriété n'y était pas pour rien.

James le glissa entre les pages de garde.

— Il a fait un drôle de temps ces derniers jours, vous ne trouvez pas?

Ils éclatèrent de rire de plus belle.

— Je déplore de ne pas avoir de petit ami, mais j'ai des bouquins Harlequin et un prospectus vantant les mérites de la chirurgie esthétique en guise de marque-page…

Anna fut secouée d'un petit rire et s'écrasa le coussin sur la bouche.

— Il ne manque plus que vous aperceviez un lit avec onze ours en peluche disposés dessus.

—Vous vous êtes fait arrêter et vous aviez besoin d'une nouvelle tête pour échapper aux flics ?

—J'envisageais de me faire enlever une tache de naissance ayant la forme des mots : « James, espèce de sale fouineur, allez vous faire foutre. »

—Ça m'a l'air d'un bon sujet. Je le vendrais à *Potins Magazine* histoire de me faire un peu d'argent. « Une tache de naissance très singulière faisait fuir mes amants. »

Anna se passa un doigt sous les yeux et soupira.

—Si vous voulez *vraiment* le savoir, et maintenant, malheureusement, je suppose que c'est le cas, j'ai eu un passage à vide l'année dernière et j'ai envisagé de me faire faire un… lifting des seins.

James grimaça en fronçant le nez. Un nez qui serait en rupture de stock si on pouvait le commander sur des brochures de chirurgie plastique.

—Mais pourquoi ? Je suis sûr que vous êtes très bien comme vous êtes.

—Oh, ché pas, un effet secondaire de la gueule de bois. Ce trou du cul de petit copain à l'université m'avait balancé quelques remarques désagréables. Mais pas uniquement aux dépens de mes seins, donc mon raisonnement ne tient pas.

Anna savait que les expériences de son enfance la rendaient extrêmement vulnérable, et elle essayait de résister à sa propension à complexer à l'excès sur son physique. Sa tendance à négliger son apparence était probablement due à son refus d'y prêter trop attention. Mais sa poitrine était la seule partie de son corps à ne pas être sortie indemne de son surpoids. Quand elle avait maigri, elle s'était dégonflée. De profil, elle trouvait que ses nénés ressemblaient un peu à des rabats d'enveloppe.

Il y eut un silence.

—Alors vous n'allez pas le faire ? demanda James.

—Peu probable.

— Bien. Ce serait parfaitement inutile.

— Qu'est-ce que vous en savez ?

— Si vos seins ressemblaient à des poches à douille ou je ne sais quoi, vous pourriez vous les faire arranger gratuitement par la Sécurité sociale. Le fait que vous envisagiez de payer suggère que c'est de la vanité.

James Fraser l'accusait de vanité ? La vie était décidément pleine de surprises.

— Et si c'est parce que vous pensez que les hommes y attacheront de l'importance, poursuivit-il, mis à part votre trou du cul d'ex, qui, soit dit en passant, est à la fois un trou du cul et un ex, croyez-moi, vous vous trompez.

— Supposer que je ne l'envisage que pour plaire aux hommes est sexiste de votre part. Qu'est-ce qui vous dit que je ne le ferais pas pour moi ?

— Ouais. Sauf que ça n'est pas le cas, si ? Si Ryan Gosling, président du jury, les approuvait, vous vous en ficheriez. Par conséquent, vous le feriez afin de satisfaire les goûts de futurs partenaires imaginaires. Et c'est inutile. Car ils sont clairement imaginaires.

— Oh, putain, merci !

— Non ! Je me suis mal exprimé. Je voulais dire que leurs préférences sont imaginaires. Les hommes sont très binaires. Soit vous nous plaisez, soit pas. Il n'y a pas d'approbation en suspens, comme une demande d'ajout d'ami sur Facebook, jusqu'à ce que nous ayons attribué une note à chaque partie de votre anatomie.

— Qui est mort et a laissé son poste d'arbitre général du nibard à Ryan Gosling ?

— … J'ai une idée ! Et si vous me les montriez, plutôt ?

— Vous n'êtes pas sérieux.

James hocha la tête, se frotta les yeux. Il croisa les bras et se laissa aller en arrière contre le dossier du canapé.

— Bien tenté ! s'exclama Anna, moitié gloussant, moitié couinant.

— Allez, vous n'avez rien à perdre. Vous en tirerez soit un compliment, soit l'opinion impartiale d'un parti désintéressé que la chirurgie est le chemin à suivre. Et, je vous arrête tout de suite, non, les médecins que vous payez 5 000 livres pour vous charcuter ne sont pas impartiaux.

— Incroyable !

Mmm. Désintéressé. Impartial. Il n'était pas obligé d'insister autant sur leur manque d'attirance mutuelle.

— Vous envisagiez bien de les exhiber devant une bande d'inconnus dans une clinique. Je ne vois pas la différence.

— Des professionnels anonymes de la médecine, pas un James bourré en train de se foutre de moi.

— Merde. Je pensais vraiment vous avoir eue. Mais mon offre tient toujours…

Tout en riant, Anna se fit la réflexion qu'il était beaucoup plus question de se reluquer au cours de cette soirée-là qu'elle ne l'avait anticipé.

James remit le livre à sa place et s'affala dans le canapé en balayant la pièce du regard.

— Qu'est-ce que… ? Ça alors. Attendez…

Il se tordait le cou sur la gauche et lorgnait quelque chose à l'autre bout de la pièce, dans le coin, au pied du vieux lampadaire Ikea d'Anna.

Puis il bondit sur ses pieds et se dirigea vers sa cible. Anna suivit son regard.

S'il était possible de dessoûler en quatre secondes chrono, c'est ce que fit Anna, grâce à une poussée d'adrénaline d'une telle intensité qu'elle l'éjecta presque du canapé.

CHAPITRE 49

La photo scolaire était un portrait format A4 sous verre avec un cadre doré bon marché, dont le fond pommelé de studio était censé évoquer des nuages dans un ciel bleu. Le cliché avait été pris à l'époque la plus sombre du martyre d'Aureliana.

Ses cheveux frisés étaient tirés en arrière et retenus par une pince en plastique sur le haut de son crâne. Quelques boucles s'échappaient à la naissance des cheveux et se dressaient en l'air, créant une sorte de houppette à la Tintin. Elle avait aplati le tout à l'aide d'un gel visqueux, mais on avait plutôt l'impression qu'elle avait abandonné le shampoing au profit de méthodes naturelles de lavage et que la partie lavage du procédé devait encore faire effet. C'était le genre de style étonnamment peu flatteur et inutile qu'il fallait avoir quatorze ans pour assumer.

Son visage en forme de naan, presque sphérique, ressemblait à une poupée Cabbage Patch. Son front était moucheté d'acné juvénile qu'elle avait dissimulée sous une épaisse couche de stick Hide the Blemish de Rimmel beige, créant un curieux paysage lunaire au-dessus des bavures noires formées par ses sourcils, qui se rejoignaient au-dessus de son nez telles deux chenilles.

Le pire de tout, peut-être, était son expression. Aureliana détestait les appareils photo, qui le lui rendaient bien : elle scrutait l'objectif avec une de ces grimaces qu'on réserverait à un ennemi juré. Plus que sourire, elle tordait la bouche en un rictus qu'on aurait pu voir sur la tête coupée d'un traître brandie sur une pique, laissant entrevoir sur ses dents une voie ferrée de bagues.

Anna croyait que ce type de documents top secrets avait été soit jeté à la poubelle, soit brûlé, mis à part une photo scolaire – la seule, l'unique – cachée dans une enveloppe en papier kraft au fond d'un tiroir dans la chambre de sa mère. Anna n'avait pas eu le cœur de la lui subtiliser. Et pourtant, sans qu'elle sache comment, ce grotesque souvenir additionnel était passé entre les mailles du filet.

Sa respiration se fit saccadée et bruyante. Elle réfléchit à toute vitesse : comment était-ce arrivé ? Elle n'avait jamais gardé aucune relique de son passé dans son appartement, sans parler d'en exposer.

Soudain, elle comprit. Le portrait dépassait du sac bosselé rempli du bric-à-brac descendu du grenier de la maison de ses parents, qu'elle n'avait pas encore déballé. Il s'était affaissé sur le côté, et le poids du cadre l'avait fait glisser jusqu'au sol. Elle avait pris l'objet rigide et anguleux pour un classeur. Sa réticence à fouiller parmi des objets qui lui rappelleraient son passé et son laisser-aller en matière de rangement se retournaient contre elle.

— Comment se fait-il que vous connaissiez cette fille ? dit James en tirant un peu plus la photo du sac, révélant les bretelles de la robe chasuble d'uniforme confectionnée maison ainsi que de nombreuses chaînes dorées achetées chez Argos qu'elle aimait porter sous le col de sa chemise afin d'ajouter une touche glamour à sa tenue.

L'illumination faisait son chemin mais n'avait pas encore entièrement pris forme dans l'esprit de James.

Anna resta muette. Puis la panique et l'horreur la poussèrent à agir.

—Arrêtez de fouiller dans mes affaires ! cria-t-elle en traversant la pièce d'un bond et en saisissant la photo, l'arrachant du sac.

Elle la tourna contre son ventre, l'étreignant dans un geste protecteur.

—Vous avez fouillé dans mes affaires toute la soirée, espèce de sale fouineur !

—Hein ? souffla James, alarmé par le volume et l'intensité de ses paroles. Elle était là, par terre. Pourquoi avez-vous une photo de cette fille du lycée qui… Attendez, elle était italienne…

Il écarquilla ses yeux bleus, du même bleu-violet de crépuscule qui dominait dans son affiche de *Gatsby*. Des yeux qui, autrefois, avaient laissé Aureliana pétrifiée pendant tout un cours de chimie, bien qu'il ait porté ce jour-là de ridicules lunettes de sécurité de rat de laboratoire. James plaqua une main sur sa bouche et secoua la tête. Puis son bras retomba, révélant ses lèvres légèrement entrouvertes.

La poitrine d'Anna se souleva.

—Vous n'êtes pas… ? Alessi. Mais elle s'appelait… Ariana ? C'est votre sœur ?

—Aureliana, corrigea Anna en entendant sa voix trembler. Je m'appelle Aureliana.

L'annoncer elle-même lui procura un certain soulagement sur le moment. Elle s'était affirmée. Puis la douleur revint en force tandis que le visage de James se tordait en une expression de perplexité, de stupéfaction… et d'amusement.

Il rit. Il *rit* – une sorte de grognement incrédule.

—Bon sang, je n'en reviens pas ! Anna ? Aureliana ? Vous êtes elle ? C'était vous ? Je n'arrive pas à le croire.

—Vous vous moquez de moi ?

—Je suis juste un peu sidéré. Il ne m'était jamais rien arrivé d'aussi bizarre. Pourquoi n'avez-vous rien dit… ?

—Vous vous rappelez ce que vous m'avez fait ?

James haussa les épaules.

—Vous ne vous rappelez pas? répéta-t-elle avec force.

La seule chose qu'Anna pouvait faire pour affronter cette situation, c'était d'attaquer pour se défendre, transformer sa honte en rage.

—Euh… Ça remonte à un certain temps. Excusez-moi d'avoir besoin de me remettre à jour, vous avez eu plus de temps que moi pour assimiler la nouvelle. Vous êtes tellement différente…

—Par différente, vous voulez dire moins grosse? Moins moche? Moins maltraitée? Le dernier adjectif devrait vous rafraîchir la mémoire.

Dans le salon d'Anna, l'atmosphère s'était soudain chargée d'électricité et de danger, et l'instinct de protection de James s'était réveillé. Il semblait embarrassé. Et agressif.

—Pardon, mais qu'est-ce qui me vaut ce numéro de harpie? C'est vous qui faites des cachotteries en dissimulant votre véritable identité et en vous comportant comme une cinglée.

—Une cinglée! hurla Anna. Vous osez continuer à m'insulter? Bordel de merde, vous n'avez pas changé, hein?

—Pourquoi me hurlez-vous dessus? protesta James. Calmez-vous.

—Ne me dites pas de me calmer! cria Anna.

Elle grimaça en s'entendant parler. Elle avait l'air d'une folle, elle ne contrôlait plus ses émotions.

—Je vais vous rappeler ce que vous avez fait. Vous m'avez menti pour que je monte sur scène en robe de soirée pour obèse et vous avez approvisionné toute l'école en projectiles pour me canarder, pendant que vous vous teniez les côtes; vous et Laurence, vous êtes restés là à vous moquer de moi. Et vous m'avez traitée d'éléphant.

James plissa les yeux et fit la moue.

— Hum. OK. Vous voulez que je vous présente mes excuses pour des idioties de gamins datant d'il y a vingt ans ?

— Reconnaître les faits serait un bon début.

— Vous vous rendez compte que vous avez l'air timbrée ? Vous vous comportez comme si vous n'aviez rien à voir avec ce qui est en train de se passer. Vous n'aviez aucun problème avec moi jusqu'à présent.

— *Vous* êtes responsable ! Je réagis comme ça parce que repenser à ce que vous avez fait vous amuse.

— Quoi ? Alors comme ça, tout à coup, je suis l'ennemi ? J'étais le pire de tous au lycée, c'est ça ?

— Le pire.

— Ha. Bien sûr.

— C'est la vérité. Vous êtes l'auteur de la pire méchanceté qui soit. Vous saviez que j'étais amoureuse de vous et vous en avez profité pour me manipuler. Personne d'autre que vous n'aurait pu me faire monter sur cette scène.

— Cessez de jouer les hystériques. C'était une blague stupide.

— Le fait que vous minimisiez ainsi ce qui s'est passé montre le genre de personne que vous êtes toujours.

— Oh, putain. N'essayez pas de me rendre responsable du fait que vous étiez une bête de foire à l'époque.

— Une *bête de foire* ? Salaud ! cracha Anna, tremblant de rage. Vous n'êtes qu'un salaud ! Le connard absolu.

James parut vaguement effrayé. Puis le dégoût se peignit sur son visage hautain. Le genre d'expression qu'elle s'était entièrement attendue à lui voir une fois qu'il aurait appris son identité.

— Je me tire. Vous êtes complètement malade, dit James en attrapant son manteau. Salut.

La porte d'entrée claqua. Anna jeta la photo, tournée vers le bas, à l'autre bout de la pièce. Le cadre alla rebondir sur le mur et atterrit à l'endroit. Elle poussa un hurlement, bondit, le ramassa, puis le lança de plus belle. Cette fois, il percuta une étagère et le verre se brisa, éclatant en mille morceaux sur le tapis. Les allégations de folie de James ne semblaient pas totalement infondées.

Ce *salaud*. Comment avait-elle pu, ne serait-ce qu'un instant, se bercer de l'illusion qu'il valait mieux que l'adolescent qui lui avait infligé une telle humiliation ? Comment avait-elle pu l'accueillir chez elle ?

Elle se laissa tomber dans le canapé et éclata en sanglots. Des sanglots violents, morveux et larmoyants, qui venaient du bas-ventre et lui donnaient l'impression que son âme s'échappait par ses yeux et ses narines.

Ça avait été une longue course-poursuite, et lente aussi, digne du lièvre et de la tortue, mais Aureliana avait fini par rattraper Anna. Elles étaient réunies en une souffrance désespérée et solitaire.

Sur la chaîne hi-fi, *You Make Love Fun* retentit.

CHAPITRE 50

—D'après *GQ*, la routine est apparemment incontournable, annonça Laurence en parcourant le menu.

Ils s'étaient retrouvés dans le bar en sous-sol du *Hawksmoor* de Spitalfields et savouraient des Old Fashioned au léger goût de tabac dans un box carrelé.

—La routine ? Comme dans « train-train » ?

Laurence vérifia.

—… Je veux dire le Poutine. C'est une spécialité québécoise. Frites, fromage en grain et petit-lait. Genre fromage déconstruit.

Guère convaincu, James opta pour les côtes de bœuf accompagnées de leur sauce française servie dans un pot en argent sur un plateau. Le plat de Laurence baignait dans un liquide brun.

—C'est l'année de la sauce brune dans l'horoscope chinois, affirma James. Finalement, c'est la version chic de l'assiette de snack-bar, non ?

—Hmmm, dit Laurence, la bouche pleine. C'est super bon. Tu sais, les plaques en laiton des murs ont été récupérées sur les portes des ascenseurs de l'Unilever House. Pour un effet Art déco.

Il s'essuya la bouche avec une serviette tout en suivant des yeux le déhanchement d'une femme qui traversait la salle parquetée comme un mannequin en défilé.

—J'aime bien la déco, ici.

—Fromage en grains et petit-lait, dit James.

Laurence ne le regardait toujours pas.

—Ça me rappelle les paroles d'une berceuse…

Laurence se tourna vers lui.

—Je vais te dire un truc. Je la bercerais bien, elle.

—Oh, non. Laisse-la tranquille.

—Vraiment, Jeeves ?

—Tu aurais bien besoin d'un peu de bromure dans ton cocktail.

James inspira profondément et se prépara à lâcher la bombe A. Il n'avait pas pu penser à grand-chose d'autre depuis la fameuse soirée, et il avait vraiment besoin que quelqu'un lui dise qu'il n'avait pas à ressentir cette culpabilité qui le tenaillait.

—Voilà qui devrait te distraire. Je vais te dire quelque chose au sujet d'Anna l'Italienne qui va te retourner la tête et dépasser les limites de ton entendement.

—Ce n'est pas ma tête que je veux retourner. Attends. Tu n'as quand même pas couché avec elle ?

Il semblait réellement contrarié par cette idée, fâché même, ce qui décontenança légèrement James.

—Non. Pourquoi ? Ça poserait un problème ?

—Un peu, oui, putain. Elle est à moi. Je l'ai vue en premier. Bas les pattes.

—Les sentiments d'Anna ne comptent pas dans ce rut hypothétique ? Il ne m'a pas semblé l'avoir vue se ruer sur toi pour te grimper dessus…

—Et tu ne l'intéresses pas non plus, donc, si ça arrivait, ce serait uniquement parce que tu l'aurais approchée par la ruse. Ce qui, conformément à ce contrat verbal, constituerait une violation manifeste du code de l'honneur des potes.

James plissa les yeux.

—Bien sûr. Ravi que ce soit clair. Bon, je vais te dire quelque chose qui prouve qu'aucun de nous deux ne l'intéressera jamais. Tu te rappelles cette fille italienne au lycée, Aureliana ?

Laurence fronça les sourcils.

—Euh… ? Si tu pouvais m'aider un peu…

—Grosse. Cheveux noirs longs et bouclés. Loser finie. Tout le bahut lui a balancé des bonbons au Mock Rock. Nous l'avions convaincue de se déguiser en cantatrice, tu te souviens ? C'est toi qui avais eu l'idée du final aux Quality Street.

—Oh, *elle*. Spaghettruie. À l'heure qu'il est, elle doit probablement être en train de gaver quatre gros gamins, saucissonnée dans une robe à smocks fleurie et chaussée de tongs. Tu as déjà vu des continentales quand elles se laissent aller ? Brrrr.

—C'est Anna.

—J'comprends pas.

—Anna. Aureliana. Même personne. Elle a changé son prénom après le lycée. Aureliana Alessi. Ça me titillait depuis des lustres ; Anna Alessi me disait quelque chose.

Laurence reposa ses couverts.

—Tu déconnes.

—Sérieux.

James but une gorgée de son cocktail.

—Putain, mais… ?

—Plutôt hallucinant, non ?

James avait également revu la sœur d'Anna, mais ça n'avait pas fait tilt non plus ; de toute façon, il ne se souvenait absolument pas d'Aggy à l'époque. Au lycée, les plus jeunes étaient toujours invisibles, fondus en une masse informe aux yeux de leurs aînés.

—Mais comment c'est possible ? Tu serais pas en train de te foutre de moi ?

—Non ! C'est pour ça qu'elle était à la réunion. Réfléchis. Son histoire d'être arrivée là par erreur était louche. Tu te rends compte qu'on ne l'a même pas reconnue ? Pas étonnant qu'elle ait été furax contre nous.

Pas étonnant, en effet. Plus James pensait à l'image qu'Anna devait avoir de lui, pire c'était. Ils avaient sans le savoir abordé une femme qu'ils avaient autrefois honteusement maltraitée ; Laurence lui avait même fait des avances. Ils avaient eu de la chance de ne pas se faire tuer. Ensuite, elle avait peu à peu mis toute cette histoire de côté pour se montrer amicale. En aurait-il été capable ?

— Monumentale erreur ! s'esclaffa Laurence, secouant la tête, perplexe. Mais ce n'est pas notre faute, Slim Fast est rarement aussi efficace. Je n'arrive pas à croire que de deux sur dix, au mieux, elle soit passée à un bon huit ou neuf. Elle mériterait un documentaire sur Channel 4.

— Bon sang, Loz. Tu pourrais faire preuve d'un peu d'humanité.

— Oh, allez ! Tu sais bien que je plaisante…

Il y eut un bref silence.

— Je ne l'ai découvert que parce que je suis tombé sur une photo de classe chez elle, reprit James. Elle a complètement pété les plombs. Et moi j'étais genre : eeeeh. C'est vous qui avez menti. Pas besoin de ces conneries. Ciao.

Exprimée à haute voix, son excuse sonnait terriblement creux. James avait même recours au jargon de Laurence, un signe certain de turpitude. Oui, elle lui avait caché son identité. Mais, à bien y réfléchir, n'aurait-il pas fait la même chose ? Qui souhaiterait garder l'étiquette du paria du lycée, quand il peut la laisser tomber dans l'oubli ?

Aureliana comptait parmi la poignée de personnages excentriques extrêmes qu'on trouve dans tous les lycées. Elle avait toutes les qualifications pour devenir tête de Turc officielle, à part un mot de sa mère adressé aux professeurs et requérant expressément qu'elle soit harcelée. Il suffisait d'être vu en train de lui parler pour être contaminé par l'équivalent social de la peste noire. Elle était puissante à ce point. L'associer avec l'Anna d'aujourd'hui n'avait physiquement absolument aucun sens. Pourtant, du point de vue de la personnalité, cela ne le surprenait pas. Elle avait la perspective acerbe de l'outsider.

Mais quand même, c'était il y a longtemps.

Anna n'avait aucun droit de se montrer aussi désagréable à son égard quand elle avait été découverte.

Désagréable. Et quelle épithète devrait-on associer à ton comportement avec elle au lycée? lui souffla une petite voix intérieure.

Bon sang, qu'est-ce qui lui avait pris de la traiter de bête de foire? Il avait cherché à se défendre, instinctivement, comme on lève les mains si quelqu'un fait mine de nous attaquer. Bête de foire. Une expression qu'il n'utilisait jamais. C'était comme si le James qu'il avait été à seize ans était revenu le hanter. Il était possédé par un démon.

— Attends, qu'est-ce que tu foutais chez elle, au fait? demanda Laurence d'un ton brusque.

— On devait regarder un DVD concernant l'exposition sur laquelle on a travaillé.

— Je suis sérieux, mon pote, insista Laurence en enfournant du fromage et/ou du petit-lait dans sa bouche. Je tiens beaucoup à cette femme.

— Quoi? Tu la notais sur dix il y a à peine cinq minutes!

— Ouais, huit ou neuf. Pas touche. En ce qui te concerne, considères-en l'accès interdit par ces espèces de bandes jaunes pour scène de crime. Sache que je procéderai à un relevé d'empreintes.

James fronça les sourcils. Loz était-il sincèrement épris d'Anna – à supposer qu'il puisse être sincèrement épris de quelqu'un? Ils avaient trente-deux ans et Laurence n'avait jamais eu de relation durable. Peut-être avait-il enfin décidé qu'il avait besoin d'une partenaire semi-permanente, respectable, histoire de redorer son blason. « Ma petite amie enseigne à l'université… Elle est italienne… » Oui, il imaginait parfaitement Laurence se vanter de son choix de grande classe.

— Elle n'est pas ton genre, rétorqua vivement James. Je l'ai déjà vue porter des chaussures plates au travail. Et elle n'est pas riche.

— Pfff. Elle est *la* référence en matière de renversements de situation, un défi total. Je suis mûr pour sortir avec une intello. Il se pourrait bien que je sois en train de tomber amoureux.

— Pour ça, il te faudrait un cœur.

Poussant un petit pain de la pointe de son couteau, James songea que la discussion ne se déroulait pas comme prévu. Il aurait voulu Laurence dans son camp. Sauf qu'il n'était pas certain que ce soit un endroit où quiconque voudrait être, et puis, comme toujours, Loz n'était que de son propre camp.

— Oh, là, là, cette histoire d'ancienne grosse est une excellente nouvelle !

— Pourquoi ? Je n'arrive pas à croire que j'aie fait un truc aussi dur. Nous nous sommes comportés comme des petits cons et elle ne nous adressera plus jamais la parole, ni à l'un ni à l'autre.

— Genre… Je ne suis pas dans la vente pour rien. Les revers sont des opportunités déguisées. Tu viens de me fournir l'excuse parfaite pour retenter ma chance avec elle. Je vais l'appeler pour lui dire combien je suis désolé. Son amour-propre sera en loques… L'heure a sonné pour Laurence le Compatissant d'offrir une épaule pour pleurer. Puis un visage sur lequel s'asseoir ! (Laurence pointa sa fourchette vers James.) Et n'envisage même pas de me piquer l'idée. C'est *moi* qui l'ai eue. Il se pourrait même que je lui raconte que le Mock Rock était ta faute et que j'avais tout essayé pour t'en dissuader, si ça ne t'embête pas.

— Je te le déconseille ! gronda James.

332

—Ah, ah! J'en étais sûr! Tu veux te la faire! Tu es tombé dans mon piège. Je le savais.

—Non, absolument pas, d'ailleurs je ne la reverrai probablement jamais, mais je ne suis pas fier de ce que nous avons fait, et je n'ai pas du tout envie que tu en rajoutes une couche.

Laurence haussa les épaules.

—Nous étions gosses. Ça fait tellement longtemps qu'il y a pratiquement prescription.

—Elle a pleuré, Loz. Nous l'avons fait pleurer.

—Et j'ai bien l'intention de la refaire pleurer… de joie. Et pas qu'un peu.

James reposa sa serviette. Il abandonnait. Autant discuter avec une porte d'ascenseur en laiton de récupération. Laurence s'excusa et partit aux toilettes, et James resta assis à jouer avec son téléphone, se demandant ce qu'il pourrait dire ou faire pour arranger les choses. En racontant ce qui s'était passé à Laurence, il en avait rajouté une couche à l'humiliation d'Anna. Il se sentait moche.

Et Laurence qui projetait d'utiliser cette information pour retenter le coup avec elle… Comment l'en empêcher? Imaginons qu'elle se sente tellement mal et bouleversée qu'elle lui cède? Il aurait donc ça aussi sur la conscience? Argh.

Était-ce donc tout ce qui le préoccupait? Sa responsabilité indirecte? L'idée invraisemblable de Laurence et Anna couchant ensemble provoquait en lui une réaction viscérale qui dépassait les limites de l'entendement. Il eut une vision fugitive de leurs corps nus ensemble, ruant, se contorsionnant, les doigts de Laurence dans les cheveux défaits d'Anna…

Non, non merci, cerveau, efface, s'il te plaît.

Son estomac se noua. Il sentit son instinct protecteur se réveiller. Probablement inévitable, étant donné qu'il était responsable de tout.

Laurence se glissa de nouveau dans le box.

— Au fait, Polly et Becca de chez *Accenture* doivent se joindre à nous. Ah, quand on parle du loup…

Laurence salua de la main deux femmes maigres vêtues de robes à motifs tourbillonnants et chaussées de talons comme des allumettes.

— Je te préviens, Polly est tellement snob qu'elle prononce Cambridge « Cambles ». Débrouille-toi pour lui faire dire « gastronomique », tu vas voir, on dirait qu'elle a la bouche pleine de boules magiques.

— Merci de m'avoir consulté avant de prendre cette initiative, siffla James.

— Ce sont des amies du boulot. Pas la peine de t'énerver. T'as tes règles ou quoi ? dit Laurence en ajustant un bouton de manchette tandis que James blêmissait.

James adressa à Polly et Becca un sourire forcé et resta assis, comme engourdi, en écoutant distraitement les plaisanteries de Laurence et leur bavardage ravi, évitant de croiser leurs regards faussement timides aux cils maquillés de mascara.

Il ne pouvait penser qu'à une personne qui n'était pas là et à quelques heures de sa vie, seize ans auparavant, que jusqu'à ce jour il avait choisi d'oublier.

CHAPITRE 51

E n entendant sa sœur déclarer : « On va devoir enfoncer la porte », Anna décida qu'elle préférait avoir Michelle et Aggy dans son appartement ce jour-là, plutôt que des ouvriers qualifiés chargés de réparer ladite porte le lendemain. Lentement, elle alla ouvrir, mettant fin à leurs coups répétés.

Michelle ôta sa cigarette électronique de sa bouche et examina Anna.

— Eh ben. Il se pourrait qu'on soit arrivées trop tard.

Le visage d'Aggy apparut sur la droite de Michelle.

— Qu'est-ce que tu fiches en Babygro ? demanda cette dernière.

— Pardon, il s'agit d'une barboteuse de *Max et les Maximonstres*. C'est un costume du Wild Rumpus et une référence culturelle on ne peut plus cool, dit Anna.

— C'est un tue-l'amour absolument fatal, ma chérie, intervint Michelle, entrant en trombe sans y être invitée, un sac réutilisable Marks & Spencer à la main, Aggy sur les talons.

Une fois dans le salon, elles encerclèrent Anna.

— Quelle est cette chose marron qui pend de ton cul ? demanda Michelle.

— La queue. Ça me semble assez évident.

— C'est quelque peu fécal.

— Et qu'est-ce que tu regardes ? demanda Aggy en désignant la télé sur l'écran de laquelle l'image figée montrait un homme couvert de boue.

— *Buffy*.

Les yeux des visiteuses d'Anna s'attardèrent sur une gigantesque assiette en plastique contenant les restes d'une paella au micro-ondes, un paquet ouvert de Kettle Chips à côté d'un pot de houmous. Et une rangée de paquets de bonbons Cadbury. OK, le spectacle était alarmant, mais Anna n'avait pas mangé tout ça le jour même. Elle n'avait rien nettoyé depuis plusieurs jours, voilà tout.

— Des nuggets de poulet… En période faste, tu suis le régime de quelqu'un qui a été capturé par les Allemands, alors là, tu es partie en vrille, déclara Michelle.

Elle s'assit dans un fauteuil pendant qu'Aggy se perchait précautionneusement à l'extrémité du canapé. Celle-ci était habituée à voir sa sœur maîtresse d'elle-même, et la confusion ambiante, tant émotionnelle que domestique, la décontenançait clairement. D'ordinaire, Anna les aurait mises à l'aise, mais cette fois elle n'en avait pas l'énergie : elle était plus à plat qu'un pneu crevé.

— Commençons par le commencement, dit Michelle en bataillant avec son sac M&S. Même si j'en ai peut-être acheté un peu plus que nécessaire, j'ai là-dedans des Percy Pig de toutes les variétés. À part ceux au citron, ils sont assez affreux. Deuxième chose, Anna. Qu'est-ce qui se passe ?

— Je vous l'ai dit. J'ai pris une semaine de congé maladie. Gastro.

— Ouiiii. Et puis nous t'avons appelée, envoyé des mails, des textos, auxquels tu n'as pas répondu, ou très brièvement – trop brièvement pour être honnête. Ensuite, nous avons commencé à poser des questions. Quelqu'un que j'appellerai « Mi-Sel », au cas où ce que je vais te raconter te fâcherait contre elle, se rend compte que la dernière personne que tu as vue avant The Maladie était ce James du lycée. Mi-Sel lui téléphone alors à son travail et apprend qu'il y a eu une sorte de… dispute ?

— Oh non, tu as parlé à James ? C'est pas vrai !

Anna rabattit la capuche de sa grenouillère sur son visage.

—Ce sont des cornes? demanda Aggy. C'est un déguisement de Satan?

—Des oreilles, marmonna Anna à travers le tissu.

Elle repoussa la capuche en arrière.

—Ton collègue Patrick me fout une sacrée pression pour que je découvre ce qui se passe, expliqua Michelle.

Anna soupira.

—Vois plutôt le bon côté des choses: je t'ai épargné sa visite. Vous vous êtes disputés à quel sujet? demanda son amie.

—James ne te l'a pas dit?

—Nan. Tout ce que j'ai pu obtenir, c'est: «Il faudra le lui demander à elle.»

Une petite lueur de respect pour la discrétion de James vacilla un instant, que d'autres souvenirs vinrent immédiatement éteindre.

—Il a découvert qui j'étais en tombant sur une photo de moi au lycée. Il s'est moqué de moi. J'ai pété un câble et je lui ai hurlé qu'il avait été un sale connard. Il m'a traitée de psychotique et a déclaré que ce n'était pas sa faute si j'étais une bête de foire à l'époque. L'affrontement a été violent et humiliant. Ça a fait remonter tous mes mauvais souvenirs; je me suis crue de nouveau au lycée.

—Quel sale type! s'exclama Michelle. Il t'a traitée de bête de foire?

—C'est horrible, souffla Aggy, visiblement au bord des larmes.

—Nous savions déjà que c'était un salaud. Mais comment ai-je pu me persuader qu'il avait changé?

—Bon. Donc. Ancien connard présumé confirme qu'il en est toujours un, résuma Michelle. C'est son problème. Pourquoi cela a-t-il eu un tel impact sur toi?

La question méritait d'être posée. Anna s'était débrouillée pour l'éviter.

— Je ne sais pas. Il a ri et, en un instant, j'ai revécu le Mock Rock. Cela m'a prouvé que j'étais encore cette fille ; que je serai toujours cette fille que personne ne voulait connaître.

— Moi, si ! protesta Aggy, une larme roulant sur la joue.

Anna se pencha et lui pressa le bras.

— Merci. Mais tu n'avais pas vraiment le choix vu que je vivais chez toi. Quelle imbécile ! Qu'est-ce qui m'a pris de fréquenter des gens aussi superficiels et immoraux ? Je sais qui ils sont, alors pourquoi m'être bercée d'illusions ? Ils ont été agréables avec moi et je me suis laissée flatter. Quelle faiblesse de ma part… Je voulais croire qu'ils avaient changé. Je voulais croire que *moi* j'avais changé. J'avais envie d'être enfin appréciée par les ados cool. À trente-deux ans… C'est pathétique.

— Mais c'est le cas, sauf que tu es trop bien pour ça, objecta Michelle.

— Non, c'est comme si… je portais un déguisement. Rien n'est jamais réel. La façon dont j'ai été traitée reflète parfaitement ce que les gens comme lui pensent de moi. En révélant qui ils sont vraiment. Le reste, c'est un ramassis de conneries.

— Alors abstiens-toi de fréquenter ces gens superficiels. Voilà, réglé.

— Je sais, dit Anna. J'attends que mes émotions se mettent au diapason avec mon intellect. Je finirai peut-être par me faire à l'idée que je n'ai à avoir honte de rien.

— Tu sais, pas une seconde je ne m'étais imaginé qu'ils ne te reconnaîtraient pas à la réunion, dit Michelle. Tout ce que tu y as gagné, c'est de faire remonter le passé, au lieu de tirer un trait dessus. Je suis désolée de t'avoir poussée à y aller.

— Ne t'inquiète pas, dit Anna en arrangeant sa queue-de-cheval. C'est moi qui ai continué à voir James. Je suppose que, au fond de moi, j'espérais qu'il en sortirait quelque chose de bon.

Et puis tu t'amusais bien.

— Mais même si tu dis que tu as changé, dit Michelle en glissant sa cigarette électronique au coin de sa bouche, la jeune Anna était intelligente. Elle était gentille, intéressante et drôle. Ce sont les qualités pour lesquelles les gens t'apprécient aujourd'hui, et elles ne sont pas apparues à l'âge adulte. Ouais, OK, tu as changé physiquement par rapport à ton adolescence ; comme nous tous.

— Tout le monde me détestait, Michelle, expliqua Anna en s'efforçant d'empêcher la boule dans sa gorge de se transformer en pleurs. Ils me *haïssaient*. Je doute qu'on puisse totalement se remettre du sentiment d'être, intrinsèquement… impossible à aimer.

Ah. Les larmes. Aggy la serra dans ses bras pendant qu'elle pleurait, et Michelle se leva pour venir l'étreindre ; elles pleurèrent encore un peu, enlacées, jusqu'à ce que Michelle finisse par marmonner :

— Je pense qu'un bon lavage à quatre-vingt-dix ne ferait pas de mal à ta barboteuse.

Anna renifla et se racla la gorge, mais remarqua qu'elle se sentait mieux d'avoir énoncé cette triste vérité. En revoyant ce visage joufflu et ridicule sur la photo, elle s'était sentie terriblement mal pour cette fille. Elle était allée au lycée désireuse et impatiente d'apprendre, et tout ce qu'on lui avait enseigné, c'était qu'elle ne valait rien.

— Mais il y a plein de gens qui t'aiment ! Donc c'est archifaux, déclara Michelle en allant se rasseoir.

— Mis à part le détail du zéro-mec-jamais.

— Attends. Il y a plein d'hommes qui rêveraient de sortir avec toi, alors remballe tes jérémiades, Miss Havisham.

— Elle a raison. L'autre jour, j'avais mon compte Facebook ouvert sur mon ordi, et Phil, un type avec qui je travaille, a dit qu'il adorerait te rencontrer, renchérit Aggy.

Anna eut un petit rire sans conviction.

—OK, passe-moi un petit cochon.

Michelle lui lança un paquet de bonbons.

—À mon avis, c'est toujours aussi douloureux parce que tu n'en as jamais parlé, poursuivit Aggy. Tu ne laisses personne y faire la moindre allusion. Papa et maman ont peur de te contrarier en mettant le sujet sur le tapis. À l'époque, tu t'enfermais dans ta chambre pour lire des livres. Aujourd'hui, tu gardes tout pour toi et te tiens à distance des nouvelles têtes. Même Chris n'a jamais été informé de ce qui s'est passé…

C'était si étonnamment sérieux et fin de la part d'Aggy qu'Anna l'écouta. Il le fallait. Elle se sentait envahie par l'émotion.

—Chris et moi, on s'amuse. Je ne voudrais pas qu'il me voie différemment.

—Mais ça n'arrivera pas ! Ça aide, de parler, insista Aggy. Tu vois, moi, une fois, j'ai complètement foiré en couchant avec un client, un cauchemar – il a répété des trucs que j'avais dits au lit, les gens ont ri, l'horreur. Ensuite j'ai raconté ma version et les gens ont ri aussi, mais d'une bonne façon. C'était comme si, une fois que je m'étais approprié l'histoire, cela ne pouvait plus m'atteindre, tu vois ce que je veux dire ? Mets une de tes photos du lycée sur ton profil Facebook ou un truc dans le genre.

Anna fit la grimace.

—OK, peut-être pas ça. Mais tu vois ce que je veux dire. Fais du Mock Rock une histoire. Fais-en une de *tes* histoires. Tu es tellement drôle ; les gens riraient avec toi.

Anna se pencha et serra les épaules osseuses de sa sœur dans ses bras. Quand Aggy était enfant, Anna disait que c'était comme de faire un câlin à une règle dans une trousse.

—Et je vais te dire un truc. Je ne suis même pas certaine que ce James soit aussi sûr de lui que tu le penses, ajouta Michelle. Quand nous nous sommes parlé, il m'a demandé

340

plusieurs fois comment tu allais. Il m'a donné l'impression d'être gêné.

—Gêné de me connaître, surtout. Il devrait effectivement avoir honte des horreurs qu'il m'a dites, mais il n'est pas du genre à s'en vouloir, crois-moi.

—Il va peut-être réfléchir et s'excuser.

—Ça, je n'y compte pas trop.

Anna avait été bouleversée d'être démasquée et se demanda si leur explication aurait pu être moins conflictuelle si elle n'avait pas perdu les pédales.

Non. Il avait ri, décliné toute responsabilité et l'avait traitée de bête de foire. Il avait confirmé tous ses soupçons.

—S'il a foutu le camp, il ne valait rien, déclara Michelle. De toute façon, tu ne l'as jamais vraiment apprécié, si?

—Pas vraiment, dit Anna.

—Tu te sens d'attaque pour retourner au boulot lundi?

—Ouais.

—Bien. Je ne crois pas que la solitude te réussisse. Par contre, je suis sûre que ça t'aidera de te souvenir de l'amour que tu portes à ton travail.

—C'est vrai. Mamie Maud disait: «Ne travaille pas trop dur si tu veux être heureuse. Les hommes préfèrent les femmes amusantes aux femmes intelligentes. Ce qui veut dire que tu réussiras, mais que tu seras seule», dit Anna.

—Mamie Maud m'a expliqué un jour que si un homme trompait sa femme, c'était parce qu'il lui manquait quelque chose dans son couple, ajouta Aggy.

—Cette mamie Maud dont vous parlez, elle était heureuse en mariage? intervint Michelle en se lançant un cochon vert dans la bouche.

—Pas vraiment. Elle était toujours morose, et papi Len faisait en permanence une tête de fourmilier hagard, répondit Anna.

— Alors vous feriez peut-être bien d'arrêter de vous prendre la tête avec ses conseils en matière de relations, dit Michelle en mâchant vigoureusement. Elle devrait plutôt s'appeler mamie Fraude. C'est quoi, ça?

Anna suivit son regard.

— Mes journaux intimes d'ado. Je m'apprêtais à les feuilleter.

— Mais *pourquoi*?

— Pour... me souvenir? hasarda Anna en haussant les épaules d'un air las. Je ne sais pas. Après la réunion d'anciens élèves, je me suis dit que si je ne parvenais pas à tourner la page de cette façon, j'y arriverais peut-être en me confrontant à tous ces souvenirs et en lisant ces journaux. Ensuite je n'ai plus été trop sûre d'être capable de les affronter.

— Quelles conneries! Pas question de te complaire dans ces idées noires, dit Michelle. J'ai une idée. Si on les brûlait? Un bûcher? Ça, ça pourrait être une bonne façon de tourner la page. Nous danserons autour en criant.

Anna rit et Aggy poussa un cri perçant.

Dix minutes plus tard, après avoir transporté la boîte dans le jardin, elles restèrent debout à frissonner, à demi éclairées par la lumière de la cuisine et l'éclairage de sécurité de la porte de derrière.

— Tu n'aurais pas une poubelle en métal ou quelque chose de ressemblant? demanda Michelle, les bras serrés autour de son corps, tremblant de froid.

— Les poubelles sont en plastique, répondit Anna.

— On pourrait peut-être mettre les journaux au micro-ondes? proposa Aggy.

— Tu veux passer du papier et du carton au micro-ondes? dit Michelle.

— Et du métal... Les cadenas sont en métal, rappela Anna.

—L'idée est de détruire les journaux intimes, pas de finir aux urgences sans un poil sur le caillou et de passer sur la chaîne d'info locale, dit Michelle avant de soupirer. Quand tu veux que quelque chose soit cuisiné correctement, il faut le cuisiner toi-même. Tu as un barbec'? Et de quoi l'allumer?

—Attends! Oui.

Anna disparut dare-dare dans les broussailles et revint avec un barbecue circulaire monté sur trois pieds, rempli de cendres, pendant qu'Aggy furetait bruyamment dans les placards de la cuisine.

Michelle alluma le feu à grand renfort d'allumettes et demanda le premier journal.

Elle le tripota du bout d'une fourchette à barbecue, regardant l'ours en peluche se déformer puis se dissoudre. Les sœurs Alessi l'encadraient, chacune un bras passé autour de sa taille.

—Presque cuit. Coupez les petits pains et préparez le ketchup! La vache, ça fouette, dit Michelle alors que le fermoir en métal sur le journal fondait. N'approche pas avec ton costume, Anna, ou tu décollerais comme une fusée. OK, Aggy, je suis prête pour le journal 1995. Tu ne pouvais pas synthétiser un peu, Anna?

Alors qu'elles se tenaient blotties les unes contre les autres, les bras entrelacés, Anna dit:

—Merci, les filles. Je me sens nettement mieux. J'aurais dû faire ça il y a bien longtemps.

—Il était temps que tu te rendes compte que ce sont eux qui devraient avoir honte, pas toi, déclara Michelle.

Perdue dans la contemplation des flammes qui dansaient dans le chaudron et les journaux couverts de suie, Anna comprit pour la première fois à quel point c'était vrai.

CHAPITRE 52

J ames sortait d'un rendez-vous sous le viaduc de Bermondsey avec Will Wembley-Hodges, un producteur « artisanal » de bâtonnets de fromage à effilocher qui souhaitait que son produit soit commercialisé dans la grande distribution.

Durant la réunion, le jeune homme avait dû hocher vigoureusement la tête en écoutant un homme d'affaires coiffé d'un chapeau de paille mou rose.

— Donc vous marchez dans la rue en effilochant votre bâtonnet de fromage, sauf qu'au lieu de fromage fondu, c'est du fromage arménien au lait de brebis et cumin noir...

James fut tenté de répliquer quelque chose du genre : « Alléluia ! Quelqu'un a enfin mis un terme au calvaire qui consiste à marcher dans la rue en effilochant le mauvais fromage », mais bien évidemment il n'en fit rien.

Son esprit était finalement parti à la dérive, échafaudant des plans, réfléchissant à la meilleure manière de présenter ses excuses à Anna. Il se préparait mentalement. Bête de foire... qu'est-ce qui lui avait pris ? Il avait des palpitations chaque fois qu'il se remémorait la scène. Ensuite, il y avait eu le coup de téléphone de son amie Michelle. Il s'était senti affreusement mal en comprenant qu'il avait vraiment blessé Anna.

Quand il arriva chez Parlez en milieu de matinée, le silence dans la salle était chargé d'une tension étrange.

James n'y prêta guère attention, jusqu'à ce que Harris le dépasse, sa grande tasse de *chai latte* à la main. Il affichait une expression aussi grotesque que menaçante : excitation malfaisante, triomphe et, surtout, impatience et jubilation.

—James, tu as deux minutes ? dit-il en s'asseyant devant son écran dans les locaux en open space.

On aurait pu entendre une mouche voler.

—Euh… ouais ? dit James en s'installant à son bureau.

—Par ici, si ça ne t'ennuie pas.

James se leva et rejoignit Harris à son poste, tout près. En plein écran, s'affichait le compte mail des demandes de renseignements à l'entreprise. Une voix retentit, haut et clair, avec en fond sonore des bruissements de papiers. C'était une voix masculine, plutôt jeune, à l'accent londonien. James mit un moment à se rendre compte qu'il s'agissait de la sienne.

« … Vous vous foutez royalement de ce que je fais, très bien. C'est un tas de conneries digitales qui n'existaient pas il y a cinq minutes, et maintenant nous vous les vendons comme quelque chose d'essentiel, parce que, malheureusement pour vous, c'est le cas, étant donné que tout le monde a un Smartphone et la capacité de concentration de Graham Norton après une dose de speedball et un Red Bull – même les gens qui fréquentent les musées. Mais ça paie mon crédit immobilier, et je ne suis pas trop mauvais dans mon métier, donc, c'est ce que je fais. Tout le monde n'a pas la chance d'être aussi passionné par son travail que vous… »

Anna.

C'était la fois où il était sorti de ses gonds, à la fin de la séance d'enregistrement des questions-réponses pour l'application. Qu'est-ce qu'il avait dit d'autre ? Oh, bon sang, qu'est-ce qu'il avait dit d'autre…

« … Et vous pensez que mes collègues sont des abrutis ? Devinez quoi ? À une ou deux exceptions près, moi aussi. Et

345

ils semblent tous avoir un nom à la place d'un prénom. Mais au lieu de rester là à me pousser à bout toutes les deux minutes et à bien montrer que vous trouvez tout ça complètement débile… »

Harris interrompit l'enregistrement.

— Sympa, comme façon de parler de nous, non ?

James ne bougeait pas, essayant de se trouver une échappatoire après que tous ses collègues eurent entendu ce qu'il pensait d'eux. C'était comme de dire du mal de quelqu'un sans se rendre compte que l'intéressé vient d'entrer derrière vous. Mais en pire.

— Ça vient de l'UCL. Y aurait-il de l'eau dans le gaz avec la petite amie, par hasard ?

Bien sûr. Leur dispute.

Essayant de gagner du temps pendant que son cerveau vrombissait, James plissa les yeux pour lire les détails du mail.

— Je l'ai déjà fait suivre à Jez et Fi, annonça sèchement Harris, avant que James n'ait eu le temps de fournir des explications.

Rien de surprenant à ça. James avait déjà compris que cet incident lui vaudrait d'être mis à la porte. Ce n'était rien de moins qu'une lettre de démission audio.

L'expéditeur avait utilisé une adresse mail anonyme, et le message disait : « Nous avons constaté qu'un membre de votre équipe s'était comporté avec un manque de professionnalisme criant au cours d'un projet récent impliquant notre université. Nous avons pensé que vous pourriez être intéressé par le fichier audio joint. »

En objet du message, il était indiqué : « Urgent, de l'UCL. Re : James Fraser. »

James passa sa langue sur ses lèvres sèches.

— Je ne le pensais pas. Elle était désagréable et je me suis défendu. C'est sorti de son contexte.

— Fi est à Londres. Elle passera à l'heure du déjeuner pour s'entretenir avec toi.

— Très bien, dit James en regagnant son bureau d'un pas raide avant qu'Harris n'ait le temps de s'amuser encore un peu.

Après une minute à essayer de mettre de l'ordre dans ses pensées confuses et tourbillonnantes, tiraillé entre l'appréhension et la fureur, il décida d'appeler Anna et de lui demander des explications.

Il s'éclipsa du bureau et laissa un message à la jeune femme après être tombé à deux reprises sur son répondeur (elle l'évitait certainement).

Ça alors ! Lui présenter des excuses, tu parles. Anna lui avait paru assez déséquilibrée le week-end précédent, mais là, c'était carrément du délire. Il ne l'aurait pas crue capable d'une telle malveillance. Manifestement, il s'était trompé sur toute la ligne.

Et dire qu'il l'avait crue sympathique. Eh bien. Dorénavant, il suivrait ses premières impressions.

James regagna son siège. Les minutes s'égrenaient. Autour de lui, les conversations s'élevaient à peine au-dessus du murmure. Finalement, Harris n'y tint plus, incapable de soutenir plus longtemps l'exquise tension de l'attente de Fi.

— Dis donc, James. Qu'est-ce que ça fait de savoir que tu vas te faire saquer comme Rome ? ricana-t-il. Tu es en première position dans la course en *saque* ! Back dans les bacs de la casse !

— Ouais, Harris, hilarant. Toi, le Lord du Lol, rétorqua James. Au cas où tu aurais eu un doute, quand j'ai dit qu'il y avait une ou deux exceptions à la règle des abrutis, clairement, je ne pensais pas à toi.

Une lueur dans son heure la plus sombre : une salve d'éclats de rire retentit. Harris grimaça. Il ressemblait à un gnome qui aurait reniflé un pet.

CHAPITRE 53

Les gens emploient souvent l'expression « se jeter à corps perdu dans le travail » comme s'il s'agissait de quelque chose de négatif, une façon d'éviter de se confronter à ses problèmes. Du point de vue d'Anna, cependant, se jeter dans le travail était infiniment préférable à se jeter dans un canal, dans les bras d'un sale type ou sur une boîte de Xanax.

En parlant de sale type, elle avait reçu un mail inattendu d'un Laurence soudainement compatissant, qui avait tenu à lui expliquer combien il était désolé pour le Mock Rock. Anna était à peu près certaine que ce serait leur dernier échange, ayant une idée assez claire de l'unique but qu'il poursuivait.

Michelle avait raison, se remettre au travail lui fit un bien fou. Après avoir donné un cours magistral extrêmement enthousiasmant à ses étudiants de troisième année, elle traversait le campus, se sentant pleine d'entrain pour la première fois depuis des semaines. Immoler par le feu ses vieux journaux intimes avait peut-être été un cérémonial, mais cela avait eu le résultat escompté. Elle aurait allégrement brûlé une effigie de James avec.

Croyant avoir entendu son portable biper durant le trajet entre l'amphi et son bureau, elle l'attrapa dès qu'elle eut posé ses dossiers et regarda qui l'avait appelée. Elle fut déconcertée de constater qu'il s'agissait de James Fraser. Le voyant indiquant un nouveau message vocal lui faisait des clins d'œil.

Voilà qui ne présageait rien de bon. Michelle avait beau juger James capable de trouver en lui les ressources nécessaires pour s'excuser, Anna ne croyait pas une seconde que sa fierté le lui permettrait. Et, si c'était effectivement le cas, il était peu probable que ça le prenne un lundi matin.

Elle écouta le message.

«Anna. Je ne sais pas à quoi vous jouez, putain, mais ce coup bas est absolument merdique. Pouvez-vous me rappeler ? Et si vous comptiez m'éviter en filtrant mes appels, sachez que je n'hésiterai pas à attendre à l'accueil de l'UCL jusqu'à ce que vous vous décidiez à me recevoir. Apparemment, je n'aurai bientôt que ça à faire.» Clic. Tonalité.

Coup bas ? Quelque chose ne tournait vraiment pas rond. S'efforçant de n'écouter que son courage et de surmonter sa peur, elle le rappela. Il laissa passer une sonnerie de plus que ce à quoi elle s'était attendue, mais quand il décrocha, elle comprit aux bruits de circulation derrière lui qu'il s'était précipité dans la rue.

— Allô ? Vous vouliez me parler ? dit-elle. Je ne vous év…

Elle n'eut même pas le temps de finir sa phrase.

— Ouais, effectivement. Vous pouvez m'expliquer en quoi cela vous a semblé une réponse proportionnée à quelque chose que j'ai fait il y a deux décennies ? Me faire perdre mon boulot ? Vous savez que j'ai des obligations que je n'avais pas quand nous avions seize ans, à savoir un crédit ? Et des factures ?

— De quelle réponse proportionnée parlez-vous ?

— Du mail. Avec l'enregistrement.

— Je ne suis pas au courant.

— Oh, bon sang, c'est pathétique… insultant. Vous aviez vraiment l'intention de me faire gober que ce n'était pas vous ?

Anna poussa sa chaise en arrière et se leva, le cœur se déclenchant comme une alarme à incendie.

— Je n'ai honnêtement *aucune* idée de ce dont vous me parlez.

Elle s'était exprimée avec suffisamment de force pour qu'il y ait un temps de silence.

— Ma compagnie a reçu un mail avec en pièce jointe un enregistrement où l'on m'entend démolir mon boulot et les gens avec qui je travaille. Il date de notre séance de questions-réponses dans l'amphithéâtre. J'étais en colère, et je n'aurais pas dû vous dire tout ça, mais je ne me doutais absolument pas que vous enregistriez tout.

Anna était sans voix et vaguement nauséeuse.

— J'ignorais l'existence de cet enregistrement. Et je ne l'ai pas envoyé.

— Quoi ? Donc quelqu'un de l'UCL nous a mis sur écoute et utilise l'enregistrement contre moi une semaine après notre dispute ? Y a-t-il d'autres suspects ? Je serais étonné que Poirot ait besoin de convoquer tout le monde dans le salon, cette fois.

Marchant de long en large dans son bureau, Anna commençait à sentir la chaleur du téléphone contre son oreille.

— Attendez. Je croyais que nous n'avions enregistré que les questions-réponses. Je n'ai même d'ailleurs jamais été en possession du fichier. Vous dites qu'il a été envoyé par mail ?

— Oui. Il apparaît comme provenant de l'UCL, mais depuis une adresse Gmail anonyme.

— Si c'était moi qui l'avais envoyé, pourquoi le nierais-je ? Comme vous l'avez fait remarquer, tout le monde doit penser que j'en suis l'auteure, de toute façon.

— Alors qui ?

— Je ne sais pas.

James soupira bruyamment. Il ne semblait pas particulièrement apaisé, et Anna comprenait pourquoi. Non seulement il n'avait pas résolu son problème, mais en plus il n'avait pas la satisfaction de connaître l'identité de son ennemi.

— Attendez…

— Quoi ?

— L'installation audio avait été faite par mon collègue Patrick. C'est le seul à être au courant de notre conversation, et il vous a pris en grippe à la soirée de lancement... Il est possible qu'il ait écouté tout l'enregistrement. Mais j'ignore pour quelle raison il aurait envoyé le dossier.

— Il est roux ?

— Assez.

— Je crois me souvenir de lui. Il sait que nous nous sommes disputés ?

— Non... Je ne lui ai rien dit.

Attendez... Michelle a dit que Patrick avait voulu savoir pourquoi j'étais absente ?

— Michelle l'a peut-être mis au courant...

James soupira.

— Formidable. Bon, je me suis pris une sacrée raclée, soupira James, quoique avec un peu moins de colère.

— Vous allez avoir des problèmes ?

— Ma boss vient à l'heure du déjeuner signer mon arrêt de mort. Je serai demain sur monster.co.uk, ça ne fait aucun doute. À moins que je ne sois au pub, la tête sur le bar.

— Je peux peut-être parler à votre patronne ?

— Vous pouvez essayer, mais ça ne va pas changer grand-chose vu qu'elle détient l'enregistrement. Pas vraiment un cas de « Il a dit ça, et elle a dit ça », si ? Plutôt un « Tout le monde a entendu ».

— Je suis désolée, James.

— Merci. Moi aussi. À plus.

Et il raccrocha.

Chapitre 54

Anna dut s'armer de courage avant d'entreprendre le court voyage jusqu'au bureau de Patrick au bout du couloir. Elle ne savait pas exactement ce qu'elle allait découvrir, mais elle était assez sûre que ça ne lui plairait pas. Patrick était-il l'auteur de ce mail ? Pourquoi ? Comment avait-il pu faire une chose pareille ? Et comment allait-elle s'y prendre pour l'accuser sans… lui jeter la pierre ?

Elle frappa un petit coup à la porte et entra sans attendre dès qu'elle y fut invitée.

— B'jour ! Tu te sens mieux ? la salua le jeune homme.

Il semblait tendu, mais c'était peut-être seulement le fruit de son imagination.

— Beaucoup mieux, merci. Quoi de neuf, ici ?

Anna s'assit du bout des fesses.

— Pas grand-chose, toujours la même histoire.

L'absence de tasses de thé et le silence qui s'étirait entre eux confirmaient qu'il ne s'agissait pas d'une visite normale, ni d'une discussion anodine.

— Je viens de recevoir un coup de téléphone très étrange, commença Anna.

— Ah.

Anna n'avait plus aucun doute sur la responsabilité de Patrick dans l'envoi du dossier à Parlez. Ce « Ah » ne dénotait pas de la curiosité. Il trahissait de la culpabilité.

— Peut-être est-ce le bon moment pour te dire que je sais que ta maladie était psychologique et non pas physique ?

— Oh ?

— Michelle m'a raconté les choses affreuses que cet homme t'a dites. J'ai trouvé ça révoltant…

Patrick secoua la tête et déplaça son stylo sur son bloc de cinq centimètres sur la droite, avant de redresser les feuilles de papier en dessous de façon que les pages se trouvent alignées.

— Pourquoi ? Tu as discuté avec Michelle ?

— Je lui ai dit que tu m'avais parlé de ce James Fraser et elle m'a raconté ses derniers exploits.

Anna devinait ce qui avait dû se passer. D'après Michelle, Patrick l'avait harcelée pour connaître les raisons de son absence. Michelle n'était pas irréfléchie, mais naturellement honnête, et il ne faisait aucun doute que Patrick avait présenté les choses de telle sorte qu'elle sache qu'il était au courant de tout au sujet de James. Ce qui ne donnait pas pour autant le droit à Patrick de s'immiscer ainsi dans ses affaires.

Anna sentit la colère monter par paliers, comme les voyants d'un égaliseur sur une chaîne hi-fi.

— Il m'a semblé que quelqu'un devait agir à ta place. Personne ne prend soin de toi… et tu as un tel sens de l'abnégation que tu n'es pas capable de te défendre toute seule.

Anna ne fit qu'écarquiller les yeux en entendant cette description d'elle-même. Patrick semblait agité.

— J'avais la preuve de la manière abjecte dont il te traite sur un enregistrement, que j'ai envoyé à l'agence digitale. Je voulais que, pour une fois, ce soit lui qui pâtisse de son comportement infect, plutôt qu'un innocent.

Anna ignorait quelle mouche avait piqué Patrick, mais manifestement même lui avait du mal à croire à ce qu'il avait fait. Anna se racla la gorge.

— Tu as envoyé un enregistrement pirate d'une conversation personnelle, sans m'en demander l'autorisation ni même m'en aviser, à un contact professionnel ? Tu as humilié

James, et tu m'as impliquée malgré moi dans ces représailles qui vont lui coûter son travail ?

Les sourcils de Patrick tressautèrent.

— Il a été mis à la porte ?

Anna fut incapable de contenir plus longtemps sa colère.

— Oui ! Ou il pourrait ! Patrick, comment as-tu pu faire une chose pareille ? Tout le monde croit que c'est moi qui ai envoyé ce message !

— Je suis navré. J'étais révolté et j'ai soudain éprouvé le besoin de faire quelque chose pour une fois, bon sang.

Patrick pointa le menton en avant et essaya pour voir la pose du défenseur de la liberté de WikiLeaks.

— Tu n'aurais pas pu me demander mon avis ?

— Tu aurais décortiqué le problème en tous sens, et tu aurais fini par te montrer trop magnanime et le laisser s'en tirer.

— Si ton objectif était de porter un coup en mon nom contre James Fraser, tu en as très mal calculé les retombées, car le résultat n'aurait pas pu être pire. J'ai dû lui présenter des excuses et libérer le poste de défenseur de la morale sur-le-champ.

— Lui présenter des excuses ? Pourquoi ? C'est *lui*, le petit merdeux. Je suis désolé, mais je refuse de me lamenter sur les difficultés que pourrait rencontrer un homme qui t'a un jour crucifiée en public.

— Oooh…, dit Anna, le visage enfoui dans les mains. Tu ne crois pas que si quelqu'un devait lui demander des comptes, c'était moi ?

— D'après ce que j'ai compris, tu l'as fait. Et il t'a blessée à tel point que tu n'as pas pu sortir de chez toi pendant une semaine.

Anna avait du mal à respirer.

— Je sais que tu as voulu me défendre, mais, crois-moi, ce n'était pas la bonne façon de t'y prendre. Je ne voulais plus jamais le revoir, et maintenant je me retrouve obligée de rattraper ce gâchis.

— En es-tu sûre ?

— Qui d'autre va le faire ?

— Je veux dire, es-tu sûre de renoncer à le revoir une bonne fois pour toutes ? De l'extérieur, on dirait que cet homme est passé du statut d'ennemi public numéro un à celui de type avec qui tu étais plutôt contente de passer du temps.

— Je peux t'assurer que ma relation avec James n'a absolument rien de romantique.

— Et peut-on savoir ce qu'il faisait chez toi ?

Anna agita les mains.

— Il est venu regarder un documentaire sur Théodora. Ce n'était pas… — Bon sang, ce n'était pas un *plan cul*.

— Est-ce pour ça que tu as réagi de façon aussi excessive ? Tu as cru qu'il m'avait sautée puis jetée ?

— Non, ce n'est pas pour ça.

Patrick avala sa salive avec difficulté et se remit à tripoter des papiers sur son bureau. Un long silence s'installa entre eux. Puis Patrick finit par dire :

— Je suis amoureux de toi.

Anna faillit s'étrangler.

— Mais pas du tout ! lâcha-t-elle bêtement, sous le choc.

— Je crois être mieux placé que toi pour savoir ce que je ressens, dit tristement Patrick avec un sourire dépité.

Anna se demanda si elle l'avait vu venir. Au fond, elle avait senti qu'elle lui plaisait, bien sûr. Le regard qui s'attardait un peu trop longtemps. Un intérêt un peu trop vif pour sa vie amoureuse. Elle s'en voulut de ne pas s'en être rendu compte. Mais qu'aurait-elle pu dire ? « S'il te plaît, ne m'apprécie pas comme ça ? S'il te plaît, ne m'apprécie pas autant ? »

Anna essuya ses mains moites sur sa robe.

— Euh… Je ne sais pas quoi dire.

355

— Je ne te déclare pas mes sentiments dans l'espoir qu'ils soient réciproques, dit Patrick en remontant ses lunettes sur son nez. Je sais qu'ils ne sont pas partagés.

Anna garda le silence, complètement sciée. Puis :

— Je croyais que nous étions amis.

— Nous le sommes. Ma parole, tu es vraiment complètement inconsciente de l'effet que tu as sur les hommes, n'est-ce pas ? Roger me l'avait dit à cette dégustation de vin et de fromages où je t'ai rencontrée. J'ai cru qu'il plaisantait, tu es tellement renversante. Mais non. Tu te rends compte que les étudiants inventent des excuses pour avoir des entretiens en privé avec toi ? Loin de moi l'idée de suggérer que tes cours sur Théodora ne sont pas captivants, mais je vois clair dans leur jeu.

» Voilà pourquoi je n'ai pas pu rester là sans rien faire, pendant que ce type te maltraitait et te manipulait, Anna. J'ai toujours su que, tôt ou tard, un homme arrogant et mal élevé abuserait de ta bonté et de ton innocence. Je ne le permettrai pas.

— Je suis très flattée, mais tu te trompes, je t'assure. Il n'y a jamais eu le moindre risque que James essaie de me séduire. Ou y parvienne. Notre relation ne tenait pas à ça.

— Eh bien, s'il souhaite connaître mes motivations, il n'a qu'à venir me trouver. Dis-lui que je suis dans mon bureau et tout disposé à discuter.

— Patrick, arrête !

— Pourquoi le protèges-tu ?

— Je ne le protège pas. J'essaie de t'expliquer que je n'ai pas besoin qu'on se batte pour moi.

Anna perçut soudain comme un drôle d'écho de ses conversations avec Laurence, sauf que Patrick en était la version bienveillante. Elle était un trophée, ou mise sur un piédestal, alors qu'elle voulait être traitée d'égal à égal.

La différence, c'était qu'elle se sentait désolée pour Patrick – absolument pas pour Laurence.

— J'espère que ça ne changera rien entre nous, dit-elle prudemment.

— À mon grand regret, je suis sûr que ça n'arrivera pas, rétorqua Patrick avec un sourire.

Anna frémit en songeant qu'il vaudrait mieux l'éviter quelque temps. Suffisamment pour que le malaise se dissipe, mais pas trop afin que Patrick n'ait pas l'impression qu'elle le fuyait.

— Promets-moi une chose, l'arrêta Patrick quand elle se leva pour partir. Pas lui. N'importe qui sauf lui. Il ne te mérite pas.

Anna soupira.

— Je ne peux pas te faire ce genre de promesses. Mais je t'assure que c'est extrêmement peu probable.

— Tu n'exclus donc pas la possibilité d'une relation avec lui ?

— Seulement par principe.

Patrick secoua la tête.

— Tu m'as dit tout ce que j'avais besoin de savoir.

Après ceux de James, c'étaient désormais ses collègues à elle qui croyaient dur comme fer que James et elle formaient un couple. Certitude on ne peut plus éloignée de la vérité. Elle aurait préféré rouler une pelle au cadavre d'Hitler. James aussi, probablement, d'ailleurs.

En s'enfuyant du bureau de Patrick, Anna tomba nez à nez avec des étudiants de première année qui attendaient dans le couloir le début d'une séance de travaux dirigés ; ils ne devaient pas avoir perdu une miette de la conversation.

Quand elle regagna enfin son antre, son portable indiquait un appel manqué de sa mère. Elle attendrait le soir pour la rappeler. Discuter de glaçages à la noix de coco et de centres de table en pots de confiture était la dernière chose dont elle avait besoin à cet instant. Anna jeta son portable au fond d'un tiroir et se tourna vers ses mails.

Il n'y avait pas grand-chose qu'elle puisse faire pour arranger la situation, mais elle pouvait essayer.

CHAPITRE 55

Quand Fi arriva chez Parlez, un peu avant midi, James pensait avoir suffisamment d'acide dans l'estomac pour dissoudre un cadavre. Elle s'entretint à voix basse avec quelques membres de l'équipe, passa son courrier en revue, puis lança :

— James, vous voulez bien vous joindre à moi pour un café ?

Il bondit de sa chaise, terriblement nerveux. Il aurait préféré être viré sur Skype et ne plus jamais avoir affaire à aucun d'entre eux. La perspective de leur entretien l'exténuait, mais il n'y avait pas moyen d'y couper.

— *Carluccio's*, ça vous va ? Il faut que je sois à l'autre bout de la ville à 13 heures, dit Fi.

James hocha la tête en lui tenant la porte.

Il regretta d'avoir choisi le siège contre le mur, car un miroir incliné lui renvoyait son expression de bête traquée. Il n'éprouvait aucun plaisir à se voir, ces jours-ci.

— On se fait un déj' le 10, alors, Tigs. *Bye bye*…

Fi feignit de chuchoter ces trois derniers mots. On aurait cru une scène d'*Absolutely Fabulous*. Fi disait souvent des choses que personne ne dirait dans la vraie vie.

— … une bise, chérie, je t'adooore.

Comme ça.

Fi remonta ses lunettes de soleil incrustées de diamants sur ses cheveux teints en blond, en guise de bandeau à temps partiel.

— Bien. J'exige des explications…

— Hum. Eh bien… Je sais que ce que j'ai dit était… extrêmement malvenu. Mais le contexte…

— Je connais le contexte.

— Ah?

— Oui. J'ai eu une longue discussion téléphonique avec votre – ex? – petite amie qui s'est chargée de me renseigner. Et à la fin de notre causerie, c'est votre idiotie finie qui m'a le plus épouvantée, croyez-moi.

Oh, bon sang. Jeu, set et match pour vous, Anna.

Était-ce pour retourner le couteau dans la plaie qu'elle avait appelé Fi?

— Ma question principale est la suivante: qu'est-ce qui vous a pris de laisser filer cette brune délicieuse?

Fi feignit de le gifler et James la regarda fixement avec un air hagard.

Attendez. Quoi?

S'il s'agissait d'une nouvelle méthode de licenciement d'une brutalité avancée, consistant à mettre l'autre à l'aise avant de frapper pour tuer, il n'en avait encore jamais entendu parler.

— Débarrassons-nous d'abord des trucs ennuyeux et parlons boulot. L'exposition au British Museum. Nous avons reçu un courrier dithyrambique sur l'application du musée d'une certaine Victoria de l'UCL. Je peux dire sans crainte que Jez et moi sommes ravis de la façon dont vous avez mené le projet.

— Oh! Super.

James devait changer de vitesse sans trahir le fait qu'il s'attendait carrément à voir le panneau:

BIENVENUE À DÉGAGEVILLE.
POPULATION: 1 HABITANT (VOUS).

— Je n'ai pas besoin de vous préciser que « conneries digitales » n'est pas exactement la définition de votre travail que nous aimons vous voir dispenser à la ronde. Cependant, qui n'a jamais dit quelque chose d'imprudent pour impressionner un nouveau partenaire ? Le jour où j'ai rencontré Jez, je lui ai raconté que ma position préférée était le marteau-pilon ! Ah, ah, ah ! L'avez-vous déjà essayée ?

James avala sa salive et secoua la tête.

Bon sang, que les riches sont bizarres.

— Eh bien, croyez-moi, il faut avoir sacrément pratiqué le Bikram yoga avant d'envisager cette possibilité. J'avais trente-neuf ans à l'époque, India était née peu de temps avant, extirpée à la ventouse obstétricale – imaginez quelqu'un qui vous mettrait un débouchoir à toilettes dans le vagin. Bref. Écarter autant des jambes de femme mûre – de la pure folie... Mais j'étais amoureuse.

James dit : « Ah, oui » d'une petite voix et but une gorgée de café.

— Bon, laissez-moi vous dire deux choses au sujet d'Anna... (Fi claqua des doigts à l'intention du serveur.) De l'eau chaude ? Merveilleux. Vous êtes un chou. D'abord, personne ne vous avait jamais vu aussi détendu qu'à la fête d'anniversaire.

— Vraiment ?

James était sincèrement surpris.

— Vous êtes un garçon fabuleux, James, mais vous avez parfois l'air un peu... crispé. Vous vous êtes complètement *illuminé* en sa présence. Ça n'a échappé à personne. Vous faisiez une tête ! Comme si vous buviez ses paroles. L'attitude James Dean, c'est bien, mais rire est important. Croyez-moi, c'est ce dont une relation a besoin, plus que de contorsions au lit.

361

» Ensuite, elle est manifestement folle de vous. Vous ne l'avez pas encore perdue, mais dépêchez-vous, parce qu'une femme comme elle ne reste pas célibataire bien longtemps.

Bien que Fi se trompe sur presque toute la ligne, James ne put s'empêcher d'être intrigué.

— Vous pensez honnêtement que je lui plais? demanda-t-il.

Sa question n'était pas tout à fait rhétorique.

— Chéri…, commença Fi en posant sur son bras une main aux ongles vernis de Chanel. Elle est totalement sous le charme. Vous auriez dû l'entendre au téléphone m'expliquer qu'envoyer le fichier était un crime passionnel, qu'elle était normalement la femme la plus équilibrée du monde, que vous éveilliez la folie en elle… et que je ne devais sous aucun prétexte vous punir pour son erreur. Ce à quoi je lui ai répondu : « Mon cœur, j'ai trouvé ça amusant. » Si nous enregistrions tous nos confidences sur l'oreiller, aucun de nous n'en sortirait indemne.

James ressentait une immense gratitude pour Anna, renforcée par ce sursis inattendu. Elle avait peut-être contribué à lui faire frôler la catastrophe, mais elle avait certainement mis de côté sa dignité pour la lui éviter. Cela n'avait pas dû être facile pour elle de dire des choses aussi chargées d'émotions. Anna n'avait pas l'imposture dans le sang.

— Et laissez-moi vous expliquer autre chose, dans la mesure où j'ai vingt ans de vie d'avance sur vous…

Arf, on frise plutôt les trente, songea James.

Mais à cet instant précis, il aurait été prêt à soutenir que Fi avait l'âge requis pour devenir majorette.

— Les femmes comme Anna ne courent pas les rues. Quel âge avez-vous? Trente-deux ans, c'est ça. Considérez les choses sous cet angle : si vous avez mis trente-deux ans à la trouver, vous pourriez facilement en mettre trente-deux de plus pour rencontrer quelqu'un qui supporte la comparaison.

Voulez-vous attendre d'être à la retraite dans votre villa du Cap d'Antibes, le visage tellement lifté que vous ressemblerez à un homme-canon, ou voulez-vous être heureux maintenant ?

En fait, cela lui avait pris onze ans, mais James ne souleva pas ce point de procédure. Il songea qu'il serait peut-être sage d'annoncer le retour possible d'Eva dans sa vie. Il se rendit compte alors qu'il n'avait pas beaucoup pensé à son ex-femme dernièrement. Ses ennuis professionnels n'avaient pas eu que des inconvénients.

— Le problème, c'est que…, commença-t-il. Ce n'était pas… ce n'est pas complètement fini avec ma femme.

Fi touilla son café en hochant la tête.

— Je me doutais qu'il pouvait s'agir de ça. Pourquoi vous êtes-vous séparés ?

— Eva souffrait d'un désenchantement spirituel et d'une baisse de motivation qu'elle a dû soulager en se tapant un mannequin. Oh, et apparemment, une fois, j'ai trop discuté politique avec la femme d'un ami au cours d'un dîner.

— Loin de moi l'idée de vous dire ce que vous avez à faire, chéri, mais si elle est partie coucher avec un autre homme dès l'Année Un de votre mariage, que vous réservera-t-elle l'Année Dix ? L'Année Un, une femme devrait la passer à choisir du papier peint chez Cole & Son et à baiser à en avoir les jambes tellement arquées qu'elle ne pourrait arrêter un cochon dans un couloir, ah, ah, ah !

Ma parole, elle est complètement jetée.

James eut un rire gêné.

— Elle a effectivement eu de nombreux rapports sexuels. Mais pas avec moi.

Il se tut.

— Cela dit, nous avons prêté serment : pour le meilleur et pour le pire.

— Ah, voilà qui est intéressant ! s'exclama Fi en l'examinant par-dessus la mousse de son café. Je m'apprêtais à vous faire la leçon sur le fait que vous étiez trop beau et par là même affligé du désavantage d'avoir trop de choix. Mais quelqu'un serait-il loyal envers l'ex-épouse infidèle ? James Fraser, seriez-vous romantique ?

— Je n'en suis pas sûr, répondit James avec un sourire. Peut-être plutôt trop vieux et trop paresseux pour ne pas être monogame.

Bizarrement, vu qu'il venait de frôler la catastrophe, il décida de tenter le tout pour le tout, au risque de provoquer plus de vagues :

— Fi, j'ai fait du bon travail avec l'UCL parce que j'ai adoré le projet. En attendant, j'ai passé la matinée avec un type qui veut qu'on l'aide à claquer son héritage en faisant des vers au fromage aromatisé. Mais, depuis quelque temps, je n'arrive tout simplement pas à m'enthousiasmer pour les trucs frivoles.

James redouta que Fi ne le toise de son regard d'acier et ne lui dise que la frivolité mettait du beurre et des vers au fromage dans leurs épinards.

— Je suppose que je ferais mieux de penser à l'avenir au lieu de vous soumettre mes plaintes déplacées. Désolé. À classer dans : «Choses à ne pas dire à votre patron».

Il se passa la main dans les cheveux.

Fi semblait songeuse.

— Jez et moi avons discuté de la possibilité de redéfinir votre rôle, de réorganiser un peu l'équipe. Nous savons que vous êtes doué et ambitieux, et nous n'avons pas envie de vous voir partir chez un des New Kids on the Block, un Brand Pipe ou un Stuff Hammer…

Elle poursuivit en expliquant comment James pourrait être promu, choisir ses clients, se charger de décrocher des comptes prestigieux tels que l'UCL, et même bénéficier de la flexibilité du travail à domicile. Il se retint de se jeter en travers de la table pour serrer Fi dans ses bras. Qui eût cru que l'honnêteté pouvait payer à ce point-là ?

— Je n'entre pas, dit Fi alors qu'ils se tenaient devant les portes de l'agence.

Elle se pencha pour embrasser l'air près de ses joues. Puis elle saisit le visage de James entre ses mains, geste que James trouva profondément embarrassant.

— Cette barbe ?

— Oui ?

— Rasez-la, chéri. Cela marchait pour Ben Affleck dans *Argo*, mais il enchaînait les nuits blanches en pleine crise iranienne des otages dans les années 1970. Nous voulons profiter de votre joli minois.

Le cœur léger, soulagé, James savait qu'il devait une fière chandelle à Anna. Il savait aussi que ni l'un ni l'autre ne tenait à avoir une nouvelle conversation téléphonique. Il ouvrit donc un mail.

> Votre intervention auprès de Fi a fait effet au-delà de toutes mes espérances. Vous m'avez sauvé du désastre.
>
> Du fond du cœur, merci.
>
> J.

Les minutes s'égrenèrent ; il n'y eut pas de réponse. Il n'en fut pas surpris, vu que leur dernière rencontre n'aurait pu épeler le mot FIN de manière plus définitive que le dernier photogramme d'une épopée de la Metro-Goldwyn-Mayer, avec ses lettres de trois mètres de haut avant l'écran noir.

Puis, alors qu'il tripotait son téléphone en se demandant s'il ne devrait pas tout simplement appeler Anna pour la remercier correctement, il reçut le message tant redouté de Laurence.

Excellentes nouvelles! Invasion alliée réussie, Italie enfin entrée en guerre! ☺

Il eut soudain un goût amer dans la bouche et avala sa salive.

Le plan de Laurence consistant à appeler Anna, s'excuser pour le Mock Rock et obtenir à force de cajoleries d'être dans ce qu'on pourrait appeler, par euphémisme, « ses petits papiers » avait donc fonctionné ? C'était le genre d'expressions que Laurence n'utilisait que quand il avait mis une fille à l'horizontale.

Subitement, toute sa gaieté disparut, laissant place à un tumulte maussade de doutes et de regrets, et à une sensation qu'il ne pouvait appeler que douleur.

CHAPITRE 56

— A ureliana, pourquoi ne réponds-tu pas à ton portable ? hurla sa mère.

— Oh, il est… euh. Dans un tiroir, dit Anna, inquiète de recevoir un appel de sa mère sur la ligne fixe de son bureau, fait hautement inhabituel.

— Tu as des nouvelles de ta sœur ? s'enquit Judy d'une voix rauque.

— Non, pourquoi, est-ce…

— Le mariage est annulé ! Aggy et Chris ont rompu !

— Quoi ? Moins vite, m'man…, dit Anna tandis que sa mère commençait à bredouiller.

Avec l'exaspérante impression de l'avoir vu venir, mais sans la satisfaction de pouvoir dire qu'elle avait tout fait pour l'empêcher, Anna écouta toute l'histoire.

Comment Aggy avait menti à Chris sur les dépenses du mariage, et sur l'énorme dette qu'elle avait accumulée avec sa carte de crédit. Chris avait ouvert par erreur un courrier de Visa adressé à Aggy, vu tout ce qu'ils devaient et immédiatement appelé le *Langham* pour annuler leur réservation. Aggy était rentrée, avait découvert ce qu'il avait fait et, loin d'être contrite, avait pété les plombs. Elle était partie en claquant la porte, laissant Chris appeler consciencieusement ses parents pour leur annoncer la triste nouvelle.

— Et maintenant elle refuse de me parler ! Elle ne répond pas au téléphone ! Essaie de la joindre et de lui faire entendre raison, Aureliana !

Anna se retint de lui faire remarquer qu'elle avait maintes fois essayé de la mettre en garde.

—Comment va Chris?

—Il est furieux. Aggy a dépensé quatorze mille livres de plus que ce qu'elle lui avait dit.

Anna faillit s'évanouir.

—Quatorze mille? Mais comment va-t-elle rembourser une telle somme?

—Chris pense que ce n'est peut-être pas tout. Et ils ont perdu l'acompte versé au Langham. Ton père est parti s'allonger.

Anna adorait son père, mais il ne servait absolument à rien en situation de crise.

—Nous ignorons où elle se trouve et elle ne répond pas à nos appels.

—Elle n'est pas chez sa copine Marianne? En général, quand ça ne va pas, elle se réfugie chez elle. Ou dans l'*All Bar One* le plus proche.

—Non! Personne n'arrive à la joindre. Bon sang, qu'allons-nous dire à la famille pour le mariage…?

—Maman, l'interrompit enfin Anna d'un ton sec, tu ne crois pas que sauver la relation d'Aggy et Chris est un peu plus important que de perdre la face devant des gens comme tante Bev? J'ai beau adorer Aggy, j'ai l'impression qu'il était temps que Chris arrête le compteur de tourner.

—Mais c'est tellement dommage! Ta sœur sera dévastée. Elle ne pense à rien d'autre depuis des mois.

Oui. Anna avait bien des choses à dire à sa mère qui encourageait l'obsession d'Aggy depuis le premier jour. Mais ce n'était pas le moment.

Elle repêcha son portable et appela Aggy, s'attendant à être ignorée. Mais, contre toute attente, sa sœur répondit.

—Je suppose que tu vas me dire que tu m'avais prévenue! aboya-t-elle.

—Je voulais juste savoir comment tu te sens.

—C'est fini, Anna. Chris et moi. Complètement fini.

—Ne dis pas ça. Vous vous êtes disputés. Ça peut s'arranger.

—Et comment ? Tu as vingt mille livres, toi ? Tu peux faire en sorte que le *Langham* reprenne notre résa après que Chris l'a *annulée* ? hurla Aggy.

Anna ne pouvait pas complètement dédouaner Chris, bien qu'elle en ait envie. Il avait mis fin à ce délire ruineux, mais il aurait dû s'intéresser aux choix d'Aggy dès le départ.

Sa fiancée les avait mis au bord d'un gouffre financier, mais n'aurait-il pas fallu qu'ils décident de ces dépenses conjointement ? Faire entendre raison à Aggy alors qu'elle venait d'être privée de son Grand Jour n'allait pas être facile.

—Retrouvons-nous quelque part. Où es-tu ?

Derrière Aggy, Anna entendait les grondements de la circulation et les bruits de la ville qui s'engouffraient dans le combiné par bourrasques.

—Je sors me mettre une mine et profiter des joies de la vie de célibataire.

—Allons, tu n'es pas célibataire. Chris et toi saurez surmonter ce désaccord…

Anna entendit en coulisse le murmure d'une voix masculine.

—Qui est avec toi ? demanda-t-elle.

Aggy n'avait que des amies femmes.

—Laurence, répondit Aggy. Il m'emmène boire des cocktails. On se reparle plus tard, Anna. *Bye* !

Anna poussa un cri perçant.

—Laurence ?!

Mais il était trop tard, Aggy avait déjà raccroché.

Elle pressa le bouton de rappel, hors d'elle.

Laurence ?

C'était quoi, ce bordel ? Pourquoi lui, entre tous, emmenait-il sa sœur faire la tournée des bars ? Mais elle était mieux placée que n'importe qui pour savoir que l'intérêt qu'il portait à sa sœur se concentrait principalement sur sa culotte. Et comment avait-il eu le numéro de téléphone d'Aggy ? Les avertissements de James au sujet des machinations de Laurence aux dépens des femmes se bousculèrent dans sa tête.

« Votre correspondant n'est pas joignable pour le moment… »

Réfléchis, s'admonesta-t-elle. Elle supposait que Laurence avait décidé de changer de cible, transférant son appétit sur sa sœur, et elle s'en rendait compte trop tard pour mettre Aggy en garde en lui expliquant pourquoi il n'était pas l'homme en compagnie duquel se soûler à mort dans un moment de vulnérabilité.

Bon sang.

Après la confusion et la colère, Anna passa à un état de panique fébrile. Elle ne pouvait partager son inquiétude avec ses parents, et encore moins avec Chris.

La jeune femme fit les cent pas dans son bureau. Elle tenta de rappeler Aggy un quart d'heure plus tard. Non, sa sœur avait éteint son téléphone et ne le rallumerait probablement pas. Se soûler ne lui prenait généralement pas longtemps. Anna appela Laurence à trois reprises. Son téléphone était allumé, mais la sonnerie retentissait jusqu'à ce que l'appel soit transféré à la messagerie. Il ne répondrait certainement à aucun de ses appels ce soir-là.

Il ne lui restait qu'une seule option. Il était la dernière personne à laquelle elle avait envie de parler, mais elle n'avait pas le choix.

CHAPITRE 57

—B onsoir, James, dit Anna en essayant de prendre une voix conciliante, neutre et le plus digne possible. Je suis désolée de vous déranger. Deux fois dans la même journée. Petit veinard.

Il parut légèrement décontenancé et autant sur ses gardes, quoique poli.

Elle lui exposa la fâcheuse situation maritale et financière d'Aggy, ainsi que l'identité de celui avec qui elle avait choisi de passer la soirée.

—Vous le connaissez mieux que moi. Serait-il capable de faire quelque chose d'aussi minable que de coucher avec ma sœur ? Je vous en supplie, dites-moi que c'est moi qui suis parano…, conclut-elle, désespérée.

Un silence.

—Hum. Je crois que vous connaissez déjà ma réponse. J'ai vraiment essayé de vous mettre en garde.

—Comment a-t-il eu le numéro d'Aggy ?

Elle espérait que ce n'était pas James qui le lui avait donné.

—Laurence collectionne les numéros de jolies femmes comme la plupart d'entre nous les points sur les cartes de fidélité. Je suppose qu'il le lui a demandé au cours de notre soirée au théâtre. Ou qu'il l'a trouvé sur Internet.

—Oh, non…

Silence. Anna était consciente que James devait être encore passablement énervé suite à l'épisode de l'enregistrement. Elle serra les dents et maudit Aggy intérieurement.

—Auriez-vous une idée de l'endroit où ils pourraient se trouver ? Je n'avais vraiment pas l'intention de vous le demander, mais je suis en panne d'idées et très inquiète de ce qui pourrait se passer vu les deux personnalités impliquées.

—Où Laurence emmène-t-il ses proies ? Vous êtes mieux placée que moi pour le savoir, *non*... ?

Anna ne comprit pas très bien sa remarque, encore moins la note sarcastique dans sa voix.

—J'ai essayé de l'appeler, il ne décroche pas. Il est avec ma sœur, des intentions clairement malhonnêtes en tête, donc il ne me répondra pas. Pourriez-vous essayer de lui parler ?

—Pour lui dire quoi ?

—N'importe quoi qui l'amènerait à révéler où il se trouve.

Finalement, après un long silence, James lâcha sèchement :

—OK, je vous rappelle.

Le téléphone d'Anna bourdonna quelques secondes plus tard.

—Désolé, Anna, son téléphone est éteint.

—Oh, non. Quel gâchis...

Anna fut incapable de parler pendant un moment, occupée à réprimer les bulles de lave de frustration dans ses boyaux.

—Est-ce qu'Aggy est au courant que vous... euh. Que vous êtes aussi sortie avec Laurence ?

—Je ne le lui ai pas dit. C'est bien pour ça que tout est ma faute. Si j'étais une fille normale, détendue, qui se confie à sa sœur, j'aurais évoqué la muflerie de Laurence.

Anna sentait que James souhaitait mettre fin à la conversation, mais son besoin de partager son angoisse avec quelqu'un prit le dessus.

—Je pense connaître la suite. Aggy termine complètement soûle, finit au lit avec Laurence et gâche toutes ses chances de se réconcilier avec Chris. Le pire scénario, ce serait même qu'elle se convainque que commencer une relation avec

Laurence est tout à fait raisonnable, jusqu'à ce qu'il la lourde en beauté dans quelques semaines.

— Vous pensez vraiment qu'elle ferait ça ? Elle est toujours fiancée, non ?

— Techniquement, elle a lancé sa bague à la tête de Chris avant de tout annuler.

— Écoutez, je vais essayer de rappeler Loz. Ils sont probablement dans le métro.

— James, dit Anna en se pinçant l'arête du nez. Ils ne sont pas dans le métro. Ils ont tous les deux éteint leurs portables afin que ni vous ni moi ne puissions les joindre et leur gâcher la soirée.

Silence.

— Ouais. Ça ressemble bien au mode opératoire de Laurence.

— Bon sang, je me mettrais des baffes.

— C'est la décision d'Aggy, pas la vôtre, cela dit. Si votre sœur ne veut plus se marier, vous ne pouvez pas l'y forcer.

— Sauf qu'elle *veut* se marier. Elle ne parle que de ça depuis des mois.

— Mais vous craignez qu'elle ne couche spontanément avec Laurence dès sa première soirée de liberté ? C'est une déclaration costaud.

— Là, elle est en colère, et elle n'a pas réfléchi à ce que cela impliquait. Ajoutez là-dessus une bonne dose d'alcool et elle pensera n'importe comment. Laurence en profitera pour lui sauter dessus.

Silence.

— OK, excusez-moi de dire ça, mais plan B. Si elle fait une erreur de jugement avec Loz, est-ce que quelqu'un d'autre a besoin de le savoir ?

— Ma sœur ment affreusement mal. À votre avis, pourquoi n'a-t-elle pas fait envoyer ses relevés de comptes à son boulot ?

Ça se saura tôt ou tard, surtout quand Chris découvrira que ni ses amies ni sa famille n'ont pu la joindre ce soir.

Le regard d'Anna s'attarda sur la bouteille de lait remplie d'eau croupie posée à côté de Boris le yucca.

— J'ai l'impression d'avoir laissé traîner un revolver chargé sans enclencher la sécurité au préalable.

— Holà ! Vous ne pouvez pas contrôler toutes les interactions humaines, vous savez. En général, il n'est pas nécessaire de mettre en garde une jeune fiancée contre les serpents cachés dans l'herbe. Et, même quand vous le faites, les gens font leurs propres choix. Comme vous le savez.

— Malheureusement, je ne peux pas m'empêcher de culpabiliser de les avoir présentés. Bon, eh bien, je crois qu'une soirée aussi hilarante qu'inutile m'attend : je vais passer en revue les repaires favoris d'Aggy.

Ils mirent fin à l'appel, poliment quoique sèchement. James avait semblé distrait sur la fin. Comme s'il pensait à autre chose. Il devait probablement se demander ce que faisaient ces Méditerranéennes chaotiques et vulgaires dans son monde éclatant.

C'est une des révoltantes réalités de la vie que d'importants sujets de préoccupation ne parviennent pas à faire passer au second plan nos inquiétudes les plus mesquines. Le gros casse-tête, c'était la perte pour sa sœur d'un fiancé merveilleux, additionné d'un boulet en forme de carte de crédit. Et imaginer Laurence comptabilisant la conquête de sa cadette en gravant une encoche supplémentaire sur sa tête de lit la répugnait.

Donc, là maintenant, qu'est-ce que ça pouvait bien lui faire, à Anna, ce que James Fraser pensait d'elle ? Et pourquoi regrettait-elle si amèrement d'avoir perdu la face en lui demandant de l'aide ? Après tout, ça n'avait rien changé.

CHAPITRE 58

J ames connaissait suffisamment les méthodes de séduction de Laurence pour pouvoir dresser une liste d'une demi-douzaine d'endroits où il avait des chances de le trouver.

Débusquer Loz et Aggy ne constituait néanmoins que la phase un de sa mission. James n'avait pas vraiment de plan dans le cas où il les découvrirait. Les natifs risquaient fort de se montrer hostiles. En tout cas, Laurence le serait forcément, même si James ignorait à quel point. Quant à Aggy, mystère…

Pourquoi faisait-il cela? Il n'avait aucune réponse facile à cette question.

Trois bars plus tard, son projet commençait à lui sembler légèrement absurde. Laurence était une aiguille efflanquée dans la botte de foin de Londres. Au moment où, plongé dans la pénombre, James balayait du regard les occupants des canapés en velours rouille du *Zetter*, son fatalisme l'avait pratiquement convaincu que sa quête était vaine.

Quelque part dans l'immensité de la ville noctambule, derrière une de ces belles fenêtres, Laurence était assis dans un autre bar anonyme, un bras passé autour du siège d'Aggy. Il lui racontait probablement l'anecdote sur les vraies jumelles de Courchevel dont James était certain qu'elle était fausse. Il ne croyait pas à la télépathie entre jumeaux.

Il était tellement persuadé que sa mission était vouée à l'échec qu'il fut surpris quand il repéra soudain une Aggy manifestement ivre. Elle était affalée sur un fauteuil en brocart, la robe remontée si haut qu'on apercevait son entrejambe. Elle était seule, mais un verre de l'autre côté de la table suggérait que ça ne durerait pas.

James carra les épaules et se jeta dans la bataille.

Aggy se redressa d'un coup en le voyant.

—James! Vous zissi? C'est incroyab'!

Ouf, au moins, elle était contente de le voir.

James lui adressa un grand sourire. Les yeux vitreux et fixes de la jeune femme, et l'enthousiasme avec lequel elle tapota la place libre à côté d'elle lui confirmèrent qu'elle était complètement beurrée.

—Il y a quelque chose dont il faut qu'on parle, bafouilla-t-elle. Vous avez traité ma sœur de bête de foire.

James aurait voulu disparaître sous terre. C'est pour ça qu'il était là. Il devait une fière chandelle à Anna.

—Je n'aurais jamais dû dire une chose pareille. (Il contempla les boucles et les yeux sombres d'Aggy et eut un coup au cœur face à leur ressemblance.) Je suis désolé.

—C'est à elle que vous devriez présenter des excuses, grogna Aggy.

Elle repoussa les cheveux qui lui tombaient devant le visage et, portant son verre à ses lèvres, lâcha un petit rot.

—Pour le lycée aussi.

—Je doute qu'elle ait la moindre envie de me revoir, objecta James.

—Non, effectivement, confirma Aggy. Elle a même dit qu'elle regrettait de vous avoir rencontré.

James hocha la tête et avala sa salive avec difficulté.

—C'était pire, vous savez, dit Aggy, qui semblait soudain lucide.

James redressa la tête d'un coup.

—Quoi?

—Ça a été pire que vous ne l'imaginez, pour elle.

376

Aggy soutint son regard, et James eut la sinistre impression d'une forme métaphorique se mouvant dans l'ombre. Quelque chose lui échappait, mais il n'arrivait pas à savoir quoi.

Laurence apparut dans le fond du bar. Son expression s'assombrit quand il aperçut James et en tira diverses conclusions.

— Regardez qui est là! James! Quelle co… corin… coïncidonce, bégaya Aggy.

— Calcule les probabilités, dit James à Laurence. Euh, une chance sur… huit, je pense?

Les yeux de Laurence n'étaient plus que deux fentes.

— Loz m'a commandé le meilleur cocktail que j'aie jamais bu. Goûtez, goûtez! (Aggy tendit à James un tumbler au fond épais.) Ça s'appelle un Flintlock. Il y a du Ferret Banker dedans.

— Fernet-Branca, marmonna Laurence.

— Un Flintlock, hein? Et pourquoi pas plutôt un Sex on the Beach? dit-il à Laurence, dont le froncement de sourcils s'accentua.

James but une gorgée.

— Mmm. Pas mal. Décidément, rien ne vaut le Ferret Banker.

Il jeta un coup d'œil à Laurence.

— Anna m'a dit que vous vous étiez disputés, Chris et vous? demanda James à Aggy en reposant le verre.

— Ouais, dit-elle, visiblement contrariée, en tirant sa robe sur ses cuisses. Le mariage est annulé. Y s'est comporté comme un salaud.

— Vous ne répondez pas au téléphone?

— Laurence m'a conseillé de l'éteindre, répondit Aggy.

— Je me suis douté que Loz se chargeait de vos relations publiques et communications, ce soir, plaisanta James, souriant à un Laurence manifestement retourné à l'état sauvage. Anna essaie de vous joindre.

— Vous lui avez parlé ? Elle est avec Chris ? demanda Aggy en essayant de se concentrer.

— Non, ou en tout cas pas quand nous nous sommes parlé. Et si vous rallumiez votre portable pour la rassurer ?

— Mais elle va m'enguirlander parce que j'ai dépensé plein d'argent. Elle est furieuse contre moi, comme tout le monde.

— Pas du tout. Je le sais. Elle veut seulement être sûre que vous allez bien. Je peux la prévenir que vous êtes là ?

Les yeux d'Aggy, rendus brillants par l'alcool, s'agrandirent et elle agita un index.

— Noooon ! Ne faites pas ça.

James leva les deux mains.

— D'accord, d'accord.

— Il faut que j'aille aux toilettes, annonça Aggy. Ne bougez pas d'ici, dit-elle en pointant son doigt sur James avec la véhémence de l'ivresse. Promettez-moi que vous restez.

— Je vous promets sur la vie de Laurence que je ne vais nulle part, la rassura James en se dessinant une croix sur la poitrine.

Elle s'éloigna à reculons, trébuchant sur un tabouret bas.

Une fois Aggy hors de portée d'oreilles, James se tourna vers Laurence.

— Elle est fiancée, Loz.

— Et alors ? Je ne l'ai pas forcée à venir.

— Ils se sont disputés et elle est très soûle. Mais ça n'empêche pas qu'elle est toujours fiancée.

— Je ne suis pas responsable de ses fiançailles. Pas mon problème.

— Pas ta fiancée. Je vais donc raccompagner Aggy chez elle.

— C'est une grande fille. Tu es qui pour lui dire ce qu'elle doit faire ?

— Je n'ai pas l'intention de lui dire ce qu'elle doit faire. Je vais simplement lui faire remarquer qu'il serait judicieux de rentrer et lui proposer de la raccompagner. Si elle est déterminée à coucher avec toi et qu'elle insiste pour rester, très bien. Mais quelque chose me dit qu'elle n'est pas aussi déterminée que toi au sujet de la suite des événements.

—Quel esprit chevaleresque! Et ton intervention est complètement désintéressée, pas vrai? Tu ne t'en mêles absolument pas dans l'espoir de marquer des points auprès de sa sœur…

—Nan.

James but une autre gorgée du cocktail d'Aggy et grimaça quand le liquide atteignit le fond de sa gorge.

—Ouais, bien sûr. Une intervention intéressée, façon chevalier blanc, pour me priver d'une partie de jambes en l'air. Tu parles d'un meilleur pote…

—Oh, d'accord! On invoque l'amitié, hein? Très bien, alors, s'il te plaît, fais-moi plaisir, laisse Aggy tranquille. À moins que ceci… (James agita la main entre eux.)… ne compte pas quand il est question de femmes? C'est chacun pour soi?

—À toi de me le dire.

—Quoi?

—Pourquoi Anna me déteste-t-elle autant?

—Euh… À cause de tout ce que tu as fait et dit?

—Elle me déteste parce que tu t'es présenté comme M. Trop Sympa, et que tu m'as démoli en me faisant passer pour M. Sale Type.

—Tu t'apprêtes à manipuler sa sœur pour l'attirer dans ton lit, et tu crois que quelqu'un d'autre t'a donné le rôle de M. Sale Type?

—Le problème avec toi, c'est que tu t'es convaincu toi-même que ton jeu n'en est pas un. Le cas classique du mec qui lit sa propre presse et à qui ça monte à la tête. Nous sommes pareils.

James rit, incrédule. L'autojustification de Laurence était comme un labyrinthe. Il la concevait lui-même et en condamnait toutes les issues : une fois dans sa logique, vous ne pouviez plus vous échapper.

Tandis que James scrutait Laurence, qui débordait d'hostilité muette, il sut que, si son ami le décevait, il se décevait bien plus lui-même. Ce n'était pas le comportement de Laurence qui était le plus navrant, c'était ce qu'il n'était pas, lui. Il se sentait vide, là, derrière ses railleries faciles et ses ruses minables.

Et James avait fait de lui son meilleur ami ? Qu'est-ce que ça disait de lui ? Il avait vu en Laurence un écho de son cynisme pragmatique ; son sens de l'humour « cash ». Il se rendait compte à présent que le charme de Laurence tenait en fait à ses pires traits : son mépris, sa propension à la critique et à la raillerie. Jamais il ne s'était montré attentionné.

James avait passé toute sa vie à se croire supérieur aux autres. Et qu'avait-il obtenu ? Une femme qui ne l'aimait pas, un meilleur ami qui ne l'appréciait pas et un chat qui ne savait pas aller faire ses besoins dehors.

Il était peut-être trop tard pour rattraper certaines choses, mais il pouvait au moins essayer d'éviter à Aggy de commettre l'irréparable ce soir-là.

— Qu'est-ce que tu préfères : j'appelle Anna et je fais un scandale, ou bien nous réglons cette affaire dignement et je raccompagne Aggy chez elle ?

Laurence lui décocha un sourire carnassier.

— Je ne vais nulle part. Bonne chance avec tes pouvoirs de persuasion, Derren Brown.

James hésitait. Il avait le sentiment qu'un peu de subtilité était de mise. Il pouvait appeler Anna et se débrouiller pour tenir le siège jusqu'à son arrivée. Mais, étant donné l'humeur instable d'Aggy, supporter une baby-sitter puis voir débarquer sa sœur à cran lui ordonnant de partir risquait de l'énerver et de provoquer l'effet l'inverse de celui recherché. Peut-être que l'approche précautionneuse était plus sûre.

Aggy reparut et se laissa tomber sur le canapé.

— Mince alors ! Je n'ai rien mangé de la journée. Ils doivent proposer des trucs à grignoter, non ?

— Excellente idée. Vous voulez qu'on partage un plat ? proposa James.

— Et que diriez-vous d'un autre verre ? s'interposa Laurence.

— Oh.

Aggy loucha sur le centimètre de liquide qui restait au fond du sien, puis son regard passa de James à Laurence avant de retourner à son verre.

— OK. J'avais envie d'essayer un Rose Petal truc, en fait.

— Merveilleuse idée ! dit Laurence en claquant des doigts à l'intention du barman.

James se tourna vers Aggy. Il joua le tout pour le tout, persuadé que la jeune femme ignorait complètement à qui elle avait affaire.

— Laurence a réservé une chambre. Quand vous serez suffisamment bourrée, il vous donnera le bras pour monter à l'étage, vous invitera à vous servir dans le Minibar puis vous aidera à vous déshabiller. Si c'est ce que vous souhaitez, continuez. Je voulais seulement m'assurer que vous étiez au courant.

— Rappelle-nous : tu es son sponsor AA ou son père ? demanda Laurence.

— Sérieusement ? dit Aggy en regardant Laurence. Vous avez retenu une chambre ?

Laurence cilla à peine.

— Non, répondit-il après une seconde d'hésitation. Pourquoi, vous en voulez une ?

Aggy gloussa. James sentit son argument lui échapper.

Le barman arriva et Laurence commanda deux cocktails – rien pour James. L'inspiration frappa.

—Pouvez-vous mettre ces consommations sur la note de la chambre de Laurence O'Grady, s'il vous plaît ? lança James.

—Certainement, monsieur.

Il se retira sur un hochement de tête.

—Ah ben, ça alors ! s'exclama James.

—Il ne sait pas si j'en ai une. Il ne va pas nous le demander directement, si ?

—Je suppose que nous le saurons quand il reviendra, alors ? dit James. S'il ne rapporte pas l'addition, c'est que Laurence est un gros menteur.

—Va te faire foutre, OK ? cracha Laurence. Tu n'es pas le bienvenu ici.

—Bien sûr que si ! dit Aggy. Pourquoi vous dites ça ?

Laurence lança à James un regard noir. Il avait laissé sa colère prendre le dessus. Aggy le regarda, consternée. James espéra que l'éclat de colère de Laurence avait traversé le brouillard de Ferret Banker.

—À supposer que j'aie effectivement pris une chambre, quel est le problème ? ajouta Laurence.

—Vous en avez réservé une ? demanda Aggy en tirant de nouveau sur sa robe, manifestement confuse.

—Non. Je demande simplement : si c'était le cas, quel mal y aurait-il ? Nous sommes tous adultes.

—Vous pensiez que je coucherais avec vous juste comme ça ?

—Non ! s'exclama Laurence en faisant cliqueter les glaçons dans son verre. N'écoutez pas ce type, il joue les bons Samaritains parce qu'il veut se taper votre sœur.

Aggy fronça les sourcils.

—Anna ne veut plus le voir.

—Quel dommage ! soupira Laurence. Je me demande quel genre d'acte désintéressé pourrait la faire changer d'avis.

Laurence se trompait en croyant ainsi discréditer James aux yeux de la jeune femme. Aggy ne voyait pas d'inconvénient à ce que James cherche à faire plaisir à sa sœur. Elle se demandait, en revanche, en quoi le fait que James la sépare de Laurence comblerait Anna de joie.

— Mmm. Aucun signe de cette addition que je lui ai demandé de mettre sur la note de ta chambre inexistante, si ? dit James sous le regard furieux de Laurence.

Aggy semblait légèrement désespérée.

James se leva. Il fallait qu'il exploite l'avantage qu'il venait de prendre.

— Aggy, que diriez-vous de m'accompagner ? En mangeant quelque chose maintenant, vous devriez éviter la gueule de bois demain matin.

— OK, dit Aggy après une seconde d'hésitation. Désolée, Laurence.

— C'est vous qui perdez l'occasion de voir une grosse queue, princesse, siffla Laurence, venimeux.

Aggy parut choquée.

— Allez, range ta langue de vipère dans son terrarium, répliqua James, agacé.

— Ne m'appelle plus, lança Laurence entre ses dents.

— Ah ! Ta fameuse formule ! Dire que je n'ai même pas eu besoin de coucher avec toi pour l'entendre, dit James en buvant une lampée de cocktail. Laurence, tu as ma parole : tu n'entendras plus jamais parler de moi.

CHAPITRE 59

James envisagea brièvement les transports publics, avant d'évaluer le niveau d'ébriété d'Aggy. Une autre solution s'imposait. Il n'avait pas particulièrement envie de se trimballer dans le métro avec une poupée de chiffon géante qu'il faudrait tenir à bout de bras.

Aggy grelottait à côté de lui pendant qu'il essayait vainement d'arrêter un des taxis qui passaient devant eux à toute vitesse. Il ôta son manteau et le lui tendit.

—On va chez *Burger King*? demanda Aggy. J'ai un peu envie de vomir.

La mâchoire de la jeune femme tremblait légèrement.

—Je crois qu'il vaut mieux que vous alliez vous coucher. Interdiction de dégueuler dans le taxi.

Il appela Anna et lui proposa de lui amener «une sœur un peu pétée, mais intacte». La jeune femme se montra aussi stupéfaite que soulagée; elle venait de rentrer chez elle, après une quête infructueuse. Il se félicita de s'être donné la peine de retrouver Aggy.

Un taxi s'immobilisa enfin devant eux et ils y grimpèrent. Aggy laissa reposer sa tête sur l'épaule de James tandis qu'il s'agrippait à la portière du véhicule qui parcourait la ville en vrombissant et bringuebalant.

—Alors, qu'est-ce qui se passe? C'est vraiment fini avec votre fiancé?

—Chris a annulé mon mariageeeuh! Je ne le lui pardonnerai jamais.

—Seulement parce que ce mariage était au-dessus de vos moyens. Certainement pas dans l'intention de vous faire de la peine. On dirait qu'il a fait beaucoup de choses pour vous rendre heureuse, et il faut que vous le rendiez heureux aussi. Clairement, le fait que vous dépensiez plus d'argent que vous n'en avez ne lui a pas plu.

—Mais c'était mon rêve… J'avais planifié le moindre détail.

—Aggy, votre cérémonie de mariage n'est pas l'objectif suprême. C'est le fait de vous marier qui est important. J'ai eu un de ces mariages m'as-tu-vu à la fin duquel vous pouvez présenter une liste de toutes vos idées géniales. Ça ne suffit pas. Ne vivez pas votre vie par Instagram interposé.

—Vous dites ça pour me tranquilliser. Je parie que votre mariage était le summum du cool.

—Pas du tout, Aggy. On se noie tellement dans les détails qu'on oublie que rien de tout ça n'a d'importance. Tout le monde se fichera éperdument d'avoir mangé des saucisses à l'ail et aux baies de genévrier en amuse-gueules, vous y compris. À moins qu'elles n'aient rendu les invités malades…

—Vous croyez que vous vous remarierez ? demanda Aggy.

—Carrément improbable, quoi que le futur me réserve. (James se tut. Voilà qui n'aidait pas la noble cause.) Vous aimez Chris, n'est-ce pas ? Il est l'homme qui vous correspond ?

Aggy renifla son assentiment contre l'épaule de James.

—Ce que vous ne comprenez pas, c'est que vous êtes mieux partie que la plupart des gens avant même d'avoir commencé. Un couple sur trois commet cette erreur, le mien compris.

—Mais c'est une telle dégringolade… Je sais que j'ai l'air d'une gamine capricieuse, mais quand vous avez envie de quelque chose, le reste n'a aucun attrait. J'ai retourné toute la capitale ; le *Langham* était parfait.

—Pourquoi rester à Londres ?

— C'est là que nous vivons.

— Ouais, mais vous êtes moitié italienne, non ? Voilà une excellente excuse pour partir à l'étranger.

— OK, mais mon père n'est pas originaire de Milan, ou Rome, ou rien de classe. Il vient d'une petite ville dans la montagne.

— Exactement ! Vous marier là-bas serait très original et vous n'auriez pas besoin de faire un casse. Trouvez une grande et jolie grange dans un village, réservez des billets d'avion pas chers, et voilà. Ce sera un mariage dont les gens se souviendront. Vous avez combien d'amis qui se sont mariés à… ?

— L'endroit s'appelle Barga, répondit Aggy.

— Barga. Vous voyez ? Aussi unique qu'un flocon de neige.

— Mais qui viendra ?

— Tous les gens dont vous vouliez être entourés à Londres ? Sérieusement, s'ils tiennent à y assister, ils feront leur possible pour être là. Et sinon… eh bien…

— Mmm. Je suppose que vous avez raison.

Ils étaient coincés dans des embouteillages et le moteur du taxi ronflait de temps à autre. Baissant les yeux vers Aggy, James vit l'engrenage de ses méninges se mettre en branle.

— Je suppose que l'endroit ne serait pas si… Et il y a plusieurs maisons d'hôtes et autres… Mais la fête d'enterrement de vie de jeune fille ? J'avais prévu un week-end à Ibiza. Je dois l'organiser ici, maintenant ?

— Que pensez-vous du restaurant de Michelle ? Moi, j'adorerais avoir un copain qui tient un restaurant.

— Ouais… ?

Aggy s'était redressée.

— Mais ma robe… (Elle s'avachit de nouveau au fond de la banquette.) Je ne peux pas la garder. Je vais toucher une prime en janvier, mais ce sera trop tard.

James se demanda jusqu'où il était prêt à aller pour redorer son blason. Et merde. Autant que ce soit jusqu'au bout.

— Il vous faut combien ?

— Deux mille.

— Je peux vous les prêter.

— Sérieux ? (Aggy se mordit la langue.) Je devrais refuser, non ? Anna me dirait de refuser.

— Eh bien, malgré vos attaques d'hyperactivité dépensière, vous m'avez l'air d'une personne relativement saine d'esprit et salariée. Vous pourriez me rembourser d'ici quelques mois ?

— Vous aurez tout fin janvier ! Juré craché !

— Dans ce cas, ça ne me manquera pas et ce n'est pas un problème. Je préfère que ça reste entre nous.

— Vous êtes incroyab', James Fraser, soupira Aggy.

Le taxi se gara enfin devant chez Anna.

Aggy pressa le fermoir de sa ceinture de sécurité et rendit son manteau à James. En la voyant fouiller dans son sac, il l'arrêta d'un geste puis l'aida à s'extirper de la voiture. Il n'était pas sûr de vouloir croiser Anna, mais il ne put l'éviter : déjà la porte d'entrée s'ouvrait, la lumière illuminant l'allée broussailleuse.

Il y eut beaucoup de « allons, allons » et d'embrassades, et Aggy pénétra en titubant dans l'appartement, marmonnant quelque chose au sujet de bagels et de Nutella.

— Merci, dit Anna, les bras serrés sur sa poitrine et les manches de son pull tirées sur ses mains pour se protéger du froid glacial. J'ai fait le tour de tous les *All Bar One* dans un rayon de sept kilomètres et j'étais sur le point de hurler à la lune. A-t-elle payé pour le taxi, puis-je vous donner quelque chose ?

— Elle a payé, ne vous inquiétez pas, dit James.

Ils échangèrent un sourire gêné et crispé.

— Désolée. Vous m'aviez mise en garde contre Laurence. Je n'imaginais pas qu'il puisse se jeter sur Aggy.

—Ouais, vous et lui, ça ne pouvait que mal finir.

Anna fronça les sourcils.

—Notre sortie à la patinoire ? Vous croyez qu'il m'en a voulu de ne pas avoir envie de le revoir ?

—Je croyais que vous vous étiez revus récemment ?

Anna eut l'air surprise.

—Non ?

James ressentit une bouffée d'espoir qui le rendit téméraire.

—Vous n'avez pas couché avec lui ?

Ouais, tu aurais pu formuler ta question un peu mieux, James.

—Bien sûr que non. Le dernier contact que j'ai eu avec Laurence a consisté en un mail foireux où il vous faisait porter le chapeau du Mock Rock. Il m'y expliquait également qu'il comprenait parfaitement ce que j'avais pu ressentir, ayant dû une fois faire une présentation commerciale déguisé en banane. Je lui ai répondu d'aller se faire foutre. Au fait, merci de lui avoir dit qui j'étais.

James bégaya.

—Bon sang… Désolé. Loz m'a envoyé un texto disant quelque chose à propos de l'Italie… entrant en guerre…

Anna bascula son poids sur l'autre pied.

—Et vous tirez des conclusions à partir d'un vague texto ?

—Ah. Hum. *Mea culpa.*

—Le compteur tourne, fit remarquer Anna en frissonnant.

Elle tourna les talons et suivit Aggy à l'intérieur.

En remontant dans le taxi, son char noir de chevalier blanc, il comprit. Le texto faisait référence à Aggy, pas Anna.

Il ne faisait aucun doute que, quand Laurence avait finalement renoncé à séduire Anna, il s'était rabattu sur sa deuxième option. La confusion créée par Laurence n'était pas accidentelle : il voulait voir James réagir avec colère, afin de confirmer sa théorie selon laquelle son ami courait après Anna.

Eh bien, de toute façon, on ne pouvait pas dire que James ait gagné beaucoup de bons points. Après un grand geste qui aurait dû restaurer quelque peu sa réputation en lambeaux auprès d'Anna, il avait brillamment arraché la défaite des mâchoires de la victoire en offensant la jeune femme avec cette présomption. Il maudissait sa bêtise.

Mais elle n'avait donc *pas* batifolé avec Laurence ? James fut étonné que cette information le mette d'aussi bonne humeur.

Quand le taxi s'arrêta devant chez lui et que le chauffeur lui annonça le montant exorbitant de la course, James s'aperçut en surprenant son reflet dans le rétroviseur central que, sans s'en rendre compte, il n'avait pas cessé de sourire.

CHAPITRE 60

— **D**onc tout est réglé ? Le mariage aura lieu en Italie ? demanda Michelle.

— En Italie, oui, et vous êtes tous les deux invités. Les largesses de ma sœur sont encore assez larges pour vous.

L'enthousiasme hystérique d'Aggy autour de ses noces l'avait précédemment poussée à convier le boucher, le boulanger et le fabriquant de chandelles, mais son envie d'inviter Michelle et Daniel était tout à fait sincère. Aggy adorait Michelle en tant que meilleure amie de sa sœur, et considérait Daniel et sa petite amie comme faisant partie du package Anna.

— Excellent. J'ai besoin de vacances, dit Michelle en ordonnant sa main, sa clope électronique au bec, telle une vraie pro des cartes.

— C'est Lady Di, reine des cœurs ! La reine de cœur, mesdames et messieurs, appela une voix chantante au micro.

Michelle retourna une carte. Elle avait pris un nouveau chef à l'essai et s'offrait enfin une soirée libre en semaine. Elle avait proposé à Anna et Daniel de se joindre à elle pour une partie de Sticky 13 dans un pub de vieillards d'Islington.

— Ouaip, dit Anna en alignant ses cartes coordonnées par couleur. Les qualités d'organisatrice événementielle de ma sœur font déjà effet. On aurait dit une diplomate des Nations unies chaussée de UGG. J'ai emmené Chris boire un verre pendant qu'elle pianotait comme une malade, naviguant sur des sites italiens, avec mon père au téléphone chargé de la traduction. Chris et moi sommes tombés d'accord sur le fait que, pour le bien de leur relation, il était important que nous soutenions plus Aggy. Il m'a raconté qu'il avait exprimé de sérieux doutes au sujet des factures, et qu'elle lui avait assuré que je supervisais sa gestion financière pour le tranquilliser! Heureusement, Chris a de quoi payer un mariage beaucoup plus modeste, pendant qu'Aggy rembourse leurs dettes. Quant à leur voyage de noces aux Maldives, il a été remplacé par un séjour en Toscane.

Anna but une gorgée de sa boisson.

— Mes parents sont enchantés du changement de décor, grâce auquel tous les membres plus âgés de la famille de mon père pourront être présents. Et tous ceux qui connaissent tante Bev sont ravis parce qu'elle a annoncé qu'elle boycottait le mariage sous prétexte qu'elle déteste la nourriture étrangère et les compagnies aériennes low cost. Merci d'avoir accepté d'accueillir la soirée d'enterrement de vie de jeune fille!

— De rien, je t'assure, dit Michelle. De toute façon, d'après ce qu'Aggy raconte de ses copines, je vais plus encaisser avec leurs consos qu'avec une salle comble un samedi soir. C'est quoi, exactement, ce système? demanda-t-elle en se penchant vers Daniel.

Daniel avait disposé ses cartes en vrac sur la table devant lui, sans se préoccuper de leur couleur, ni de leur valeur, ni de la couleur demandée.

— Je m'y retrouve parfaitement.

— Trois de pique! Trois de pique, mesdames et messieurs! lança la personne qui annonçait les cartes.

Daniel le retourna.

— Tu vois. Je ne manque aucun coup.

— Ah, là, là, j'aurais quand même préféré éviter de demander son aide à James Fraser…

— Pourtant, il a fait du bon boulot, non?

391

— Ouiiii, concéda Anna. Sauf que, entre Patrick et Abby, j'ai été forcée de faire profil bas. Je m'en serais bien passée. Quand je pense qu'il m'a accusée d'avoir couché avec Laurence. C'était parfaitement inacceptable!

— Laurence est un peu macho sur les bords, non? Il a dû se vanter.

— Oui, mais n'empêche. Me croire capable de *ça*.

— Eh oui, mon chou, il arrive que les gens aient des rapports sexuels. Bon, moi, plus beaucoup, cela dit, fit remarquer Michelle.

— Valet de trèfle! Valet de trèfle, s'il vous plaît! lança l'animateur.

Michelle retourna une carte.

— Enfin!

Pendant qu'ils continuaient à se chamailler autour du jeu, les pensées d'Anna dérivèrent vers James. Elle ne comprenait pas très bien pourquoi cela la contrariait autant qu'il l'ait crue capable de coucher avec Laurence, alors qu'elle avait accepté ouvertement un rencard avec lui. Elle n'avait jamais explicitement exclu la possibilité d'une relation avec son ami. Néanmoins, savoir que James ait pu imaginer une chose pareille la dérangeait profondément. Et lui? L'idée d'elle et Laurence au lit lui avait-elle déplu? Après tout, il ne s'était pas montré spécialement ravi de leur petite sortie à la patinoire. Elle était incapable de répondre à cette question. Il lui avait quand même fait la faveur de retrouver Aggy, ça n'avait donc pas dû le déranger plus que ça. À moins qu'il n'ait tout simplement voulu lui renvoyer l'ascenseur après son coup de fil avec Fi? Lequel avait été fort étrange, soit dit en passant. La boss de James s'était complètement emballée, expliquant à Anna qu'elle avait manifestement un effet miraculeux sur lui – « Il ne vous a pas quittée des yeux au bowling. Tout le monde l'a remarqué. »

Était-ce vrai ? Probablement pour la pister et s'assurer qu'elle ne faisait rien qui soit susceptible de l'embarrasser, tel un agent de sécurité dans un grand magasin surveillant sur son écran de contrôle un potentiel voleur à l'étalage.

—Dan, j'ai oublié de préciser que bien évidemment ton invitation aux noces d'Aggy incluait Penny, lança distraitement Anna.

—Merci. Je ne pense pas pouvoir y aller, dit Daniel en battant ses cartes.

Michelle et Anna échangèrent un regard.

—Je ne peux pas manquer mon service à *L'Office*.

—Ne sois pas débile. J'ai plein de remplaçants sous le coude, grogna Michelle.

—Je ne peux pas me le permettre financièrement.

—C'est sûr, avec les billets d'avion, ça revient plus cher que d'autres mariages, mais c'est aussi une excuse sympa pour prendre quelques jours de vacances, insista Anna.

—Ouais. Penny envisage de faire une maîtrise de préservation, donc nous devons nous serrer la ceinture.

—Ce ne serait pas plutôt *elle* qui devrait se serrer la ceinture ? demanda Michelle.

—Nous nous soutenons mutuellement dans nos projets, insista Daniel.

—Donc, le jour où tu décideras de faire une maîtrise de philo, elle se trouvera un boulot à plein temps ?

—Préservation ! Ça a l'air intéressant ! intervint Anna, nerveuse.

—Ce n'est pas une raison pour rater ce mariage, insista Michelle. Je ne suis pas d'accord. D'ailleurs, je t'augmente.

—Hein ? dit Daniel.

—Michelle, tu n'es pas obligée…, commença Anna.

—C'est réglé. Tu as été augmenté, tu peux venir.

Daniel cligna ses grands yeux.

—C'est l'augmentation la plus facile que j'aie jamais reçue.

— Deux de trèfle! cria l'animateur.

— Sticky 13! s'exclama Daniel en lançant les deux poings vers le ciel. J'ai gagné!

— Le gagnant paie sa tournée, dit Michelle.

Daniel s'en fut vers le bar d'un pas tranquille.

— C'est très généreux de ta part, dit Anna à son amie.

— Pfff, de toute façon, je le sous-payais, cet hurluberlu barbu. Il y a des tas de restaus qui le convoitent. Tu sais ce qu'il a dit à une bonne femme qui râlait au sujet de ses moules marinières la semaine dernière? Imagine. Elle déclame: «Je vous interdis de me contredire. J'ai survécu à un cancer!» Et il rétorque: «Dans ce cas, madame, on aurait pu s'attendre à ce que vous considériez ces mollusques depuis une juste perspective.» Je te jure, il devrait faire du stand-up. Un groupe assis à une table voisine a applaudi. Elle m'a descendue en flammes sur Toptable, bien sûr, mais ça en valait la peine.

— Comme c'est drôle! J'ai le droit de trouver ça drôle? dit Anna, une main plaquée sur la bouche.

— Plus drôle encore, elle les a appelées moules «marine air» dans le passage où elle critique ma sauce.

Michelle posa sa cigarette électronique et but une gorgée de vodka tonic.

— Ce n'est pas Daniel que je n'ai pas envie de payer, c'est elle. Une *maîtrise de préservation*… On peut dire que Penny est passée maître dans la préservation de sa propre énergie, tu ne trouves pas?

CHAPITRE 61

ssis dans l'Overground qui se dirigeait à vive allure
vers la station Highbury & Islington, James eut une
illumination. Il était en train de contempler un exemplaire de
Metro abandonné sur le sol, écoutant d'une oreille distraite les
pulsations assourdies qui émanaient de l'iPod de son voisin
– quel genre de psychopathe pouvait écouter *Gangnam Style*
avant 9 heures du matin ? Soudain, se débarrasser de la
chape de plomb qui lui écrasait l'estomac ne lui sembla plus
impossible. C'était même la seule chose à faire.

Il bondit hors du wagon et gravit les marches quatre à
quatre, à contre-courant du flot de voyageurs, franchit les
tourniquets et se retrouva dehors, libre, respirant l'air frais.

Il pressa « Bureau » dans le répertoire de son téléphone.

*Pourvu que ce soit Lexie qui décroche, pourvu que ce soit
Lexie qui décroche, pourvu que ce soit Lexie qui décroche...*

Harris.

— Salut, mon pote, je ne vais pas pouvoir venir,
aujourd'hui, annonça James, qui, vu qu'il se faisait porter
pâle, estima judicieux de lui lécher les bottes. J'ai gerbé et je
sens qu'il va y avoir une suite terriblement mauvaise. Peut-être
deux, comme pour *Matrix*. On pourrait même atteindre un
chiffre à la *Pirates des Caraïbes*...

Il y eut un silence sceptique à l'autre bout de la ligne.

— Tu es où ? Ça a l'air bruyant.

— Highbury. Il a fallu que je trouve une poubelle
d'urgence.

—Il n'y a pas de poubelles dans les stations.

—Non, bien vu, inspecteur Wexford, je suis sorti dans la rue. Tu veux que j'y retourne et que je t'envoie une photo avec mon portable ?

—Nan. Tu m'as déjà gâché ma galette de pommes de terre au chorizo. C'est contagieux, ton truc ?

—Je pense que c'est le reste de riz du restau chinois que j'ai mangé hier soir qui est en cause, pas le SARS, mais merci de t'inquiéter pour moi.

James éteignit son portable et réfléchit à son itinéraire. Il irait à pied. S'éclaircir les idées en marchant lui ferait le plus grand bien – si les gaz d'échappement qui envahissaient les rues de Londres le matin pouvaient aider à éclaircir quoi que ce soit.

Anna traversait la pelouse devant les imposantes colonnades du bâtiment principal. Son souffle projetait des fantômes dans l'air glacial.

À l'autre bout de la cour, elle remarqua la silhouette floue d'un homme qui avançait à grandes enjambées décidées dans sa direction. Elle reconnut soudain les cheveux noirs et le manteau bleu marine, tandis que le reste se faisait plus net.

Son cœur bondit et se coinça dans sa gorge ; Anna déglutit et serra les dents. Pourquoi se sentait-elle nerveuse, s'il n'était censé lui inspirer que de l'irritation ?

James arriva à sa hauteur, l'air légèrement anxieux. C'était un drôle de moment de la journée pour faire son apparition. Oh, oh. S'agissait-il du fameux : « C'était il y a longtemps, nous voilà adultes, oublions le passé… » ? Anna s'arrêta à contrecœur.

—Bonjour. Puis-je vous parler ?

—De quoi ?

—Du lycée. De ce qui s'est passé.

—Je n'ai rien à dire à ce sujet.

—Alors vous voulez bien écouter pendant que je parle ? Anna haussa les épaules.

—Je suis venu vous dire combien je suis désolé de ce qui s'est passé. C'était horrible et cruel, et je ne peux imaginer à quel point vous avez souffert. Voilà, à seize ans, j'étais vraiment un sale con ; j'espère seulement m'être amélioré depuis, même si bien trop lentement.

» Et je suis désolé de m'être comporté comme un crétin quand vous m'avez mis face à la vérité, et d'avoir utilisé cette expression affreuse. Ça faisait beaucoup d'informations à assimiler. J'étais sous le choc et j'ai balancé ces horreurs parce que vous étiez furieuse contre moi et que j'avais honte de la façon dont je m'étais comporté. Je n'arrive toujours pas à croire que j'aie dit ça. J'aurais dû me jeter à plat ventre et me confondre en excuses. Je suis lamentable de ne même pas avoir été capable de ça.

Silence.

—Depuis ce fameux soir chez vous, je me suis demandé un nombre incalculable de fois comment j'ai pu faire toutes ces choses au lycée. La vérité, c'est que j'ai choisi de ne pas tenir compte du fait que vous étiez un être humain avec des sentiments. J'ai décidé que vous l'aviez cherché en étant différente. J'ai suivi le groupe pour être populaire. Je regrette ne pas avoir fait preuve de force de caractère.

—Vous avez fini ?

—… En substance ?

James semblait avoir peur d'elle. *Bien.*

—Je voulais que vous sachiez combien je suis désolé, reprit-il en s'éclaircissant la voix. Du fond du cœur.

—Ça fait loin ? demanda-t-elle, le visage fermé.

James parvint à lui adresser un pâle sourire.

—Eh bien. Merci, dit Anna avant de se remettre en route.

James se retourna quand elle passa devant lui.

—C'est tout ? demanda-t-il.

—Qu'est-ce que vous voulez que je vous dise ? Vous attendez mon pardon et mon absolution pour classer le dossier ? Alors je vous pardonne. Voilà. Fini.

—Je n'attends pas votre pardon. Je comprendrais parfaitement que vous ne puissiez pas me pardonner, en tout cas pas encore.

—Alors que voulez-vous ?

—Parler. Redevenir amis.

Anna secoua la tête.

—Je ne veux pas que nous soyons amis.

—Nous nous entendions bien avant que je voie la photo. Très bien, même. Nous nous faisions rire ; nous partagions une vraie complicité. Qu'est-ce qui a changé ?

Anna trouva le moyen d'être gênée par l'évocation de la photo. Elle ne se serait pas sentie plus exposée s'il l'avait surprise chez le gynécologue, les pieds dans les étriers.

—Je n'ai jamais eu l'intention de partager quoi que ce soit avec vous. Notre relation était purement professionnelle – une fois passé le terrible choc de retomber sur vous à cette réunion au British Museum. Ensuite, je vous ai accompagné à la fête de votre boîte pour vous faire une faveur. Je savais que c'était une erreur. Notre dispute au sujet de la photo a été une grosse piqûre de rappel. Je ne veux plus jamais avoir affaire à vous.

—À cause du lycée ? Vous pensez que je ne peux pas changer ?

—Je me fiche que vous ayez changé ou pas. Parce que moi si. Et que je ne me laisse plus malmener par des connards superficiels.

James fit une grimace.

—Vous êtes dure, Anna.

Enfin, elle avait la rage. Elle ressentait cette douleur violente qui enfle dans la poitrine, remonte dans la gorge et jaillit par la bouche sous forme de mots affreux.

— Vous me trouvez dure ? Essayez cinq ans d'enfer quotidien couronnés par la démonstration publique que tous les élèves d'un lycée vous haïssent, James. Qu'ils rient de votre stupidité parce que vous avez osé croire que vous pouviez partager quelque chose avec eux, cracha-t-elle. L'enfer, vous ne l'avez jamais rencontré. Vous ne l'avez même jamais *approché*.

— En ce qui concerne le Mock Rock, il n'y avait pas vraiment de raison. Juste le bête effet de groupe…

— Oh, nous y voilà ! Vous croyez que ça va *vous* aider de me dire à *moi* que ce n'était pas si grave ? Vous croyez qu'un peu de « là, là, ma chérie » fera l'affaire ?

— Non ! J'essaie seulement de me montrer honnête, dit James en faisant passer la courroie de son sac par-dessus sa tête pour le déposer à ses pieds. La dernière fois que je vous ai vue, vous avez suggéré que je savais que vous m'aimiez bien. Mais pas du tout. Ce qui s'est passé, c'est que… (Il se mordit la lèvre inférieure.) Un mois avant, à peu près, Laurence m'avait soumis à un de ses interrogatoires à la con, du genre action ou vérité. Il y a eu une question sur vous, et j'ai dit que vous ne seriez pas si mal si…

James s'interrompit.

— Si… ? répéta Anna en croisant les bras.

— Si vous perdiez du poids. Et Laurence n'a plus cessé ensuite de raconter que je vous aimais bien. Il m'a poussé à vous piéger au Mock Rock. Je l'ai fait pour qu'il me fiche la paix. Je fonctionnais comme tout adolescent dans un groupe, je suivais le mouvement pour que le rôle de souffre-douleur tombe sur quelqu'un d'autre. J'étais un trou du cul, un lâche qui voulait éviter de se faire malmener. Si c'est le mot.

— Ce n'est pas le mot.

— Je sais.

— Non, vous ne savez pas. Ça revient à dire à quelqu'un qui a perdu un bras dans une presse qu'un jour vous vous êtes coupé avec une feuille et que ça vous a fait un mal de chien.

Personne ne vous aurait maltraité comme moi si vous leur aviez fait front. Les gens comme vous ne pourront jamais comprendre quelqu'un comme moi.

— Les gens comme moi ?

— Ceux qui tracent leur route dans ce monde en flottant au-dessus de la mêlée, à qui tout arrive sans qu'ils aient besoin de faire le moindre effort, qui bénéficient de tous les traitements de faveur parce qu'ils sont beaux.

— Oh, allez. Je ne dis pas que vous n'en avez pas bavé, mais prétendre que vous êtes la seule à connaître la souffrance, c'est un peu exagéré.

— Est-ce qu'on vous a déjà tabassé ? Est-ce qu'on vous a déjà volé votre sac pour le jeter dans une poubelle histoire de vous punir d'être gros et laid, James ? Avez-vous préféré faire des heures de colle pour avoir perdu vos devoirs plutôt que de dénoncer la personne qui les avait déchirés par crainte des représailles ? Avez-vous déjà eu à raconter à vos parents que vous vous étiez fait ces bleus en E.P.S., tout en évitant le regard torturé de votre petite sœur qui savait parfaitement que vous vous étiez fait frapper par vos petits camarades ? Aviez-vous l'habitude de vous réveiller tous les matins avant la sonnerie de votre réveil, avec l'envie de vomir à la perspective de ce qui vous attendait ? Considériez-vous comme une bonne journée celle où vous n'aviez été brutalisé qu'une seule fois par cours ?

James tendit la main pour lui toucher le bras, mais elle recula afin de rester hors d'atteinte.

— Quoi d'autre ? Il faut dire que j'ai l'embarras du choix. Voyons… Vous est-il déjà arrivé de vous mettre sur votre trente et un, de vous faire conduire par votre père dans votre robe de grosse à une fête de fin d'année et d'attendre qu'il soit hors de vue pour aller vous asseoir tout seul dans un parc pendant des heures, n'ayant pas pu vous résoudre à avouer à vos parents que vous n'y étiez pas le bienvenu ?

James la regarda, puis baissa les yeux vers le sol.

—Et, cerise sur le gâteau, est-ce que le plus beau mec de l'école vous a fait croire, l'espace d'un instant magique, qu'il n'était pas comme ces autres salauds avant de vous livrer à la foule pour qu'elle vous canarde de nourriture et vous traite d'éléphant ? Vous savez, James, pour moi, vous étiez une goutte de bonheur dans l'océan nauséabond de Rise Park. Il me suffisait de vous regarder, de penser à vous ou d'écrire des bêtises sur vous dans mon journal intime. Vous n'étiez gentil avec moi que dans mon imagination, mais cela me suffisait. Vous n'aviez pas besoin de faire quoi que ce soit. Vous pouviez vous contenter de ne *rien* me faire. Mais, même ça, vous ne me l'avez pas accordé.

James était tétanisé. Anna, elle, n'arrivait plus à se retenir de parler. C'était comme si les vannes s'étaient ouvertes.

—… Tous les soirs, je déversais mon désespoir dans mon journal, je gribouillais de longues tirades pleines de souffrance. Je me suis promis que je m'enfuirais. Qu'un jour viendrait où je n'aurais plus jamais à revoir aucun d'entre vous, bande de connards. En étant amie avec vous, je trahis la jeune fille que j'étais. Voilà pourquoi je ne veux pas être votre amie. Vous ne vouliez pas de mon amitié, à l'époque. Mais aujourd'hui si, maintenant que le simple fait de me voir n'est plus honteux. Eh bien, je ne veux pas vous connaître. Comment m'avez-vous dit ? « Dure » ? Vous n'avez qu'à ramasser les miettes de votre vie et ramper plus loin.

Ça avait été une sacrée tirade, et quand James prit la parole, sa voix semblait affaiblie par l'assaut.

—Je veux essayer de réparer tout le tort que je vous ai fait, Anna.

—C'est *impossible*. C'est ça que vous ne pigez pas.

Anna savait qu'elle avait frappé suffisamment fort pour que James batte en retraite. C'était sa volonté contre la sienne, lui poussant contre une porte pour entrer dans une pièce à laquelle elle était déterminée à ne pas lui donner accès.

Quelque part, tout au fond d'elle, elle souhaitait peut-être qu'il y parvienne. Mais elle était sûre qu'il échouerait. Impossible qu'il surpasse ça. En force de sentiment, elle avait le pouvoir de vingt hommes.

—Il faut que je retourne travailler. Au revoir.

CHAPITRE 62

A nna avait fait quelques pas dans l'herbe, vibrant d'un sentiment de triomphe venimeux, quand James lui tapota de nouveau l'épaule.

— Vous pensez que je suis la dernière personne que vous avez envie de fréquenter. Et si j'étais justement celle dont vous aviez besoin ?

Anna se tourna vers lui en levant les yeux au ciel.

— Vous avez trouvé ça sur quelle affiche de film ?

— Je suis sérieux. Vous avez besoin d'exorciser Rise Park. Vous avez besoin que le responsable, ou du moins l'un d'entre eux, comprenne vraiment ce qu'il a fait. Pour pouvoir lâcher prise.

— Tout allait bien dans ma vie jusqu'à ce que vous apparaissiez.

— Bien que vous valiez beaucoup plus que moi, je refuse de croire que nous sommes aussi différents que vous le dites. Nous ne nous ferions pas autant rire l'un l'autre si c'était le cas. Donc, selon vous, nous n'avons aucun point commun ?

— Non.

— Vous disiez que vous m'aimiez bien, au lycée ? Est-ce que cela signifie que vous étiez amoureuse de moi ?

Anna approuva d'un petit mouvement sec du menton.

— Pourquoi ? Jusqu'au Mock Rock, nous ne nous étions jamais adressé la parole.

— J'avais entendu parler de vous. Vous savez comment ça se passe pour les gamins cool et les losers. Nous observons tout depuis la ligne de touche pendant que vous brillez sous les projecteurs.

—Mais nous ne nous étions jamais adressé la parole. C'est seulement mon physique qui vous a séduite.

—Et?

Anna bascula le poids de son corps sur l'autre pied en faisant une grimace. James sentit qu'il ne lui restait plus beaucoup de temps.

—Donc, vous ne me jugiez que sur les apparences.

—Bien essayé, mais la comparaison ne tient pas la route. On ne peut pas dire que je vous aie pourri la vie. Vous ne soupçonniez même pas mon existence.

—Je maintiens mon argument. Nous avons tous les deux jugé l'autre en nous basant sur les apparences. J'ai cru que vous ne valiez rien et vous avez cru que je valais quelque chose. Nous avions tort tous les deux.

Anna garda le silence et James prit cela pour un encouragement.

—Je suis loin d'imaginer ce que ça a été d'être à votre place, et d'avoir ensuite vu les gens vous traiter si différemment une fois que vous… Eh bien, enfin, vous êtes évidemment magnifique. De quoi rendre bien des gens cyniques. Vous non, pourtant, et c'est impressionnant.

—Vous êtes maaaagnifiiiique. Je vous en prie. « Pas si canon que ça et pas mon genre », je vous rappelle votre verdict.

James rougit jusqu'à la racine de ses cheveux.

—Allons, je vous ai présenté mes excuses à ce sujet. Je cherchais à décourager Laurence. Bien sûr que je vous trouve magnifique, tout le monde le pense. Acceptez le compliment.

Anna haussa les épaules avec une nonchalance qu'elle ne ressentait pas vraiment.

—Donc vous voudriez m'avoir comme amie même si je ressemblais toujours à Aureliana?

James leva les yeux vers le ciel, avec un désespoir feint, avant de la regarder de nouveau.

—Ouaip. Notre amitié ne reposait en rien sur l'apparence. Vous n'êtes pas d'accord? C'était inhabituellement pur, à cet égard.

—Mmm. Vous avez terminé? J'ai vraiment du pain sur la planche.

—Non. Je refuse d'en rester là, dit James. Je crois que vous ne me laissez pas revenir par fierté. Alors dites-moi ce que vous exigez de moi. Je ferai n'importe quoi pour me racheter. Mais je ne m'en irai pas comme ça. Il faut que ça sorte. Frappez-moi, faites quelque chose.

Anna savait qu'elle n'était plus très loin de lâcher la terrible vérité qu'elle ne voulait pas dire. Sa voix se mit à trembler.

—James. Effectivement, vous n'imaginez pas l'enfer que ça a été. Ce ne sont pas des plaisanteries ou des coups symboliques qui vont réparer ce qui s'est passé. Vous n'avez aucune idée d'où vous mettez votre nez.

—J'étais là. J'ai une petite idée. Dites-moi.

—Je ne veux pas.

—Voyez les choses comme ça. Pourquoi mériterais-je d'être épargné?

Anna ouvrit la bouche. La referma. Échec et mat. Elle n'avait rien à répondre à ça.

—Un mois après le Mock Rock, murmura-t-elle précautionneusement, j'ai posé un mot d'adieu sur mon lit et avalé un tas de cachets d'aspirine.

James entrouvrit légèrement les lèvres, les yeux soudain brillants, et se mit une main devant la bouche. Anna sentit une douleur aiguë dans la mâchoire et une pression dans les oreilles indiquant que les larmes arrivaient, en force. Elle s'obligea à poursuivre.

—J'ai essayé de ne pas penser à qui me trouverait. Ce fut Aggy. Elle était sortie retrouver des copines, mais, sentant que quelque chose n'allait pas, elle est revenue sur ses pas. Ma petite sœur, James. Elle m'a sauvé la vie. Aucun gamin de quatorze ans ne devrait vivre ça…

Les larmes commencèrent à ruisseler et elle s'essuya le visage d'une main glacée.

—Je me suis sentie tellement coupable. Mais rien dans ma vie ne me donnait envie de continuer. *Rien*. Pour moi, le Mock Rock fut la preuve que je n'étais qu'une blague. Une grosse blague flasque, étrangère et répugnante. J'avais enfin quitté le lycée, mais j'en sortais brisée. J'ai compris que si l'âge adulte me réservait le même traitement, je ne tiendrais pas. Et maintenant, dites-moi pourquoi je devrais faire ami-amie avec un de ceux qui ont failli faire en sorte que je ne sois plus là ?

James et elle se regardaient dans le blanc des yeux. Anna sentait sa poitrine se soulever et s'abaisser, et elle savait que son visage n'allait pas tarder à se chiffonner.

—Vous avez fait ça ? Après le… après que nous… Mon Dieu, Anna…

James tendit un bras et s'avança vers elle.

—Mais oui, bien sûr. Prenez-moi dans vos bras histoire de ne pas me voir pleurer, dit-elle, plaisantant à moitié, avec les derniers sons que put produire son larynx.

—C'est pour que vous, vous ne me voyiez pas pleurer, andouille, marmonna James d'une voix sourde en l'agrippant si fort qu'elle en eut presque le souffle coupé.

Alors que les larmes coulaient pour de bon, elle sentit des bras se refermer sur elle et une main se poser sur sa nuque. Il la serra plus fort tandis qu'elle pleurait, l'encourageant à se laisser aller. Elle entendait ses sanglots comme s'ils provenaient de quelqu'un d'autre. C'était le genre de pleurs disgracieux et sans retenue que seuls les enfants s'autorisaient.

Ils restèrent ainsi un bon moment. Anna n'aurait su dire si cinq ou quinze minutes s'étaient écoulées. Petit à petit, sa respiration se fit plus régulière, et ses sanglots se transformèrent en un hoquet faible.

James la fit taire et marmonna quelque chose dans ses cheveux, un magma de sons indistincts qu'elle ne put immédiatement recomposer en mots. Elle avait pleuré toutes les larmes de son corps, trempant de larmes et de morve le manteau sans doute ridiculement cher du jeune homme.

Quand ils s'écartèrent enfin l'un de l'autre, Anna sut qu'elle devait ressembler à Brian May pris de mal de mer, mais, honnêtement, elle s'en fichait. Il s'était passé quelque chose. Quelque chose avait changé.

—Ne vous sentez pas coupable. Vous n'avez aucune raison de vous sentir coupable, murmura James.

Il l'aida à écarter des mèches de cheveux mouillés de son visage. Lui-même avait les yeux légèrement humides.

—Vous étiez une victime et vous avez fait ce que vous avez fait parce que vous vous êtes sentie acculée. C'est nous qui devrions nous sentir coupables.

—J'ai pris la décision d'avaler ces cachets, donc je suis responsable de ce que j'ai fait subir à Aggy, objecta Anna en s'essuyant le coin des yeux avec sa manche.

—Vous y avez été forcée.

Quelques étudiants passèrent non loin d'eux ; Anna et James reniflèrent et regardèrent dans des directions opposées jusqu'à ce que les jeunes gens soient partis. À faible distance, on entendait le grondement de la circulation londonienne. James expira profondément.

—Vous aviez raison. Rien de ce que je pourrais dire ne suffirait à faire pardonner ce que je vous ai infligé. Je ne suis pas sûr de pouvoir être l'ami dont vous avez besoin. Mais sachez que je porterai votre souffrance jusqu'à la fin de ma vie. Ne l'oubliez pas : vous ne serez plus seule avec votre histoire.

—Pour être juste, vous avez été la goutte d'eau qui a fait déborder le vase, dit Anna. Vous ne faisiez pas partie de mes bourreaux à plein temps. Vous ne pouvez pas débarquer au dernier moment et vous attribuer tout le mérite de leur dur labeur…

Anna lui fit un petit sourire et James secoua la tête, ébahi.

À sa grande surprise, Anna constata que sa colère avait disparu. Elle avait pleuré toutes les larmes de son corps. James était toujours là, et il fallait qu'elle accepte que c'était sa volonté. Il ne cherchait pas à laver sa conscience, ce n'était pas juste pour l'effet, ce n'était pas un caprice. Il souhaitait de tout cœur réparer ses torts. Tout le monde devrait avoir le droit de laisser le passé derrière lui. Ne le savait-elle pas mieux que personne ? James repassa la sangle de son sac sur son épaule. Il la regarda, ne sachant pas quoi dire au moment de se séparer.

— Je devrais vous laisser retourner travailler…, commença-t-il, hésitant. Si vous avez besoin de quoi que ce soit…

Il avait l'air tellement désolé, tellement sincèrement désolé. Abattu, même.

— On pourrait essayer d'être amis, dit Anna, lentement. Voir où cela nous mène. Je suis en train de me dire que si vous vous sentez éternellement coupable, je n'aurai probablement jamais à payer ma tournée.

James lui adressa un pâle sourire.

— Je peux vous demander quelque chose ? dit-il. Comment perd-on un bras en lisant la presse ?

— Hein ?

— Perdre un bras dans la presse ?

— Dans une presse – une machine ! Bon sang, quelle bimbo vous faites ! s'exclama Anna en lui souriant.

— Oh, non ! Encore un fardeau que je porterai sur mes épaules jusqu'à ma mort.

Ils restèrent là à se sourire comme deux imbéciles heureux.

— Je ne peux pas retourner travailler dans cet état, fit remarquer Anna.

—Alors n'y allez pas. Moi, j'ai séché. Faites l'école buissonnière avec moi. Je vous invite à déjeuner où vous voulez.

—Pourquoi avez-vous séché?

—Gueeuh. Aujourd'hui, j'ai eu envie d'aller surprendre quelqu'un sur son lieu de travail pour me faire traiter de connard fini. Le changement a parfois du bon.

Il lui lissa de nouveau les cheveux derrière l'oreille et, malgré elle, Anna sentit une petite lumière s'allumer en elle.

—Alors? Qu'est-ce que vous en dites?

—Si c'est vous qui invitez, comment pourrais-je refuser?

Ils marchèrent lentement jusqu'à la rue dans un silence apaisant, Anna gardant la tête baissée au cas où un étudiant ou un collègue les aurait dépassés. Par chance, le froid sibérien décourageait les traînards.

—Voyez grand, pour le déjeuner, dit James tandis que l'herbe crissait sous leurs pas. Cette journée est trop importante pour un Meatball Marinara chez *Subway*. On va où vous voulez. C'est moi qui invite.

—Eh bien, dans ce cas, que pensez-vous de *Bob Bob Ricard*? demanda Anna.

James blêmit.

—Putain. Ça a été si terrible que ça, le lycée?

Ils rirent. Anna se réjouissait du retour rapide de ses taquineries affectueuses. Tout était normal. Elle ne voulait surtout pas être traitée comme une invalide.

Pendant que James réfléchissait au meilleur itinéraire pour s'y rendre, les mots qu'il avait marmonnés quelques instants auparavant formèrent une phrase dans la tête d'Anna.

« Je ne peux même pas y penser, Anna. C'est trop insupportable. »

Et pourtant, pour la première fois, elle, elle pouvait.

CHAPITRE 63

S i ces révélations avaient eu un effet cathartique sur Anna, elle ne saurait probablement jamais ce qu'elles avaient provoqué chez James. Quelque chose le tarabustait depuis très longtemps, et il venait de découvrir – enfin – qu'il ne s'agissait que de comprendre qu'il pouvait s'efforcer de s'améliorer. Et elle l'y avait aidé.

Pendant des années, il avait accordé à tort de l'importance à certaines choses – des choses vaines – tout en se demandant pourquoi sa vie lui paraissait un simulacre.

« Ben, réfléchis, andouille ! » entendait-il sa sœur lui souffler.

James ne savait pas comment dire à Anna qu'elle l'avait sauvé d'une vie tout en surface, sans substance, ou s'il le pourrait un jour. Il ne voulait pas qu'elle croie qu'il voyait en elle le chat qu'on a sauvé dans la rue et adopté – l'attendrissant déclencheur de sa rédemption.

Cette révélation avait un prix, bien sûr : il était affreusement angoissant de penser qu'elle avait failli mettre fin à ses jours, ce dont il n'était pas qu'un peu responsable.

— Anna, dit-il alors qu'ils marchaient vers le restaurant, nous en plaisantons maintenant, mais si jamais vous souhaitez reparler de… ce que vous m'avez dit…

Elle lui sourit.

— Ne vous inquiétez pas. J'ai énormément discuté avec le psychologue que j'ai vu pendant un an ensuite. Je n'ai plus rien à dire à ce sujet. Mais merci.

Penser qu'on pouvait faire autant de mal à un autre être humain avant de l'oublier consciencieusement lui paraissait passablement terrifiant. Il aurait pu ne jamais la revoir. S'il avait des enfants un jour, ils auraient droit à une discussion Interdit d'Être Méchant, avec une présentation PowerPoint.

Mais voilà qu'il avait l'opportunité d'être l'ami qui lui avait fait si cruellement défaut des années auparavant. Il la revoyait, telle qu'elle était à l'époque, sur cette scène. Corpulente dans une robe orange, avec une coiffure démente qui lui faisait comme un casque, les yeux ruisselants. Il aurait voulu une machine à remonter le temps pour retourner dans le passé et tout refaire différemment.

Bob Bob Ricard était un excellent choix. Le restaurant correspondait parfaitement à cette journée très particulière : en franchissant l'entrée en plein Soho, on avait l'impression de passer un portail ouvrant sur un univers parallèle, comme dans *Alice au pays des merveilles*. Ils se seraient à peine étonnés de voir un lapin passer à côté d'eux à toute vitesse, consultant une montre de gousset. L'intérieur du restaurant ressemblait à un wagon de l'Orient-Express, croisé avec une salle de bains hollywoodienne du début des années 1960 : débauche opulente et loufoque de laiton, marbre, miroirs et carreaux incrustés de motifs.

James fit remarquer que la couleur des banquettes tapissées de cuir, évoquant un train de l'époque édouardienne, était d'un bleu céruléen ; il avait oublié qu'Anna savait beaucoup plus de choses que lui.

— C'est un peu plus profond et vif que ça. Plutôt lapis-lazuli ?

James sourit.

— Bleu désinfectant de toilettes d'avion, alors ?

— Amis de la poésie, bonsoir !

Il y avait même une sonnette «Pressez pour du champagne». James s'exécuta dans un esprit d'aventure. Dans la minute, deux flûtes apparurent sur un plateau porté par un serveur à gants blancs et gilet rose.

—J'ai l'impression d'être dans un roman d'Agatha Christie! chuchota Anna.

Ils commandèrent une surabondance de mets ridiculement lourds, à mi-chemin entre la Russie chic et les *diners* américains : blinis, soufflés, macaronis au homard et au fromage, et purée de truffe. Puis ils décidèrent que peu importait qui avait choisi quoi, partagèrent tous les plats et n'en terminèrent aucun.

James avait conscience que partager un repas avec entrée, plat et dessert en plein milieu de la journée avec une femme avec laquelle il n'entretenait pas de relation romantique aurait pu être profondément gênant. Mais, bizarrement étant donné tout ce qui s'était passé, jamais il ne s'était senti aussi à l'aise en partageant sa table avec quelqu'un. La conversation coulait aussi librement que le champagne, sans que cela ait à voir avec la quantité d'alcool ingurgitée.

Toutes les barrières ayant été levées, et il ne restait plus aucun tabou sur lequel trébucher. James ne se censura pas, pas plus qu'il n'essaya de se mettre en valeur. Quand ils évoquèrent leurs souvenirs du lycée, il raconta à Anna comment il avait perdu sa virginité au cours d'une série de rapports maladroits et embarrassants avec la diva de Rise Park, Lindsay Bright, dans la remise de son père.

—Plutôt une maison de vacances, insista-t-il. Sauf qu'on l'a quand même fait sur un sac de compost, et je peux vous assurer qu'une fourche dans le cul compte parmi les pires *coitus interruptus*.

Anna rit de bon cœur.

—Toutes les filles voulaient lui ressembler! soupira-t-elle en tripotant la chaîne de son collier.

— Non ! Vous plaisantez ? Cette morveuse affligeante ?

— Vous êtes sorti avec elle !

— Seulement dans le cadre d'un de ces « mariages arrangés » du lycée. Ne vous fiez pas à des garçons de seize ans en matière de goût ou de jugement. En fait, de manière générale, ne vous fiez à aucun garçon de moins de vingt-six ans, minimum.

Voyant les assiettes s'empiler, Anna insista pour qu'ils partagent l'addition. James refusa, tenace, et elle se laissa fléchir. Il ne pouvait pas le lui dire, mais être témoin de l'enchantement de la jeune femme devant le décor valait largement son invitation.

Anna regarda autour d'elle et soupira.

— J'ai toujours eu envie de venir ici, mais je n'avais jamais trouvé d'excuse, dit-elle.

— Pourquoi pas dans le cadre d'un de vos nombreux rendez-vous galants ?

— Je ne voulais pas découvrir cet endroit en mauvaise compagnie. Ça aurait été du gâchis. Il fallait une occasion particulière, expliqua Anna.

Elle était trop concentrée sur son tartare de gibier pour se rendre compte de ce qu'elle venait de dire.

James adressa un sourire radieux au haut de son crâne. Anna portait un pull ample qui avait tendance à glisser de ses épaules, et il se surprit à contempler ses clavicules. Il avait toujours trouvé un charme particulier aux clavicules des femmes.

Il y eut juste un moment où l'humeur s'assombrit, quand ils évoquèrent feu son confident, Gingembre, le hamster rondouillard. Elle en eut même les larmes aux yeux. C'était adorable de sa part, mais qui se souciait de ces bestioles ? Moins que des mammifères, ils rappelaient à James ces jouets qui couinent pour les chiens, avec des piles qui dureraient longtemps. Sans même y penser, il tendit la main et lui effleura les pommettes des phalanges.

D'habitude, il n'était pas le genre d'homme à distribuer des petites tapes et autres caresses paternalistes à des femmes avec qui il ne sortait pas, pas plus d'ailleurs qu'à celles avec qui il sortait.

Mais elle lui inspirait… Il y avait un mot démodé pour ça. *Tendresse*. Elle éveillait en lui de la tendresse.

James n'aurait rien pu avaler de plus, mais Anna insista pour commander le « Signature Chocolate Glory ». On ne tarda pas à leur apporter une sphère dorée à la feuille qui semblait sur le point de se mettre à vibrer et de s'ouvrir dans un craquement sec.

— M'inviter à déjeuner dans ce restaurant est la meilleure idée que vous ayez jamais eue, James Fraser, déclara Anna d'une voix sourde, la bouche pleine.

James sentit son cœur lourd devenir aussi léger qu'une plume.

CHAPITRE 64

— C'est méchant? demanda la fille, tenant une part en suspens au-dessus du disque blond-roux d'un gâteau au caramel au beurre salé.

Ses cheveux blonds étaient coiffés en un chignon qui formait une volute brillante, tel un petit pain danois. C'était le genre de coiffure qu'Anna avait essayé maintes fois de se faire, mais ses cheveux s'étaient toujours révélés trop bouclés et indisciplinés pour rester en place.

— Il s'agit d'une pâtisserie. Ça n'a aucune implication morale, mon chou, répondit Michelle.

— Hi, hi! Mais combien de calories? Pour une part – disons de cette taille?

Elle fit un V avec ses mains.

Michelle tira pensivement sur sa cigarette électronique, ressemblant brièvement à Gandalf toisant un crétin de Touque, sa pipe en bois à la bouche.

— Deux cent douze. Virgule cinq. Deux cent douze virgule cinq.

La fille au chignon blond reposa la tranche et sortit son iPhone, tapotant sur le clavier de son index à la manucure française.

— D'après mon application compteur de calories, je peux!

Vacillant sur ses talons vertigineux saumon, elle attrapa délicatement une part de quarante-cinq degrés à deux cent douze virgule cinq kilocalories et la déposa sur une serviette en papier blanche.

— C'était vrai ? demanda Anna à Michelle.

Michelle braqua sur elle ses yeux soulignés d'eye-liner. Elle affichait une expression sarcastique.

— Oui, pendant que je cuisinais, refroidissais le grog, préparais la musique et composais le décor, une équipe de nutritionnistes analysait la valeur énergétique approximative des parts de mes gâteaux, afin de préparer un guide pratique pour névrosées, répondit Michelle. De toute façon, ça ne lui fera pas de mal. Je n'avais jamais vu quelqu'un d'assez mince pour faire d'une jupe péplum une bonne idée.

— Tu as fait un travail magnifique, Michelle, dit Anna. Merci.

L'Office avait été transformé avec style pour l'enterrement de vie de jeune fille. Une boule à facettes éparpillait des taches de lumière dans toute la salle, et on comptait plus de bougies que dans une scène de jacuzzi d'*Alerte à Malibu*. En guise de DJ, une station d'accueil d'iPod balançait des chansons chargées d'œstrogènes. Les tables avaient été repoussées contre les murs pour créer une piste de danse. L'une d'entre elles, habillée d'une nappe blanche, était couverte de plats. Michelle avait intelligemment composé un buffet anglo-italien de choses faciles à manger en dansant, un verre à la main.

Elle avait transformé l'espace de la caisse en bar, où un membre de son personnel servait un verre gratuit à chaque nouvelle arrivante : il s'agissait d'une création d'Aggy à base de sirop de gingembre et de prosecco, qu'elle avait baptisée une « Promise Blonde ». Anna avait douté des talents de sa sœur en matière de cocktails, mais le breuvage se révéla délicieux.

La promise elle-même portait une robe tutu rouge effroyablement moulante et courte, accessoirisée d'une étole et d'un diadème. En balayant la pièce du regard, Anna se rendit compte qu'examiner les amies de sa sœur donnait l'impression d'observer un groupe de flamants roses de près : la salle grouillait de jambes incroyablement longues et de couleurs folles. Partout des rivières de cheveux brillants, des robes minuscules, des corps au bronzage digne de Saint-Tropez et des talons aiguilles de douze centimètres, le tout enveloppé dans un nuage de Flowerbomb de Viktor & Rolf.

—Aggy! AGGY! Regarde! Lol!

Marianne, la meilleure amie d'Aggy, cheveux bouclés, hyperactive, poussa un cri perçant en sortant de ses poches des poignées de confettis en forme de pénis et en les répandant sur la table.

—Oh, oh…, dit Anna en regardant Michelle, qui agita négligemment la main.

—Pas grave. Je te parie qu'ils réapparaîtront dans un sucrier le jour de la visite surprise des inspecteurs de Michelin.

—Ah, ah, ah!

Marianne hurla de plus belle, puis posa sur la table un paquet de pailles roses dans la même veine et brandit un pénis gonflable. Rempli d'air à son maximum, il faisait la taille d'un teckel. Plusieurs invitées commencèrent à se prendre en photo avec leurs portables à califourchon dessus, feignant une séance de rodéo.

Anna se réjouissait de la présence de Michelle.

—Tu comprends la nécessité de mettre des pénis partout, toi? demanda-t-elle à son amie. Ce n'est pas comme si, de nos jours, les gens qui se marient s'apprêtaient à coucher avec leur conjoint pour la première fois. Alors à quoi bon tous ces «Youhou! Des zizis!», comme si nous avions de nouveau huit ans?

—Surtout que, en te mariant, tu renonces justement à accorder «zizi» au pluriel.

—Merci beaucoup pour cette soirée, Michelle, dit Aggy en titubant jusqu'à elle pour la serrer dans ses bras.

—De rien. Je suis contente que tu t'amuses.

—James a eu une tellement bonne idée, dit Aggy distraitement en tétant la paille pénis dans sa flûte et en agitant la main à l'intention d'une amie à l'autre bout de la salle. Pareil pour l'Italie. Quand je pense qu'*en plus* il m'a acheté ma robe… Au fait, je l'ai invité à passer plus tard. Oh, là, là, j'adore cette chanson !

Aggy s'apprêtait à foncer sur la piste, et Anna dut la retenir par le bras.

— James t'a acheté quoi ? Et il est invité ce soir ?

— Oh. Ouais. Je lui ai dit que je ne pouvais pas me permettre de me la payer avant d'avoir touché ma prime, alors il m'a prêté l'argent qui me manquait, expliqua-t-elle en inclinant la tête. Il est tellement adorable. Je sais que tu le considères comme un salaud, mais je trouve qu'il a changé.

— Aggy ! aboya Anna. Tu as accepté de l'*argent* de James Fraser ?

— Rhôô ! Seulement pour deux mois ! Et pour m'offrir la robe de mes rêves ! se défendit sa sœur sans faire trop d'efforts pour paraître désolée, sachant qu'elle ne pouvait pas vraiment se faire gronder à son propre enterrement de vie de jeune fille.

Là-dessus elle partit au petit trot exécuter quelques contorsions obscènes. Quand Michelle s'esquiva aux toilettes, Anna dégaina son téléphone et envoya une question.

Son téléphone eut l'obligeance de vibrer et de clignoter peu après.

Ah. Aggy n'était pas censée vous en parler. Ouais, je lui ai prêté de l'argent, pas de problème. Sauf qu'elle vous a nommée comme garantie. Si elle ne s'acquitte pas de sa dette, vous devrez aider Parlez sur la campagne du compte Dindfort – des saucisses de Francfort à la dinde. Miam. J.

Je n'étais pas censée être mise au courant ? Pourquoi ? L'enterrement de vie de jeune fille est sympa, si on fait abstraction de la multiplication des pénis. A.

Je ne peux pas battre une armée de pénis. Parce que je préfère rester un héros anonyme, comme Batman. Vous ne me connaissez que dans ma version Bruce Wayne playboy, c'est juste une couverture intelligente. J.

Anna rit, incrédule. Le soir de la disparition d'Aggy, il avait raccroché avec elle, était sorti, avait déniché Aggy et Laurence et réglé la situation. À un coût considérable, littéralement et métaphoriquement, semblait-il. Et c'était lui qui avait soufflé à Aggy l'idée de *L'Office* et de l'Italie ? Anna avait été extrêmement surprise de la vitesse à laquelle sa sœur s'était remise de la perte du *Langham*. C'était donc James qui se cachait derrière ce miracle ?

Pourquoi s'était-il donné tout ce mal ? Le cœur d'Anna lui soufflait que c'était pour elle.

Anna s'efforça de ne pas trop s'enthousiasmer, mais le mélange de gratitude, d'alcool et de stupéfaction la poussa à se répandre en remerciements au nom de ses parents qui, fit-elle remarquer, ignoraient qu'ils devaient le salut de leur cadette à James.

Eh ! Ce fut un plaisir d'aider à l'organisation, Alessi. Attention, *spoiler* : les agents de police qui viendront enquêter sur des troubles du voisinage seront des stripteaseurs. Sauf si de vrais agents se présentent suite à une plainte concernant des troubles du voisinage. Ne confisquez aucune matraque avant d'être sûre.

— Il plaisante, au sujet des stripteaseurs, n'est-ce pas ? Marianne t'a bien promis qu'il n'y en aurait pas, non ? dit Anna en montrant son téléphone à Aggy qui passait devant elle.

— Lol, oui ! C'est une soirée classe.

Le regard d'Anna dériva jusqu'à une convive qui faisait semblant de jouer de la guitare avec un pénis gonflable, puis revint à son téléphone.

Michelle l'observait.

—Oh, salut.

—Quoi?

—Tu louches sur tes textos comme une mère contemplant son nouveau-né dans une couveuse. De qui sont ces messages… ?

—James.

—A-HA!

—Quoi?

—L'artiste autrefois connu sous le nom de James Fraser le Maudit?

Anna s'était sentie obligée de brosser le tableau de leur confrontation à l'UCL à Michelle et Daniel. Elle était parvenue à exonérer James sans entrer dans les détails. Quelque chose dans la nature de cette journée l'avait poussée à faire en sorte que leur discussion reste entre eux. Michelle et Daniel respectaient suffisamment les opinions d'Anna pour la croire si elle affirmait qu'il n'était plus celui qu'il avait été.

—Nous sommes amis, maintenant.

—Des amis qui partagent des déjeuners romantiques à base de champagne et de chocolat qui vibre?

—Ça n'avait rien de romantique! Et il ne vibrait pas vraiment.

—Et il vient à la fête d'enterrement de vie de jeune fille de ta sœur? Quel homme assiste à une fête d'enterrement de vie de jeune fille, à part celui qu'on paie à l'heure? demanda Michelle.

Anna sourit. Elle n'avait pas particulièrement envie d'arrêter Michelle.

—OK, ce sont des conneries, et voici ce que j'en pense, poursuivit celle-ci en resservant Anna de prosecco. Il est

420

canon. Tu es canon. Vous êtes tous les deux célibataires. Quel mal y aurait-il à vous amuser un peu ? Moi, j'ai l'impression qu'il t'a donné tous les signes qui t'autorisent à entamer la Phase Physique.

Anna haussa les épaules, ne sachant pas quoi répliquer à l'argument de son amie.

— Je ne dis pas que l'être exceptionnel entre tous, qui te correspond parfaitement et va donner un sens à ta vie ne va pas finir par apparaître. Mais, en attendant, pourquoi ne pas t'amuser ?

— Peut-être ne suis-je pas très douée pour la légèreté, dit Anna. Je suis trop sérieuse en matière de relations.

— Ce serait dommage de renoncer à une opportunité avec un bel homme et de le regretter plus tard. Quand j'ai eu trente ans, ça m'a frappée : tout ça finira très bientôt. Imagine-toi dans une de ces chaises roulantes de centre commercial, tes jambes marbrées de rouge enflées comme des fouets de cuisine, un scottish terrier sur les genoux, pensant à tout le sexe à côté duquel tu es passée…

Anna éclata de rire. La réhabilitation de James était encore récente. Et elle ne se sentait pas attirée par lui. N'est-ce pas ? Il était magnifique, bien sûr. Et lui ? Est-ce qu'il était attiré par elle ? Peut-être que cela changeait tout.

— Je te recommande seulement de ne pas te garder « au cas où ». Ouvre tes cadeaux. Fais des mélanges. Couche avec lui et amuse-toi, bon sang. Un arancini ?

Anna sourit et en attrapa un sur le plat rempli.

— Même si je me décidais, comment suis-je censée m'y prendre ? demanda-t-elle, la bouche pleine de riz à risotto frit. Je suis parfaitement incompétente en matière de drague.

— Oh, c'est facile. Sois un peu vulgaire. Joue les effrontées. Le secret de la séduction, c'est que quatre-vingt-dix-sept pour cent du travail est fait si on parvient à soutenir le regard de l'autre. L'ego masculin fera le reste. Crois-moi, tu peux presque voir le moment où ils comprennent qu'il va y avoir de l'action. Clic !

Anna se souvint des conseils que lui avait prodigués James au sujet de Tim durant la soirée de lancement au British Museum. Elle comprit que, bien sûr, il n'avait rien d'un novice.

Comment draguer en finesse ? Bien que, à en croire Michelle, l'objectif ne soit pas la subtilité.

Anna se sentit comme illuminée de l'intérieur à la perspective de voir James. En sa présence, il lui semblait que son dos se redressait un peu, que son esprit s'affûtait. Elle espérait que la robe rouge qu'elle portait ce soir-là était acceptable. Même mieux qu'acceptable.

Battant la mesure du pied, elle se demanda si Michelle avait vu juste, et s'il y avait une chance que James et elle repartent ensemble de la fête. Cette idée l'intimidait au-delà des mots, mais lui procurait aussi bien d'autres émotions. Elle ne dirait pas non. Michelle avait raison. Il était temps de commencer à vivre.

Chapitre 65

J ames fit son entrée sur les premières mesures de *Get Lucky* de Daft Punk, comme s'il avait apporté sa propre musique avec lui.

Il leva une main ouverte pour saluer Anna et elle lui répondit d'un geste, tandis qu'Aggy poussait un cri perçant, lui sautait dessus et se mettait à bavarder, les bras passés autour de sa taille.

James l'écouta, tolérant poliment son étreinte un peu trop familière. Il portait un cardigan noir et une chemise bleu pâle fine qui aurait eu besoin d'un coup de fer supplémentaire pour empêcher le col de rebiquer. Il ressemblait plus que jamais à Clark Kent. Quand elle découvrit un autre de ses cardigans, Anna ne put s'empêcher de s'émerveiller. Combien pouvait-il en avoir ?

Les mammifères prédateurs présents dans la pièce sentirent l'odeur du sang du mâle, et tout à coup il fut encerclé par ses nouvelles amies, jetant des coups d'œil furtifs et faussement paniqués à Anna.

Elle pourrait peut-être finir par les aimer, ses cardigans, étant donné qu'elle appréciait désormais la personne qui les portait. Elle fut soudain prise d'une envie irrépressible de remplacer Aggy, de glisser ses bras autour de lui et de le serrer fort. Elle tenta quelques pensées lascives impliquant le déboutonnage de son cardigan, mais sans grande conviction. Cela manquait autant d'érotisme qu'une scène de séduction dans laquelle on aurait défait les bretelles d'une salopette ou roulé des bas de contention. Et là, alors qu'il parlait et faisait rire sa sœur, et que la boule à facettes faisait danser des éclats de lumière sur eux, elle se rendit compte que ses sentiments allaient au-delà d'une simple envie de le déshabiller.

Elle voulait voir sous sa peau. Elle voulait qu'il lui donne son cœur.

— Je vais aller saluer votre sœur, entendit-elle James dire.

Tandis qu'il marchait vers elle, elle eut l'impression que son cœur se retournait comme un gant.

— B'soir, dit-il.

Il se pencha sur sa droite, puis sur sa gauche, inspectant sa tenue.

— Je ne vois aucun motif de pénis sur vous. Ni de tee-shirt indiquant « Brigade des salopes d'Aggy ». Du meilleur goût. Bien joué, espèce de bas-bleu mesquine.

Par-dessus l'épaule de James, Anna vit Michelle lever les deux pouces à son intention. Elle essaya de se rappeler comment elle se comportait avec lui avant l'apparition de ces sentiments.

Elle se retint de le remercier encore pour son intervention auprès d'Aggy. Pendant que James lui racontait qu'il avait coupé les ponts avec Laurence, Anna songea que, après avoir espéré avoir un coup de foudre pendant trente-deux ans, ce qu'elle ressentait ne ressemblait en rien à ce à quoi elle s'était attendue. Elle avait cru qu'à la révélation de l'amour se mêlerait un sentiment de sécurité : la certitude d'être chez soi, là où l'on doit être. Au lieu de ça, elle avait plutôt l'impression d'être attachée à une chaise en équilibre au bord d'une falaise. Vertigineux.

— Vous savez, nous n'avons finalement jamais regardé le documentaire de Tim, dit James en acceptant un verre. Vous l'avez vu depuis ?

— Non…

Et ce n'était pas l'envie qui lui avait manqué. Mais elle l'avait associé à leur soirée interrompue et n'avait pas encore eu le courage de le regarder.

— Nous pourrions réessayer ? Sans Harlequin, ni brochures de chirurgie esthétique, ni grosses disputes.

Attendez, songea Anna.

Était-ce l'occasion de flirter qu'elle attendait ?

— Vous parlez de la soirée où vous m'avez proposé une évaluation impartiale de l'état de mes seins afin de me rassurer sur le fait qu'aucune intervention n'était nécessaire ?

— J'ai fait ça ? Le James d'autrefois était un vaurien. James d'autrefois, je ne te connais pas !

Elle rit. Oui, ils flirtaient, et c'était bien agréable. C'était exactement le «débrouille-toi pour qu'il t'imagine nue» dont elles avaient parlé, non ?

— Je vais accepter votre offre, dit Anna en riant. Vous pourrez brandir une petite pancarte dorée avec un numéro.

— Bon sang, dit James se frottant un œil. Noooon !

— Non ? Je croyais que les garçons aimaient les nichons, en général…

— Ouais, mais… Vous êtes mon amie. J'aurais l'impression de reluquer ma sœur.

Aïe. *Aïe*. L'impact fut amorti par l'alcool, comme quand on reçoit un coup de poing à travers un oreiller. Mais ça ferait un mal de chien quand elle s'en souviendrait le lendemain à son réveil. Elle se rendit compte qu'il aurait fallu qu'elle enchaîne sur un bavardage distrayant, mais rien ne lui vint. Comme une *sœur* ? Elle était nulle pour interpréter les intentions des hommes, et dans les situations romantiques en général. Elle était trop dégoûtée pour répondre.

— Anna. Anna ? l'entendit-elle dire.

— Mmm ?

Elle fit semblant d'être captivée par quelque chose qui avait lieu dans son verre.

—*Anna*.

Il lui prit délicatement le menton dans la main et leva son visage vers lui.

—Je ne le pensais pas. Je feignais la décontraction pour ne pas paraître lubrique. Je ne préfère pas, de peur que ce ne soit troublant, anormal et incorrect vis-à-vis de vous.

—C'est justement ce que j'espérais, répliqua Anna.

Les mots s'étaient formés dans son cerveau et avaient quitté sa bouche sans qu'elle ait décidé si c'était une bonne idée. Boum. Fait. Elle l'avait dit. Elle avait dit le truc.

James ne la quittait pas des yeux, les lèvres légèrement entrouvertes. Autour d'eux résonnaient les pulsations de la musique, et Anna s'efforçait de trouver un moyen de corriger ou modifier le sens de ce qu'elle venait de dire. En vain. Ils se tenaient au bord d'un précipice, et la réponse de James définirait la suite de leur relation. Anna se sentait comme un joueur qui vient de tout miser sur le rouge et attend que la roulette cesse de tourner. Allaient-ils s'embrasser ? S'imaginait-elle que James se rapprochait, que leurs têtes s'inclinaient… ?

—Je suis de nouveau avec Eva, lâcha-t-il d'un ton légèrement sidéré en reculant d'un pas, comme si lui aussi venait de l'apprendre.

Encore un coup de poing amorti pour Anna. Sauf que cette fois, James avait mis un peu plus de force dans le mouvement de coude. Malgré le brouhaha qui les enveloppait, le silence qui s'installa entre eux durant les secondes suivantes sembla épais et lourd.

—Oh, souffla Anna.

Elle perçut le vide dans sa voix, même avec une seule syllabe.

—C'est tout nouveau, expliqua James en se raclant la gorge. Elle est passée hier. Nous nous retrouvons doucement. Elle n'est pas encore revenue s'installer à la maison.

—Bien sûr, dit Anna d'une voix sourde.

— Ça ne vous empêche pas de passer ?

Anna avait eu maintes fois l'occasion dans sa vie de se sentir petite et stupide. Celle-ci se classait parmi les meilleures.

— Ha. Non, je ne pense pas, dit-elle en secouant la tête avec un sourire pâle.

— Bien sûr que si, protesta James, manifestement guère convaincu lui-même.

Il semblait perplexe, tournant visiblement la situation dans tous les sens, des questions plein la tête, pour lesquelles il ne trouvait pas les mots.

— C'est impossible, dit-elle.

— Quand les choses se seront arrangées, alors ? hasarda-t-il, plein d'espoir.

Elle savait qu'il ne s'entendait pas parler.

— Non…

— Vous serez toujours la bienvenue.

Il semblait s'adresser à la vieille tante célibataire pour laquelle on sort le service à thé et les petits gâteaux.

Anna sourit et rassembla le peu de courage qui lui restait.

— James. S'il vous plaît, cessez de dire que je peux toujours passer vous voir. Nous savons tous deux que c'est impossible. Je vous souhaite beaucoup de bonheur. Et je vous suis extrêmement reconnaissante pour tout ce que vous avez fait pour Aggy. Je ne pourrai jamais assez vous remercier. Je vais aller me resservir un verre.

Anna gagna le bar d'un pas décidé.

— James s'en va ! lança Aggy quelques minutes plus tard.

Anna le vit enfiler son manteau et la saluer d'un geste de la main.

Elle lui rendit son salut avec un grand sourire et assez de vigueur pour le dispenser de traverser la pièce. Elle n'aurait pas su quoi lui dire. Il devait croire qu'elle n'y tenait pas, car il s'esquiva rapidement, même si Aggy ne lui facilitait pas la tâche en s'accrochant à lui comme un koala.

— Rien, alors ? dit Michelle, tout près, après avoir assisté au départ de James.

— Nan, répondit Anna avec une légèreté de plomb.

— Mmm. Eh bien, je n'y comprends rien.

Anna aurait pu résoudre l'énigme, elle, mais elle n'en avait pas encore le courage. Elle avait besoin d'être un peu seule afin d'assimiler l'information. Elle était bien contente que la soirée touche à sa fin, car elle ne se sentait plus le moins du monde d'humeur festive. Ha. Bizarrement, les gribouillis de ses vieux journaux intimes lui revinrent en mémoire : JF 4EVA. *For* Eva, et pas *forever*. « Pour Eva ». Elle l'avait même prédit.

Au moment où elle arrivait devant chez elle, son téléphone bipa. Elle avait reçu un texto.

Je suis désolé. J.

Elle mit une demi-heure à pondre une réponse qu'elle souhaitait aussi courte que son message à lui.

Pas grave. A.

CHAPITRE 66

Il l'avait trouvée abritée sous le porche. La pluie torrentielle avait transformé ses cheveux, qui semblaient avoir poussé depuis la dernière fois qu'ils s'étaient vus, en cordes trempées, et étalé son maquillage en traînées de suie scintillante. Mouillée, sa chevelure blond caneton semblait toujours plus foncée.

— Pourquoi ne m'as-tu pas téléphoné ? avait-il demandé.

— C'était spontané. Je ne voulais pas prendre rendez-vous, avait répondu Eva.

James avait compris ce qu'elle était venue lui dire.

Elle avait disparu à l'étage et était redescendue vêtue en haut d'un soutien-gorge et d'un des cardigans de James, qu'elle avait presque pu faire passer deux fois autour de ses hanches menues.

Ils avaient parlé pendant une heure et demie. Dehors, la pluie dessinait un tatouage dans la terre.

Eva lui avait expliqué que, avant de le rencontrer, elle avait toujours été un esprit sauvage et libre. Elle avait voyagé et agi sur des coups de tête. Puis elle était tombée follement amoureuse et, dans le brouillard de ses sentiments, elle s'était engagée trop rapidement. Cela avait provoqué une sorte de décalage horaire qui avait survécu à celui, littéral, de leur voyage de noces au Sri Lanka.

Elle ne lui avait jamais raconté qu'elle avait fait une sorte de crise d'angoisse la nuit précédant leur mariage ; elle avait été prise de haut-le-cœur, de palpitations… James aurait cru qu'elle avait des doutes à propos de lui, alors que ce n'était absolument pas ça. Tout était allé trop vite, s'engager pour la vie... Mais, avec le recul, peut-être qu'elle n'aurait pas dû le lui cacher. À ce souvenir, elle avait essuyé de grosses larmes parfaites, dignes d'une photo de Man Ray.

James lui avait demandé :

— Qu'est-ce qui a changé ?

— Tu me manquais trop. Notre relation me manquait.

Elle avait replié un peu plus ses jambes sous elle, plus minuscule et vulnérable que jamais dans l'immensité du canapé rose géant.

Mmm. Agréable et vague. Les commentaires ambigus qu'il avait commencé à recevoir sur Facebook d'amies, de collègues femmes et même d'ex n'avaient rien à voir avec ce revirement, si ? À moins qu'il ne faille chercher du côté des photos publiées par l'agent immobilier et de la programmation des premières visites ? Non. C'était impossible.

— Comment Finn prend-il la nouvelle ?

Eva s'était essuyé le nez avec le poignet de son cardigan.

— Je lui ai expliqué qu'à long terme ça ne pouvait pas marcher entre nous. Il comprend.

James s'était demandé ce qu'elle avait dit à Finn quand elle avait emménagé avec lui. Il s'était rappelé un commentaire qu'avait émis Victoria, une de leurs amies, d'un ton qui s'était voulu enjoué mais qui lui avait semblé un peu sec, quand Eva et lui avaient commencé à sortir ensemble : «Avec Eva, on finit par comprendre qu'il y a ce qu'elle dit et puis ce qu'elle fait. Tant que tu n'attends pas que les deux concordent, tout ira bien.»

Il avait répété sa remarque à Eva, qui s'était contentée de grogner que Victoria en pinçait pour lui et qu'elle était «un peu rabat-joie». Il semblait pourtant à James qu'Eva n'avait plus jamais réinvité Victoria après ça. James avait trouvé frappant qu'au moment où vous avez besoin de certificats attestant de la moralité de la personne que vous venez de rencontrer, tout le monde se tait ou court le risque d'être excommunié.

Mais il ne devait pas laisser ce qui s'était passé le rendre cynique. D'ailleurs, s'il y avait bien une leçon à tirer de ses récentes expériences, c'était justement qu'il devait essayer de l'être moins. Eva était sa femme et elle voulait redonner une chance à leur couple. Il n'était pas Laurence. L'amour devait parfois faire preuve d'abnégation et d'indulgence.

Eva ne réemménagerait pas dans l'immédiat. Il allait retirer la maison du marché, elle logerait chez Sara, et ils se verraient et parleraient jusqu'à être prêts à une réconciliation complète.

Et si elle le refaisait encore une fois marcher, *une seule fois*, ce serait fini. James se disait que, en matière de cocufiage, il était finalement plus tranquille que beaucoup d'autres. Elle avait déjà joué son joker. Impossible qu'elle ose retourner voir ailleurs en comptant sur le fait qu'il lui pardonnerait une seconde fois.

Ce jour-là, Eva lui avait proposé qu'ils se retrouvent pour déjeuner au *Roebuck* d'Hampstead. Elle arriva avec un sac vert vif Cambridge Satchel bourré de *Homes & Gardens*, dont elle passa le repas à feuilleter les pages glacées, aux dépens du contenu de son assiette. Elle cultivait un look androgyne ces derniers temps, avec ses brogues plats à lacets et ses pantalons slim.

Quand James lui demanda la raison de ce soudain intérêt pour les armoires et les tapis persans, Eva lui expliqua que ses parents lui avaient donné un budget pour acheter un meuble.

— Tu as droit à une récompense pour être retournée auprès de ton mari ? Ce n'est pas un peu bizarre ? s'étonna-t-il en déroulant un morceau de couenne rôtie sur sa poitrine de porc.

— Ce n'est pas ça. Ils savent que je viens de traverser une période difficile.

— *Toi* tu as traversé une période difficile ?

431

James redressa brusquement la tête.

— Toi et moi. Mais je suis leur petite fille chérie.

Après le déjeuner, ils allèrent flâner dans un magasin de décoration d'un luxe à vous donner des frissons, où tout était en verre, gris colombe crayeux ou blanc-jaune écaillé. Un monde fantomatique où n'existaient que des objets d'une pâleur raffinée. Dieu merci, Luther se fondait parfaitement dans le décor. À vrai dire, c'était précisément la raison pour laquelle Eva l'avait choisi.

Un petit garçon habillé en Mini Boden et chaussé de Kickers fraîchement sorties de leur boîte, trottinant comme un jouet à remonter, passa en babillant à côté de lui, sa mère sur les talons. Elle avait manifestement des origines hispaniques, et il avait hérité de ses cheveux noirs comme du charbon et de son teint mat. Quand Anna aurait des enfants, ils auraient l'air méditerranéen. Il était impossible que ces gènes italiens s'effacent pour laisser place au teint terreux britannique.

Anna.

Il s'était passé tant de choses qu'il aurait voulu partager avec elle depuis la dernière fois qu'il l'avait vue, un mois auparavant. Après tout, ils étaient amis, n'est-ce pas ?

J'ai bien le droit de la contacter, non ? songea-t-il.

Sa sœur était de retour pour quelque temps et il mourait d'envie de lui présenter Anna. Celle-ci verrait ainsi qu'il y avait des gens bien dans sa vie. Et lui aurait le plaisir de voir Grace et Anna sympathiser. Cette pensée l'avait rendu tellement heureux qu'il était allé jusqu'à rédiger un nouveau mail avant de le jeter.

Il avait presque réussi à se persuader qu'elle ne pensait pas ce qu'elle lui avait dit à la fête d'Aggy, à savoir qu'il valait mieux qu'ils ne se voient plus. Elle avait beaucoup bu, lui était reconnaissante d'avoir aidé sa sœur et avait impulsivement prononcé des paroles suggestives. Mais elle n'avait jamais été attirée par lui. À moins que ?

Ce n'était pas seulement elle qui lui manquait. C'était aussi le James qu'il était devenu grâce à elle.

—Jay? appela Eva, doucement, à l'autre bout du magasin. Jay?

Deux hommes qui avaient discrètement suivi les déplacements d'Eva lui jetèrent un coup d'œil, jaugeant le partenaire. James avait l'habitude de se faire examiner sous toutes les coutures quand il était avec elle. Il aimait bien ça, autrefois. En fait, il adorait.

—Qu'est-ce que tu penses de ça?

Elle pressait un prospectus de la boutique sur sa bouche, debout devant un énorme miroir.

—Il est gigantesque, dit James.

Il faisait la taille d'un baby-foot, avait une crête ornée sur le dessus et un cadre nacré patiné; les bords du verre étaient tachetés et plissés à cause de minuscules défauts.

—J'aimerais beaucoup un miroir en pied dans notre chambre.

—Mmm. Je ne tiens pas spécialement à me voir intégralement tous les matins.

—Allons. Tu es en forme. Le régime souffrance t'a claire-ment réussi.

James la dévisagea, stupéfait.

—Il faut faire attention dans ce genre d'endroit, de nos jours, poursuivit Eva à voix basse en écartant la brochure de quelques centimètres de sa bouche. J'adore le style gustavien, mais la tendance shabby chic est devenue assez banale. On voit des reproductions d'antiquités françaises peintes en blanc partout. Autant s'acheter des coussins au rayon déco chez Next et des flûtes à champagne «M. et Mme» colorées à ranger dans ta cuisine prête à monter de style Shaker en érable.

—Qui peut bien se préoccuper de l'endroit où tu as acheté tes coussins? demanda James.

Il cherche la réponse en regardant autour de lui tous les couples trentenaires chic, beaux et raffinés, occupés à acquérir de nouveaux éléments à ajouter au fouillis élégant de leurs vies enviables. James se fondait si bien dans le décor.

—Ah, ah. Alors fonçons chez Argos acheter un miroir avec un cadre en acier inoxydable, plaisanta Eva. Et chez Ikea pour un miroir ondulé et un bambou tordu.

Elle se tourna pour faire de nouveau face à leurs reflets, appuyant sa tête sur le bras de James et levant une main vers son menton.

—Tu comptes garder ta barbe ? Je m'y suis faite.

Chapitre 67

Anna n'avait pas été préparée à ce qu'un désir ardent, désespéré, quasi adolescent s'infiltre dans tous les aspects de son existence. La moindre chanson à la radio lui parlait ; la moindre pensée la ramenait à James ; la moindre tâche quotidienne et monotone lui rappelait qu'il n'était plus là. Comment une absence pouvait-elle être aussi bruyante ? Il était partout depuis qu'il n'était plus là.

Chaque fois que sa boîte mail ou son téléphone lui annonçaient la réception d'un message, elle priait pour que ce soit lui.

Anna avait eu beaucoup de temps les dernières semaines pour ressasser l'ironie et l'étrangeté de sa situation. Le monstre de son passé était revenu, mais sa réapparition avait eu un effet assez magique. Anna n'était plus hantée par ses souvenirs du lycée. Ils lui faisaient toujours mal – la plaie ne se refermerait jamais –, mais le désir de James de réparer son crime lui avait en quelque sorte permis de vaincre ses démons.

Aussi étrange que cela paraisse, en lui pardonnant, elle s'était pardonné à elle-même. Elle n'avait pas compris jusque-là qu'elle s'en était toujours voulu de s'être laissée maltraiter, ronger par une sorte de honte teintée de haine de soi. Elle s'était également rendu compte que Mark, le petit copain qu'elle avait eu à l'université qui pointait sans cesse ses défauts, se détestait aussi. Cela expliquait pourquoi il encourageait la haine chez Anna : il voulait qu'elle se sente aussi mal que lui.

C'était logique ; le stimulant idéal d'Anna était un homme qui s'aimait lui-même.

Elle aurait tellement voulu partager ses réflexions avec James, l'entendre éclater de rire et riposter avec une remarque sarcastique. Comment allait-elle trouver quelqu'un qui la fasse autant rire ?

C'était seulement à ce moment-là, alors qu'elle n'avait plus aucune chance de le voir tomber amoureux d'elle, qu'elle comprenait à quel point il aurait pu la combler. Il était intelligent et représentait un défi. Ils avaient assez de points communs pour que leur relation soit confortable, et assez de différences pour qu'elle reste intéressante. Il s'était donné du mal avec ses amis et sa famille. Il connaissait toute son histoire. Rien que cette particularité le mettait à part d'un coup.

Et, évidemment, elle le désirait. Cette attirance n'avait jamais vraiment été mise en doute, mais jusqu'ici son cerveau n'avait pas permis à ses reins de s'exprimer librement.

Quand elle regardait en arrière et repensait à leurs retrouvailles tumultueuses, elle comprenait James et lui faisait confiance à chaque étape. Il était gentil et honnête quand cela avait de l'importance. Il avait enfoui ces principes sous une bonne couche d'estime de soi et une avalanche de tricots ridicules. À la différence de Laurence, et même de Patrick, James avait souhaité connaître la vraie Anna, et l'avait acceptée sans la moindre arrière-pensée sentimentale ou sexuelle – sauf qu'à la fin, en fait, elle aurait bien aimé qu'il en ait eu.

La douleur qu'elle ressentait en l'imaginant avec Eva était à la limite du supportable. Penser à leurs retrouvailles et à leurs étreintes frénétiques, lui donnait presque des brûlures d'estomac. James n'était pas le genre d'Eva. Il en donnait l'impression, mais en fait il était le genre d'Anna. À moins que… ? Anna n'avait-elle été qu'une aventure de vacances idéologiques prises loin du monde impitoyable des hipsters ? Si cet avion s'abîmait dans l'océan gris et froid, James verserait-il une larme en apprenant sa mort?

—Anna? Anna. Tu es là? Serais-tu sujette au syndrome d'enfermement, par hasard?

Michelle passa une main devant le visage de son amie. Perdue dans sa rêverie, Anna eut l'impression d'être arrachée à un cocon utérin.

—Ça va? demanda Michelle. Tu planes depuis un moment. Ça fait une demi-heure que tu contemples ces nuages.

Anna se tortilla pour se redresser contre son dossier.

—Eh bien… Il n'y a pas grand-chose d'autre dehors.

—Pas la peine de me le rappeler.

Michelle reposa la main sur son accoudoir, auquel elle s'agrippait depuis le décollage. Elle avait terriblement peur en avion. Elle avait ingurgité des poignées de cachets de Kalm avec deux double-gin-tonics, et Anna et Daniel avaient dû la soutenir chacun par un bras pour monter, comme s'il s'était agi d'une femme âgée.

Les invités à la noce occupaient presque tout l'avion Easyjet reliant Stansted à Pise. Finalement, Daniel était venu sans Penny, qui s'était déclarée tout simplement trop fauchée. («Ça ne m'aurait qu'à moitié surprise de l'entendre dire qu'elle venait sans lui», avait fait remarquer Michelle.)

L'avion bondit brutalement, puis redescendit en douceur, et le voyant lumineux indiquant aux passagers de boucler leur ceinture s'alluma avec un doux «ding».

—Qu'est-ce qui se passe? Pourquoi a-t-on pour consigne de s'attacher? aboya Michelle qui n'avait jamais défait la sienne.

—Nous entrons probablement dans une zone de turbulences, expliqua Anna en bouclant sa ceinture.

L'avion plongea de nouveau, brutalement, avant de bondir encore.

437

— Mais qu'est-ce qui se passe, putain ? hurla Michelle. Pourquoi le commandant de bord ne dit rien ? Il reste bizarrement silencieux ! Et tous les stewards et les hôtesses ont disparu !

— Eux aussi doivent s'asseoir et s'attacher en cas de turbulences, intervint Daniel en tendant une petite boîte en métal ronde. Une pastille Vichy ?

— Je ne veux pas de tes saloperies de pastilles Vichy. J'aurais plutôt besoin d'une capsule de cyanure. Ils se sont tous carapatés parce qu'ils ne veulent pas regarder en face nos têtes de condamnés à mort.

— Dans ce cas, je mourrai l'haleine fraîche, plaisanta Anna.

Elle tendit le bras vers Daniel et ses bonbons. Au même moment, l'avion chuta, vibra et cliqueta, et on entendit haleter quelques passagers jusqu'alors détendus.

— Ne t'inquiète pas, Michelle, dit Anna qui essaya de tapoter le genou de son amie dans un geste rassurant, mais le mouvement de la cabine lui fit rater sa cible.

— Nous allons mourir, c'est la fin, je le savais. Je l'ai toujours su, c'est pour ça que je déteste monter dans des avions, dit Michelle en fermant les yeux de toutes ses forces. Je ne vais jamais pouvoir faire tout ce que je voulais. Je ne verrai jamais l'Opéra de Sydney et je ne coucherai jamais avec Guy.

— Tu ne coucheras jamais avec qui ?

— Guy. Le snob de *Rouge viande*, le type qui vend des hamburgers dans son camion en face de *L'Office*. Il m'a proposé d'aller boire un verre avec lui.

Michelle n'avait toujours pas ouvert les yeux.

— Quand je pense que tu as osé me passer un savon parce que j'ai goûté sa viande ! lança Daniel en se penchant en avant pour regarder Anna.

— Londres-Sydney, ça fait long, en avion, objecta Anna.

—Fermelafermelafermelafermela. Et je ne vois vraiment pas pourquoi vous vous la jouez blasés, tous les deux. On ne peut pas dire que vous ayez beaucoup profité de votre courte vie.

—Ah, nous y voilà…, soupira Daniel.

—Anna, il faut que tu arrêtes de broyer du noir en ressassant le passé et que tu t'envoies en l'air avec tous les hommes, dit Michelle.

—Tous ?

—Dan, pour l'amour du ciel, débarrasse-toi de Penny. C'est vraiment une peste.

—Je croyais que les passagers effrayés étaient censés révéler leurs secrets, pas ceux des autres, fit remarquer Anna, gênée pour Daniel.

—Je ne peux pas rompre avec Penny, déclara Daniel en appuyant ses deux paumes sur le dossier du siège devant lui.

—Bien sûr que *si* !

—Non !

—Si ! Tu crois que tu ne peux pas, mais c'est la peur qui parle !

—C'est la logique qui parle. J'ai déjà rompu.

—Quoi ? s'exclama Michelle, les yeux écarquillés. Quand ?

—Juste avant le départ.

Les turbulences semblèrent se calmer et Anna dit :

—J'espère que ça va, Dan ? Je suis tellement désolée.

—Vraiment ? demanda-t-il avec un petit sourire.

—Pour toi, ajouta son amie.

—Qu'est-ce qui s'est passé ? demanda Michelle.

Anna lui pressa furtivement le bras pour lui signifier de ne pas en profiter pour vider son sac.

—Vous vous rappelez le concert au *Star & Garter* à Putney ? Elle a encore chanté une chanson sur moi, expliqua Daniel avant de pousser un soupir. Et je me suis dit, tu sais

439

quoi ? Tu vas arrêter d'être trop bon trop con. Il y a plein de choses dont tu peux te passer. Et tu peux te passer de ça.

— Voilà qui est sage, dit Anna.

Le voyant lumineux s'éteignit avec un autre « ding ».

— Tu vois, Michelle ! s'exclama Anna. On a dû sortir de la zone de turbulences.

Elle s'apprêtait à se détacher quand Michelle l'arrêta :

— Non ! Ne t'y fie pas. Ils veulent probablement nous accorder d'avoir les mains libres pour prier.

Les haut-parleurs grésillèrent.

— Mesdames, mesdemoiselles, messieurs, ici votre commandant de bord. Comme vous l'avez probablement remarqué, nous venons de traverser une zone de turbulences…

— Eh ben, merci pour rien ! cria Michelle. Je vais t'en donner, moi, de la zone de turbulences !

Aggy avait réservé un car scolaire pour promener les convives durant le week-end. Ils commencèrent par se rendre jusqu'à la ville fortifiée de Lucques, au pied de la montagne, pour dîner et boire un verre.

Lucques était la première étape idéale pour ceux qui n'avaient jamais mis les pieds en Italie ; on y retrouvait la Toscane authentique et classique des cartes postales : architecture médiévale, toits rouges, oliviers.

Aggy avait organisé le dîner dans une trattoria charmante et bon marché. Après le repas, ils flânèrent sur la place, parcoururent les rues pavées dans la lumière déclinante du crépuscule, jusqu'à un bar. Anna se demandait comment l'Italie réussissait si bien dans le shabby chic. En Angleterre, de la peinture écaillée restait de la peinture écaillée. En ces lieux, l'effet était des plus romantiques.

Elle n'arrêtait pas de voir ou de penser des choses qu'elle voulait partager avec James. Elle touchait alors son téléphone au fond de sa poche.

Ne lui envoie pas de texto, tu es pompette.

Le plafond du café disparaissait sous des grappes de raisin en plastique, les embrasures des portes dégoulinaient de guirlandes électriques. Les invités se dispersèrent, sirotant des Aperol Spritz et picorant des crostinis disposés sur des assiettes. Shabby chic et cuite raffinée : oui, ils étaient bel et bien à l'étranger. Le père d'Anna était accoudé au bar, heureux de pouvoir parler sa langue maternelle avec le barman. Comme n'importe quel expatrié, son accent en anglais était devenu trois fois plus prononcé dès qu'ils avaient atterri à Pise.

Anna balaya la salle du regard. Qui aurait cru que cette excursion était la nouvelle version «improvisée» d'un mariage qui, tel qu'il était initialement prévu, n'avait rien à voir avec ça ? Elle devait reconnaître à Aggy qu'elle était une organisatrice d'événements extraordinaire. Pas étonnant que sa folle de sœur soit payée des sommes folles. Même si Aggy ne les trouvait jamais assez folles à son goût. Se rappelant soudain que sa sœur devait des milliers de livres à James, Anna fit la grimace. Elle comprenait pourquoi James le lui avait caché. Être au courant de son geste la mettait mal à l'aise.

— Je circule, déclara Aggy en parvenant à la table d'Anna, Michelle et Daniel, un énorme verre de vin rouge à la main. Je suis en vacances avec tous mes amis et ma famille. Quand aurai-je de nouveau l'occasion de vivre ça ? Je ne veux rien manquer. J'en profite pour vous informer que Chris et moi avons une surprise pour vous tous demain.

— Aïe, aïe, aïe, pesta Anna. J'espère que vous n'avez rien prévu qui implique la participation du public.

— Tu verras…, répliqua bien sagement Aggy.

Anna se mit une main sur les yeux.

— Je déteste les surprises, dit-elle. J'aime les choses prévisibles.

— Bouuuuuh, que ma grande sœur est ennuyeuse ! Bon, et maintenant, de quoi étiez-vous en train de parler ? Attendez…

(Aggy poussa un cri perçant et enchaîna sans attendre leur réponse.) Tu ne m'avais pas dit que James Fraser s'était réconcilié avec sa femme!

L'estomac d'Anna se ratatina comme un ballon de football dégonflé.

—Comment sais-tu ça? demanda-t-elle.

—Égoïste de sa part, vous ne trouvez pas? Juste au moment où nous comptions sur lui pour distraire notre Anna, dit Michelle.

—Je l'ai accepté comme ami sur Facebook. Sa femme a posté des poèmes d'amour sur son mur l'autre jour. Plein de gens ont laissé des commentaires, expliqua Aggy. Je les ai vus quand j'ai vérifié que mon téléphone marchait tout à l'heure. Je m'inquiétais qu'il n'y ait pas de signal ici.

—Je t'imagine parfaitement debout en haut de la montagne, essayant de capter la foudre avec un cintre en métal pour y remédier, plaisanta Daniel.

Anna frémit à cette confirmation inattendue du renouvellement des vœux de James. Eva avait posté des poèmes d'amour sur son mur…? Anna n'était pas impartiale, mais Eva avait l'air d'être une garce. Jouant avec le pied de son verre, Anna bouillonnait de jalousie et de douleur.

—Sa femme est canon. Ils auront des bébés magnifiques.

—Aggy, mêle-toi donc de tes affaires! l'interrompit sèchement Anna. Tu n'es même pas vraiment amie avec lui!

—Si! se défendit sa sœur, piquée. Je lui ai envoyé une invitation au mariage, mais il a un truc de boulot.

—Aggy! protesta Anna d'une voix perçante.

—Quoi? Il a vraiment été adorable avec moi.

—Tu aurais dû me demander mon avis d'abord.

—Tu aurais refusé?

—Oui.

—Pourquoi? demanda Aggy.

Hum…

— À cause de l'épouse.

— Elle est si terrible que ça ? demanda Aggy. Je ne savais pas que tu la connaissais.

Michelle l'examinait, curieuse.

Anna se vit soudain au fond d'un grand trou, en train de jeter furieusement des pelletées de terre par-dessus son épaule. Personne à la table ne parvenait à comprendre sa réaction, mais tous sentirent que quelque chose n'allait pas. L'instinct d'Anna la poussait toujours à dissimuler les choses qui lui faisaient du mal. Elle ne voulait plus fonctionner comme ça. Elle ne voulait plus garder des secrets qui devenaient si pesants qu'ils vous entraînaient vers le bas.

— Excuse-moi, ce n'est pas ta faute, Aggy. Tu n'as rien fait de mal. Ce qu'il y a, c'est que…, commença Anna avant de prendre une profonde inspiration. Il se trouve que, sans le chercher, je suis en quelque sorte malencontreusement… (Anna allait utiliser un mot qu'elle n'avait encore jamais prononcé à voix haute.)… tombée amoureuse de James Fraser. Et juste au moment où je lui faisais des avances, j'ai appris qu'il s'était réconcilié avec Eva.

Michelle et Aggy restèrent bouche bée.

— Tu sais quoi ? En fait, ça ne me surprend pas vraiment, déclara Aggy.

— Tu étais bouche bée ! s'exclama Anna.

— Ouais, mais c'était plutôt un genre de « Waouh », expliqua sa sœur en mimant une expression sidérée suivie d'un hochement de tête. Pas un « Quoiiiii ? », dit-elle en secouant la tête. J'en étais sûre. Je l'ai su dès que vous êtes devenus amis et que vous vous êtes réconciliés.

— Et comment l'as-tu su ?

— D'abord, quelle fille ne craquerait pas pour lui ? Je sais que tu es ma stupide sœur, mais tu n'es pas stupide à ce point. Ensuite, tu n'arrêtais pas de parler de lui.

— C'est vrai, approuva Michelle en pinçant sa paille entre ses dents. Il y a toujours eu beaucoup de « Tu te rends compte de ce qu'a dit James ? ». Le terrible, l'abominable, l'horripilant, l'intolérablement sexuel James…

— Donc, vous l'avez su avant moi ? Je me demande si lui aussi. Eh bien, ça n'est pas très réjouissant.

— Tu le lui as dit ? demanda Daniel.

— Que je l'aimais ? Disons que je ne l'ai pas énoncé dans ces termes. Bon, en fait, je ne l'ai pas énoncé du tout. Je lui ai ouvertement fait des avances à ton enterrement de vie de jeune fille, il a eu l'air mortifié et m'a annoncé qu'il était de nouveau avec Eva. Très embarrassant.

— Tu aurais peut-être dû le lui dire malgré tout, opina Daniel.

— N'en serais-je pas sortie plus humiliée inutilement ?

— Ouais, mais s'il ignore ce que tu ressens, il ne peut rien faire.

— Je ne crois pas que dévoiler mes sentiments fera disparaître ses sentiments pour sa femme, objecta Anna.

Elle se rappela leur conversation à propos d'Eva dans le London Eye. Il avait semblé évasif à son sujet. Sur le coup, elle y avait vu la retenue d'un homme vaniteux qui ne voulait pas admettre la force de ses sentiments au cas où sa tentative pour reconquérir sa femme échouerait. Elle avait désormais toutes les raisons d'espérer qu'il était sincèrement indécis à son sujet.

À cet instant précis, Anna aurait voulu vivre dans un des jeux vidéo de Patrick, où on pouvait sélectionner une option, se faire mitrailler pour sa bêtise avant de redémarrer et d'en choisir une autre.

— De toute façon, ça n'aurait pas marché, conclut Anna de ce ton qu'on emploie pour feindre la résignation face à une douleur à vif. Aucun de vous ne pouvait le voir en peinture.

— Nous détestions ce qu'il t'a fait subir au lycée, dit Michelle en poussant ses glaçons avec sa paille. Mais, déjà, à l'enterrement de vie de jeune fille, je l'aimais bien. Il s'était amendé avec toi. Et il est drôle. Je l'imagine carrément en M. Anna.

Aggy approuva d'un signe de tête.

— J'étais furieuse contre lui parce qu'il ne s'était pas excusé auprès de toi, mais quand je l'ai vu au *Zetter*, j'ai senti qu'il s'en voulait terriblement. Ce qui compte, c'est qu'il te traite bien maintenant, et je pense que ce serait le cas.

— Oh, dit Anna, ne sachant pas si elle devait s'en réjouir ou pas.

— Et il se plante complètement. Vous êtes faits l'un pour l'autre, tous les deux, ajouta sa cadette. Vous avez les cheveux de la même couleur. Et les photos Facebook de sa femme sont presque toutes des selfies pris dans le miroir de sa salle de bains. Elle se la pète comme c'est pas possible. Je ne vois vraiment pas ce que James lui trouve.

— À part sa beauté renversante…, objecta Anna.

— S'il choisit Eva, c'est qu'il n'est pas assez bien pour toi, conclut fermement Aggy. Aucun homme bien ne la préférerait à toi.

Anna sourit.

— Merci. Mais moi j'arrive à voir pourquoi il peut décider d'être avec elle tout en étant un homme bien. Ils sont mariés, ont une maison, une histoire et un chat grincheux. Le combat n'a jamais été juste. La gravité joue beaucoup en sa faveur.

Tout le monde hocha poliment la tête et s'abstint d'exprimer le moindre doute sur les obligations auxquelles engageait un chat grincheux.

— Mais vous savez à quoi me fait penser ce qu'a dit Aggy au sujet des poèmes postés sur Facebook ? demanda Anna.

— Facebook est aux imbéciles ce que la confiture est aux guêpes ? avança Michelle.

— On ne peut plus se débarrasser de personne. Nous vivons à l'ère de l'éternité digitale. Chaque fois que j'aurai un moment de faiblesse, j'aurai la possibilité de voir ce que devient James. Il mettra une échographie en photo de profil, puis lui et un enfant, puis encore une autre. Je veux dire, littéralement, de nos jours, on peut suivre la vie des autres heure par heure. Il faudra que je me coltine «James Junior sur le pot lol».

— Ça va faire mal, fit remarquer Michelle en hochant la tête.

Aggy soupira.

— Si on était dans un film, James aurait foncé à l'aéroport pour t'avouer qu'il partage tes sentiments, juste avant que l'avion décolle, dit-elle.

— Agata, enfin! Ne remue pas le couteau dans la plaie! gronda Michelle. Et si tu veux mon avis, le sprint jusqu'à l'aéroport est le cliché le plus con qui soit. Après le contrôle des passeports, la plupart des gens se précipitent au Duty Free, non? Alors?! Tu crois franchement que ces bourreaux des cœurs s'achètent un billet juste pour pouvoir faire leur déclaration? Moi je n'y crois pas une minute.

Aggy appuya son menton dans sa main.

— Ouais…

Anna se demanda si Daniel avait raison. Aurait-elle dû déclarer ses sentiments à James? Elle était sûre à quatre-vingt-dix-neuf pour cent qu'il se trompait et que ce serait une vaine tentative. Mais le pourcent restant suffit à la pousser à agir.

Tandis que la conversation suivait son cours autour d'elle, Anna ouvrit un mail. Elle avait l'impression de s'échauffer avant une épreuve difficile. Elle commença à taper.

Cher James,
Je suis en Italie, le ventre plein de vin et de pâtes. Le vin a plus à voir avec ce qui suit. Je n'arrête pas de penser à votre rôle dans l'avènement de ce mariage. Ce qui pourrait probablement se résumer à: je n'arrête

pas de penser à vous. Je suis désolée que nous ne puissions plus être amis, mais cela ne m'empêche pas de ne vous souhaiter que du bonheur. Je ne regretterai jamais que vous ayez refait surface dans ma vie et l'ayez changée, pour le mieux. Je ne peux vous en vouloir si je suis soudain, contre toute attente mais durablement, semble-t-il, tombée amoureuse de vous. Je ne peux VRAIMENT pas vous le reprocher, étant donné que vous avez passé la majeure partie du temps à vous montrer grossier avec moi. J'imagine que tout cela est un peu trop Harlequin pour vous – j'entends encore vos plaisanteries sur le contenu de ma bibliothèque. Prenez soin de vous. Et de Luther. Et souvenez-vous de moi tendrement, comme je le ferai de vous. Je vous embrasse. Anna

Était-ce trop ? Entre l'alcool, la distance et l'humeur mélancolique, c'était vraiment difficile à dire. Et merde, elle savait déjà qu'elle allait l'envoyer. Elle cliqua sur « Entrée » et grimaça. Vérifia que le mail apparaissait dans le dossier « Envoyés ». Et soupira.

Ils quittèrent le bar et montèrent dans le car. Tandis qu'ils gravissaient, lentement mais sûrement, la montagne vers Barga, Anna consulta son téléphone au moins dix-sept fois.

—Ça va ? demanda Michelle entre deux cahots, par-dessus les hurlements d'Aggy qui chantait sur Kelly Clarkson.

Anna lui raconta ce qu'elle avait fait.

—Je sais que ça ne t'empêchera pas de le regretter, mais s'il s'est jeté sur cette blonde glaciale à la Hitchcock, c'est que ce n'était pas le bon pour toi.

Elles finirent le trajet blotties l'une contre l'autre.

Sur les sièges derrière elles, Daniel était en grande conversation avec une fille qui travaillait dans les relations publiques et lui expliquait le concept de « *friend zone* ». Anna sourit. Elle

447

était triste, en quelque sorte, mais triste-heureuse. Elle avait fait tout ce qu'elle pouvait. Qui vivrait verrait.

Alors qu'elle allumait la lumière dans leur spartiate mais jolie chambre d'hôte, elle songea, résignée, que son mail avait très probablement été lu, ce qui signifiait que désormais la possibilité d'une réponse était très faible.

Elle imaginait la scène : James le recevant, loin, très loin, la féline Eva lovée contre lui sur le canapé rose, Luther à leurs côtés.

« C'est qui ? », demanderait Eva. « Oh. Personne. »

Du fait de l'inexistence de pollution lumineuse, l'obscurité dans la pièce était comme une sorte de velours épais où l'on ne pouvait même pas distinguer sa main devant son visage. Malgré tout, elle pouvait voir le visage de James aussi clairement que s'il s'était tenu juste devant elle.

Au moment où elle s'enfonçait dans le sommeil, son téléphone bipa, annonçant l'arrivée d'un mail. Elle sursauta, parfaitement réveillée, et tâtonna pour attraper l'appareil qui luisait de façon sinistre sur la table de nuit.

Pourvu qu'il me dise quelque chose de gentil… Quelque chose auquel je puisse m'accrocher jusqu'à ce que mon envie de lui disparaisse.

Elle ouvrit sa boîte de réception.

Anna ! Ça fait un bail ! Je remarque que vous vous faites rare sur le site. Alors ? Prête pour une seconde tentative dans votre quête de l'incroyable et insaisissable « étincelle » ? ☺ Bises. Neil

CHAPITRE 68

Anna avait redouté que sa sœur ne se transforme en derviche tourneur le jour de son mariage, et aussi qu'elle ne soit légèrement insupportable. Mais, alors que le jour se levait, Aggy fit preuve d'une sérénité et d'un calme olympiens. C'était comme si, ses plans réalisés, elle pouvait désormais se laisser conduire, telle une noble dame dans une chaise à porteurs. Après un petit déjeuner tardif, elle savourait un Bellini assise dans la plus grande chambre du *bed and breakfast*, pendant que la coiffeuse passait des petites perles sur un fin fil de fer qui irait orner sa coiffure. Sa robe suspendue à la porte d'une grande armoire en bois de rose avait été inspectée centimètre par centimètre par leur mère, qui avait tenu à s'assurer que sa splendeur n'avait pas été souillée par les mains calleuses du personnel de l'aéroport. Une fois satisfaite, Judy avait pris en charge les derniers préparatifs, gloussant, se tracassant, s'agitant et criant toute la matinée.

À midi, n'en pouvant plus, Anna la réprimanda gentiment, invoquant l'importance de maintenir Aggy à flot afin qu'elle ne termine pas dans tous ses états. Sa mère répliqua : « Mais c'est peut-être la seule occasion que j'aurai d'être la mère de la mariée ! »

Anna lui fit remarquer qu'il était heureux qu'elle ne se soucie pas trop de se marier un jour, car sinon sa remarque aurait pu être blessante, mais Judy ne l'écoutait déjà plus, occupée à se plaindre d'un autre aspect de l'organisation.

La demoiselle d'honneur fut fin prête en moins d'une heure. Coiffure et maquillage terminés, une énorme rose blanche en soie fixée sur le côté de la tête, elle lisait paisiblement un livre sur l'Italie médiévale.

—Aureliana! Comment peux-tu lire le jour du mariage de ta sœur?! hurla sa mère.

—Elle est en train de se faire coiffer. Ne t'inquiète pas, je ne lirai pas pendant la cérémonie.

Sa mère fit un claquement de langue horrifié. Anna s'avança jusqu'à la fenêtre au large rebord et l'ouvrit. Sous ses yeux s'étendait un paysage majestueux; à cette altitude, des nuages bas couronnaient les montagnes de volutes de fumée mousseuse. Le faible soleil hivernal réchauffait la terre, et l'air était chargé d'odeurs d'humus et de végétation.

Rien ne pouvait faire plus de bien à Anna que de se trouver en compagnie de sa famille et de ses amis, entourée d'êtres aimés. Une fois coiffée, froufroutante, comme Anna espérait que son père s'était entraîné à le dire, Aggy se leva, une main sur ses jupes. Un voile bordé de dentelle cascadait dans son dos.

—Alors? demanda Aggy.

—Renversante! répondit Anna, surprise de sentir une larme rouler sur sa joue.

Sa petite sœur, avec laquelle elle se battait autrefois pour la télécommande, dans leurs pyjamas SuperTed, était à présent une apparition aux cheveux noirs brillants flottant dans du tulle neigeux.

Leur mère se laissa tomber sur le lit dans sa robe fourreau vert printemps Phase Eight et se mit à pleurnicher. Il fallut lui tendre un paquet neuf de Kleenex parfumés. Une fois remise, elle les quitta à contrecœur, gentiment mise à la porte par Anna qui lui rappela que, Aggy étant habillée, les invités avaient désormais plus besoin d'elle que ses filles.

— Alors ? Prête pour le grand saut ? lança Anna une fois qu'elles se retrouvèrent seules.

Aggy ouvrit grand ses yeux ourlés de faux cils.

— Merde. Je vais me marier !

— Eh oui. À Chris. Je l'aime presque autant que tu l'aimes toi. Tu as fait du bon boulot, Aggy.

— Oh, Anna ! s'exclama Aggy en étreignant sa sœur. Tu es la meilleure sœur du monde. Quelque part, il y a quelqu'un qui t'aimera autant que nous t'aimons tous. Je le sais. Je te le *promets*. Et, un jour, ce sera ton tour.

— Ce serait très agréable, mais franchement je n'ai pas besoin de lui. Et je vais profiter de ton mariage autant que je profiterais du mien. Peut-être même plus. Tous les gens dont j'ai besoin sont ici. Mais tu sais que c'est de toi que j'ai toujours eu le plus besoin. Plus que personne.

— Oh… c'est adorable ! s'exclama Aggy dont le visage se chiffonna. Parfois je pense à quand j'ai failli… Au moment où nous avons failli te perdre…

— Non ! Arrête ! Oh, Aggy…

Elles sanglotèrent en chœur, leurs yeux lourdement fardés rappelant ceux d'un panda, avant de se rendre compte de la catastrophe qui les guettait.

— Interdiction de pleurer ! aboya Anna d'une voix enrouée par l'émotion. Maman nous tuera si elle s'aperçoit que notre mascara a coulé.

— Ouah, ouah, ouah…

Aggy et Anna se mirent à danser en petits cercles en s'efforçant de contenir leurs larmes et en agitant les mains devant leur visage.

— Pense à quelque chose de bassement terre à terre ! la pressa Anna. Attends ! Un verre ! Débrouille-toi pour le boire sans toucher à ton rouge à lèvres !

Elle fourra dans la main de sa sœur son verre où il restait un fond de Bellini et avala d'un trait la fin de celui de sa mère.

451

— Ça va mieux ? Situation sous contrôle ? demanda Anna.

Aggy hocha la tête.

— Alors allons-y, avant que ça ne nous reprenne…

Serrant dans leurs mains des petits bouquets de roses blanches, les deux sœurs quittèrent le B&B et se mirent en route vers le bâtiment où allait se dérouler la cérémonie civile. Aggy retenait sa robe à trois centimètres du sol, Anna à sa suite, tout près derrière. Elles avançaient majestueusement et élégamment, du fait de la hauteur de leurs talons, et de l'escarpement des rues étroites et pavées qui serpentaient entre les maisons aux façades couleur vanille délavée. Sur leur passage, des badauds s'arrêtaient, applaudissaient, ou les saluaient parfois de sifflements approbateurs.

Debout sur le pas de leurs portes, des villageois âgés leur lancèrent : « *Bella ! Bella !* » Tandis qu'elles remerciaient, un homme perché sur une bicyclette bringuebalante cria : « *Marry me ! Marry me !* » avec un accent à couper au couteau, provoquant une nouvelle vague de rires et d'applaudissements.

Aggy n'aurait jamais vécu ça à Londres, songea Anna.

C'était autrement plus spécial que d'être coincées dans les embouteillages londoniens, assises dans une Rolls blanche. La ville s'immobilisait spontanément pour elles, avec ce charme particulier que seul l'imprévu peut avoir. Anna avait l'impression de jouer dans un film ou dans une publicité à gros budget pour Mastercard.

— C'est le meilleur mariage qu'on n'ait jamais vu, lança Anna, et il n'a même pas commencé.

L'après-midi débutait à peine. Anna adorait l'air piquant à cette altitude. Elle respirait le parfum des marronniers qui couvraient les montagnes environnantes. Il faisait une fraîcheur automnale, mais pas froid, et la ville hors saison était paisible. Aucun hôtel de luxe ne pouvait rivaliser avec ce genre de beauté – les tuiles en terre cuite, les jardinières de géraniums aux fenêtres, les façades poussiéreuses jaune citron, corail et grises, les volets vert foncé. Au loin, de douces collines s'étendaient à perte de vue, ponctuées de petits bosquets de cyprès.

—Tu es sûre du chemin? demanda Anna à la nuque de sa sœur.

—Ouais. J'ai vérifié le trajet des centaines de fois.

—Tant mieux. Ce serait bien d'éviter d'arriver nos téléphones à la main, louchant sur Google Maps… Nerveuse?

—Je l'étais jusqu'à ce que j'enfile ma robe. Depuis, je ne veux pas perdre une minute du bonheur dans ma tenue.

Quand elles arrivèrent en haut de la dernière côte, elles trouvèrent leur père qui les attendait.

—*Mie bellissime figlie!*

Il embrassa Anna sur la joue et offrit son bras à Aggy. En silence, père et filles échangèrent de grands sourires, heureux de partager ce petit moment avant le grand moment.

—Tu baisses ton voile? dit Anna en le désignant d'un geste.

—Oh, ouais. Papa, tu veux bien…?

Leur père s'exécuta maladroitement, et Anna ressentit un choc soudain. Il était étrange de se croire indifférent à des choses comme les vrais mariages en blanc, jusqu'à sentir son cœur se fendre en en vivant un. Elle avait envie de se précipiter dans la salle et de dire à tout le monde combien elle les aimait – mais ils sentiraient probablement l'influence du Bellini.

Anna inspira profondément quand les portes à persienne s'ouvrirent, et elle pénétra dans la pièce. Elle s'efforça de remonter l'allée d'un pas tranquille, tenant le bouquet devant elle. Derrière elle, la marche nuptiale retentit et elle entendit des chuchotements approbateurs parmi l'assemblée quand Aggy lui emboîta le pas.

L'officier de l'état civil du *palazzo comunale* portait une écharpe aux couleurs du drapeau il Tricolore. Anna trouva

Chris, inhabituellement coiffé et net avec sa cravate et sa queue-de-pie, d'une nervosité touchante.

Il adressa un clin d'œil à Anna. Elle était tellement heureuse qu'Aggy épouse un homme sincèrement amoureux d'elle.

Le service se déroula sans accrocs. Tout le monde gloussa poliment en écoutant les vœux d'Aggy, voyant de l'humour là où elle n'avait eu aucune intention d'en mettre. Dans les siens, Chris évoqua ce qu'il aimait vraiment chez Aggy : son souci des autres, sa douceur, et sa capacité infatigable à rebondir face à l'adversité – cette dernière qualité provoqua quelques sourires entendus dans l'assistance. Et puis le baiser, les applaudissements, et la sœur d'Anna devint l'épouse d'un homme qu'Anna était très heureuse d'avoir pour frère.

Les mères des mariés se tamponnèrent les yeux avec leur mouchoir pendant que les peintres décorateurs et le contingent d'Hornsey poussaient des cris de joie et des sifflements approbateurs. Leurs proches avaient toujours loué Anna pour sa bonne influence sur Aggy. Mais, à cet instant, Anna constata à quel point Aggy avait su prendre soin d'elle. Anna avait besoin dans son entourage de quelqu'un doté de la joie de vivre d'Aggy et de sa capacité à sauter à pieds joints dans l'existence. Quelqu'un qui l'avait un jour littéralement ramenée dans le monde des vivants.

En sortant de l'hôtel de ville, l'heureux couple fut accueilli par des acclamations enthousiastes et des poignées de pétales de roses. Ils étaient heureux, vraiment. Anna avait vu sa sœur surexcitée un nombre incalculable de fois, mais elle lui vit ce jour-là l'éclat d'une félicité profonde et durable.

Ils repartirent en procession dans les rues et s'entassèrent dans le bus qui allait les emmener jusqu'au restaurant où avait été organisée la réception, à une demi-heure de là.

Tenu par la même famille depuis plusieurs générations, le restaurant, *Da Serena*, était une sorte d'énorme grange. Sur les tables alignées recouvertes de nappes en papier, étaient disposés des pots de gressins et des plateaux de bruschettas. Ayant enfilé sous sa robe une gaine qui semblait avoir été mise au point par l'industrie aéronautique, Anna espérait être capable de rendre justice aux nombreux plats.

À une extrémité de la salle, une estrade était dressée, sur laquelle s'installait un groupe. L'endroit était tellement immense qu'il n'y aurait aucun aménagement à faire quand viendrait le moment de danser. Pour la énième fois, Anna songea à quel point l'atmosphère était plus agréable que dans un lieu horriblement cher avec son lot de règles, horaires et nourriture délicate.

Tandis qu'ils prenaient place pour le repas, Anna se rendit compte qu'elle était assise en face d'un magnifique Italien aux airs de voyou et à la tignasse bouclée. Il aurait pu faire la couverture de *GQ Italia* allongé sur une Vespa.

—Aureliana? dit-il avec un accent magnifique. Primo.

Oh, Seigneur, oui, Primo. Elle l'avait complètement oublié.

Merci, Aggy, d'avoir trouvé le moyen de m'arranger un rencard avec un inconnu à ton repas de mariage.

Pas étonnant qu'elle lui ait assuré avec tant de véhémence que, quelque part, un homme l'attendait. Cela dit, rouler des patins à un magnifique architecte toscan ce soir-là n'était pas le pire remède pour lutter contre sa douleur existentielle. De plus, il la lorgnait comme un chien errant une côtelette.

Dans n'importe quelle autre situation, Anna se serait peut-être sentie agacée, mais là elle n'avait pas l'intention de refuser ce petit remontant moral. Elle battit des cils et faux cils, et, au fil du repas, se laissa régulièrement resservir de *vino rosso*.

Primo parlait très bien l'anglais, mais cela n'empêcha pas la conversation d'être guindée.

—Vous travailler très dur? demanda-t-il par-dessus une assiette de prosciutto et de salami.

455

— Je suppose que oui. Mais j'adore ça, répondit-elle.

— Vous êtes tellement belle, dit Primo, changeant brusquement de sujet, sur le même ton qu'il aurait pris pour commenter la météo.

— Waouh, merci. Vous pouvez rester, dit Anna, qui, face à ce compliment, se sentit clairement plus anglaise qu'italienne.

Il soutint son regard, et une phrase de Michelle lui revint en mémoire : « Tu peux presque voir le moment où ils pigent qu'il va y avoir de l'action. » Anna avait pigé aussi, et elle songea : est-ce bien raisonnable ? D'un côté, il ne s'agirait que d'un passe-temps futile. De l'autre côté – rrrrrr, Primo.

Après avoir ingurgité des quantités de nourriture qu'Anna n'aurait jamais cru possible d'avaler en un repas et écouté des discours, les convives furent invités à se rapprocher de l'estrade. Anna pensa que le moment était venu pour les mariés d'ouvrir le bal.

Le groupe avait à peine commencé à jouer quand Aggy apparut sur scène, un micro dans la main. Elle se lança *a capella* dans une interprétation plus qu'acceptable d'une chanson qu'Anna ne reconnut pas immédiatement.

— Shakira. *Underneath Your Clothes*, eut la bonté de la renseigner Michelle.

— Oh, non… Une chanson sur son mec à poil ? chuchota Anna. Il n'y a que ma sœur pour…

— Culotté, dit Michelle. Mais les vieux ont l'air de tenir le choc.

Anna jeta un coup d'œil en direction de ses parents et du contingent de Barking. Tous semblaient vaguement déconcertés, mis à part Judy, qui se balançait en rythme, transfigurée par la fierté. La tribu italienne affichait des expressions tout aussi perplexes, mais, dans l'ensemble, positives.

Chris surgit à l'autre bout de la scène, également muni d'un micro, et commença à chanter avec Aggy. Le rythme s'accéléra et ils enchaînèrent sur *Forget You* de Cee Lo Green. Les paroles qui évoquaient l'argent et la nécessité d'être riche pour entretenir une femme étaient tellement appropriées que c'en fut drôle, quoique un peu osé.

Les mariés chantaient à peu près juste. Mais le plus important, soupira Anna intérieurement, c'est que cela finirait par s'arrêter.

Oh non. Marianne entraînait une bande de filles RP sur scène ; elles s'alignèrent derrière Aggy et entonnèrent *You Know I'm No Good*.

Anna se tourna vers Michelle.

— Et maintenant l'infidélité. Et puis quoi encore ? « Les drogues n'ont aucun effet sur moi » ?

Michelle agitait les épaules en rythme.

— Mais le morceau si.

Anna regarda de l'autre côté de la salle sa mère et tante Carol se trémousser gauchement sur des paroles dont elles ne saisirent pas l'obscénité.

Dave, le frère et témoin de Chris, monta sur scène accompagné des placeurs, et ils s'agglutinèrent derrière le marié. *You Know I'm No Good* devint *Do Ya Think I'm Sexy* de Rod Stewart, que les deux clans chantèrent dans une alternance à la *West Side Story*.

— C'est moi, ou c'est complètement dingue ? s'exclama Anna à l'intention de Michelle, qui se tordait de rire.

Aggy descendit de la scène tandis que la piste de danse se remplissait, et, retenant ses jupes d'une main, elle hurla en passant devant Anna :

— Alors, qu'est-ce que tu penses de notre duel ? Comme dans *Pitch Perfect* ! J'espère que tonton Riccardo a tout filmé. Je le mets en ligne dès qu'on rentre. Personne n'a jamais fait ça !

— Sans doute pour une bonne raison, rétorqua Anna.

Mais sa sœur ne l'écoutait pas.

Michelle s'était fait entraîner sur la piste de danse par un vieil oncle italien dont le regard passait sans cesse de son visage à ses seins. Pendant ce temps, Dan était plongé dans une conversation avec la meute RP. Qui aurait pu imaginer qu'il trouverait autant d'âmes sœurs parmi les filles *Grazia*? Elles l'avaient initié à leur méthode de rétablissement après rupture. Même si Anna doutait que Dan ait besoin de se passer *N'oublie jamais* en boucle.

Primo rejoignit Anna au milieu de la foule.

—Cigarette? dit-il en mimant le geste de porter une cigarette à ses lèvres puis de l'en éloigner. Dehors?

Anna manquait de pratique dans l'art de la drague, mais elle se douta que fumer n'était pas la seule chose que Primo avait en tête.

—Ouais, pourquoi pas? répondit-elle.

CHAPITRE 69

Ils traversèrent le jardin jusqu'au grand parking. Le gravier crissa sous leurs pas. L'extrémité se perdait dans les montagnes, où le paysage se fondait dans l'obscurité. La seule lumière provenait du bâtiment derrière eux, ainsi que des véhicules qui semblaient cligner de l'œil tandis qu'ils surgissaient et disparaissaient tour à tour en serpentant autour de la montagne.

— Il fait tellement frais, ici, dit Anna en frissonnant, les yeux levés vers la lune basse.

Il faisait même froid, mais leurs corps baignaient dans une sorte de halo de chaleur alcoolisée.

— On ne se rend décidément pas compte de combien on étouffe dans les grandes villes, en bas. Toute cette… pollution.

Faire la conversation à quelqu'un qu'on savait prêt à essayer d'enfoncer sa langue au fond de votre gorge à tout moment se révélait assez difficile.

Primo plongea la main dans la poche de son costume, et en sortit un paquet de cigarettes et un briquet en argent. Il en tendit une à Anna et l'alluma dans un seul geste fluide.

Elle aspira une bouffée. La fumée et l'air froid entrèrent dans ses poumons, et elle se mit à tousser violemment.

— Je ne… fume pas, expliqua-t-elle en hoquetant.

— Vous ne fumez pas ? s'étonna Primo, le blanc des yeux et les dents brillants.

Anna secoua la tête, postillonna tout en agitant la main devant sa bouche.

—Ah, non, dit Primo en riant, posant une main légère dans le bas du dos de la jeune femme.

Anna eut à peine le temps de reprendre son souffle que déjà Primo l'enlaçait, posant une main sur ses fesses. Mon Dieu, les Italiens ne perdaient décidément pas leur temps.

—Aureliana, dit-il, et elle fut charmée d'entendre son prénom prononcé correctement.

Elle envisagea de succomber. Mais ce n'était pas vraiment ce qu'elle souhaitait. Elle voulait quelqu'un d'autre. Tout à coup, après une journée à savourer une compagnie nombreuse, elle ressentit un profond besoin de solitude. Elle recula.

—Primo, dit-elle. Puis-je avoir un moment?

N'étant pas sûre qu'il ait compris, elle ajouta:

—Juste moi. Et ma première cigarette, dit-elle en l'agitant. Et la lune. *La luna!*

—Je vous retrouve à l'intérieur? demanda-t-il, déconcerté, songeant que la propension des Anglaises à s'alcooliser n'était pas une légende.

—Absolument.

Primo tourna les talons et la laissa. Anna resta là avec sa cigarette qui se consumait, frissonnant, contemplant les montagnes au loin. Elle avait changé depuis la fameuse réunion d'anciens élèves.

Elle n'était pas sûre de reprendre les rencontres par Internet. Anna la célibataire était Anna, point. Ne pas trouver d'homme à son goût n'était pas un échec, mais un fait. Si les gens décidaient d'en tirer des conclusions, grand bien leur fasse. Elle se caractérisait par beaucoup d'autres choses. Elle adorait son travail, elle adorait ses amis et sa famille. Elle avait terriblement souffert durant sa scolarité et le raconterait à quiconque lui poserait des questions à ce sujet; mais il était temps qu'elle cesse de se sentir définie par cette période de sa vie.

Oh, oui, et son idée de désamorcer la gêne qui s'était installée entre Patrick et elle en le retrouvant dans World of Warcraft, où il était un Panda et elle une Undead Warlock, s'était révélée vraiment bonne. Enfin, elle l'espérait. Ils conversaient de nouveau avec aisance, même si Patrick essayait de l'entraîner dans toutes sortes de raids.

Anna porta de nouveau la cigarette à sa bouche et s'appliqua à changer l'angle de sa main en tirant une bouffée.

Anna, se dit-elle, *tu ne seras jamais cool. Et ça n'est pas nécessaire.*

Il y eut un léger crissement de pas sur les graviers et une voix masculine retentit quelque part derrière elle.

—J'ignorais que tu fumais.

Elle fit volte-face. James se tenait debout devant elle, rasé de près, vêtu d'un costume sombre et d'une chemise blanche.

Anna le regarda fixement, le regarda encore… et encore.

—Je ne fume pas, dit-elle.

Quoique James soit, comme l'aurait dit Aggy, «trooop beau», ce ne fut pas cet excès de beauté qui la frappa en plein plexus solaire, mais l'intensité de son amitié. Il était l'un de ses meilleurs amis. Il était là.

Elle laissa tomber la cigarette, l'écrasa sous son talon, puis se précipita vers lui, passant ses bras autour de sa taille et l'agrippant avec force.

—C'est tellement bon de te voir, dit-elle en l'étreignant, sentant le froissement du tissu et l'odeur caractéristiques d'une nouvelle chemise et, dessous, sa solidité tandis qu'il la serrait contre lui à son tour.

Le miracle de James Fraser apparaissant soudain sur un parking en haut d'une montagne en Italie? Quoi qu'il soit venu lui dire, elle savait que ses prières avaient été entendues.

—Merci pour ton message, dit James tandis qu'elle s'écartait et reculait d'un pas.

—Tu l'as reçu! Je n'étais pas sûre de… du réseau.

461

—Je l'ai reçu, confirma-t-il en la regardant sans ciller.

Anna sentit ses entrailles se liquéfier un peu.

—Ce n'était peut-être pas un mail à envoyer à un homme marié.

—Séparé. En cours de divorce.

—Oh.

James s'éclaircit la voix.

—Tu disais te souvenir de mes stupides plaisanteries ? Eh bien, je me souviens de choses que tu as dites aussi. Tu m'as expliqué que tu aimais quand un homme déclarait avec force ses sentiments. Le résultat risque d'être assez embarrassant, mais puis-je essayer ?

Son visage s'éclaira d'un grand sourire et Anna hocha la tête.

—OK. Alors. Voilà. Quand je t'ai rencontrée, la seconde fois, j'étais assez perdu. Je n'ai jamais été très doué pour choisir la bonne voie. Et puis tu es apparue, et tu as tout changé. Les gens avaient toujours avalé mes bêtises, mais j'ai su, presque tout de suite, que tu étais différente. Pour pouvoir être avec toi, il fallait que je laisse tomber mon baratin et que je donne le meilleur de moi-même. Et avant même d'avoir le temps de m'en rendre compte, je suis tombé amoureux de toi.

D'un coup, Anna ne sentit plus le froid.

—Tu crois que ce que tu as vécu au collège et au lycée a quelque chose de honteux, mais pas du tout, ou en tout cas pas pour toi. La façon dont tu t'en es sortie prouve à quel point tu es extraordinaire. C'est ce que je veux te dire, et c'est plus important que de te déclarer que je suis fou de toi, parce qu'être amoureux de toi est facile, Anna. Mais ce que tu as accompli est une prouesse. Tu es extraordinaire.

Il s'interrompit pour reprendre son souffle et Anna en profita pour lâcher :

—James, c'est très agréable que tu me trouves admirable, mais il faut que je te plaise vraiment. Tu as dit que tu me

462

considérais comme une sœur... et que je n'étais pas ton genre...

— Oh, bon sang, je mentais pour essayer d'avoir l'air cool. Si tu ne me plaisais pas, est-ce que je t'embrasserais comme ça ?

Il fit un pas en avant et se pencha, la main sur la joue de la jeune femme.

Anna avait peut-être brûlé tous ses journaux intimes d'adolescente, mais, s'il lui en était resté un, elle l'aurait ouvert et aurait écrit dans la marge pour annoncer à l'adolescente qu'elle avait été autrefois que sa prémonition était vraie.

Un jour, James Fraser l'embrasserait si passionnément que rien d'autre n'aurait plus d'importance.

Chapitre 70

James fit preuve d'autodiscipline et s'arracha pour la seconde fois à leur étreinte, puis il redressa la rose qui glissait sur le côté de la tête d'Anna.

Elle était toujours belle, mais, ce soir-là, il la trouvait encore plus ravissante.

— Nous devrions rejoindre les autres à l'intérieur, dit-il doucement.

— On ne pourrait pas s'enfuir, rien que toi et moi? suggéra Anna en lui passant de nouveau les bras autour de la taille.

Le contact de son corps contre le sien lui provoqua quelques remous dans l'estomac.

— Mmm, si. Mais il me semble délicat de rater le mariage de ta sœur…

Il lui prit la main tandis qu'ils redescendaient l'allée.

— Comment nous as-tu trouvés? demanda Anna.

— Grâce à l'invitation d'Aggy, et ensuite à un chauffeur de taxi particulièrement désagréable. J'ai envoyé un message à Aggy pour l'avertir de ma venue et lui demander de garder le secret. Tu sais que ta sœur répond à ses textos même le jour de son mariage?

— Rien ne me surprend moins.

— Tu veux me présenter à tes parents? demanda James.

— Oui. Je leur dis que tu es qui?

— László Biró, l'inventeur du stylo à bille? Ou que penses-tu de James?

— Je veux dire, je te présente comme mon petit ami?

—Je sais ce que tu veux dire.

Ils tombèrent sur les Alessi presque aussitôt après avoir franchi le seuil de la salle.

—Maman, papa, voici James. Mon… petit ami, dit Anna en serrant un peu plus fort la main du jeune homme.

Comme on pouvait s'y attendre, les parents d'Anna eurent l'air étonnés d'apprendre l'existence d'un petit ami en même temps qu'on le leur présentait, mais ils jouèrent le jeu.

—Anna ne nous avait rien dit! s'exclama sa mère.

—Je pense qu'elle voulait vous faire la surprise? avança James.

—Vous l'êtes certainement, dit Judy.

Anna leva les yeux au ciel.

—Vous avez été retardé? demanda son père.

—Ah, oui. Par quelques imprévus. Mais je suis heureux d'être ici maintenant.

—Si jamais vous vous mariez, tous les deux, vous pourriez le faire ici, dit M. Alessi.

—Papa! protesta Anna.

—Tout à fait raisonnable, bonne nourriture, et un grand terrain si vous choisissez le printemps ou l'été. Installez une tente, organisez un barbecue. Tout ce que vous voulez. Et les Italiens supportent mieux l'alcool que les Anglais. Personne ne vomit.

—On ne pourrait pas trouver mieux, monsieur Alessi. Pas de vomi. Vous devez être fier.

Le père d'Anna donna une petite tape sur l'épaule de James.

—Prenez soin de ma fille. C'est ma préférée.

James rit tandis que Judy faisait claquer sa langue en signe de désapprobation.

Ils saluèrent de la main les amis d'Anna à l'autre bout de la salle, qui ne manquèrent pas de manifester leur stupéfaction. Puis Michelle pompa l'air, poing fermé, en signe de victoire.

— Danse avec moi.

James guida Anna jusqu'à la piste et la prit par la taille. Sous la texture rêche de la dentelle de sa robe, il sentit le tissu serré qui la gainait. Il se sentait tellement chanceux qu'elle soit sienne et d'être là.

— Alors? Pas d'Eva? demanda Anna.

— Je suis revenu à la raison. Désolé que ça m'ait pris autant de temps, je n'apprends pas vite. Elle n'était pas revenue s'installer avec moi. Je tiens quand même à te prévenir : je perds la maison, mais je garde Luther. N'envisage pas de relation avec moi si tu ne veux pas de lui. Nous formons un lot.

Anna sourit.

— Revoir Eva m'a fait comprendre que c'était avec toi que je voulais être. Je n'ai pas arrêté de penser à toi.

James se remémora l'étrange soirée de la veille. Eva sortant de la cuisine et gagnant le salon, pieds nus, tenant une bouteille de chablis dans le bouchon de laquelle était planté un tire-bouchon Alessi. Les yeux rivés sur l'ustensile, il avait compris que ce soir-là elle espérait passer la nuit avec lui. Soudain, tourner l'objectif d'un millimètre suffit pour que tout devienne parfaitement net.

Il n'avait pas envie qu'elle reste. Il en voulait une autre. Une femme dont il n'avait pas compris qu'il ne pouvait absolument plus se passer jusqu'à ce qu'on exige de lui qu'il vive sans elle. Il avait simplement lâché de but en blanc qu'il avait rencontré quelqu'un d'autre. Sidérée, Eva avait hurlé, crié, l'accusant d'avoir manqué d'honnêteté émotionnelle. Par quelque mystérieux retournement de situation, qu'il soit tombé amoureux d'Anna fut jugé pire qu'Eva tombant dans les bras de Finn, ce qui lui parut confus. Le fait qu'Anna et lui n'aient pas couché ensemble aggrava son cas, ce qu'il comprit encore moins.

C'était comme si Eva se tenait derrière une vitre en verre trempé et qu'ils communiquaient grâce à ces combinés qu'on trouve dans les parloirs des prisons.

« Je suis vraiment désolé, répétait-il en boucle. Je viens juste de m'en rendre compte, je ne m'y attendais pas non plus. »

Eva partie, James passa deux heures à essayer de déterminer si l'attitude d'Anna suggérait qu'elle voudrait d'un divorcé se languissant d'amour et lui offrant son cœur, ou bien qu'elle cherchait juste un coup d'un soir. C'est à ce moment-là que son téléphone lui avait indiqué qu'il avait reçu un mail.

Il avait failli lui passer immédiatement un coup de téléphone international ruineux et lui balancer une déclaration pesante, partielle et excessive, en lui promettant qu'elle ne devrait jamais plus s'inquiéter qu'on la laisse tomber. Jusqu'à ce qu'il comprenne la générosité du geste de la jeune femme.

Elle n'avait aucune raison de mettre ainsi son âme à nu, ni de le rassurer en lui certifiant qu'il lui avait fait du bien et non du mal. Ou de lui dire au revoir si chaleureusement. Sa seule motivation était son amour pour lui. Un tel geste en méritait un autre.

— Comment se fait-il que nous ayons mis autant de temps à comprendre ? demanda James à Anna. Pendant un moment, ça a dû tomber sous le sens pour tout le monde sauf nous. Tous mes collègues ont cru que nous étions ensemble sans que nous fassions le moindre effort. Ça aurait peut-être dû nous mettre la puce à l'oreille ?

— Je n'ai vraiment su ce que je ressentais qu'à l'enterrement de vie de jeune fille d'Aggy, répondit Anna. Mais toi non, n'est-ce pas ?

— J'avais bien une petite idée sur la question. J'étais comme quelqu'un qui a l'esprit lent face à un puzzle de Big Ben et une dernière pièce qu'il refuse de placer, sous prétexte qu'il ne voit toujours pas ce que ça représente. L'enterrement de vie de jeune fille, hein ? dit-il en l'étreignant doucement, le sourire aux lèvres. Intéressant. Voilà qui explique tes avances horriblement effrontées ?

— Insolent ! J'essayais de te séduire…

— « Passe donc un de ces quatre noter mes nichons. » Le charme truculent de cette proposition a certainement compensé son manque d'ambiguïté.

Ils rirent, et James dit :

— Ce rire m'a manqué. Pour être honnête, j'aurais peut-être tenté ma chance plus tôt si j'avais su que je te plaisais.

— Oh, ben, pas vraiment, en fait. Disons que je ferme les yeux et me concentre sur ta personnalité pétillante.

George Michael yodlait *A Different Corner* ; Anna appuya sa tête contre la poitrine de James. Un peu plus loin sur la piste, Aggy et son mari dansaient. Aggy salua James de la main et il lui rendit son salut d'un geste.

Il assistait à un mariage dans un pays étranger entouré d'inconnus, et pourtant il ne s'était jamais autant senti chez lui.

Un verbe lui vint à l'esprit pour définir les sentiments qu'il éprouvait pour Anna. Ce n'était pas un mot qu'il utilisait souvent, mais c'était le bon : *adorer*.

Il l'adorait.

CHAPITRE 71

Les yeux ténébreux du comte glissèrent sur le renflement de ses seins qui pointaient sous son négligé de soie. Il se passa une main sur la mâchoire, faisant crisser sa barbe naissante, tout en se repaissant du spectacle que lui offrait la jeune femme.

—*Mia carina!* s'exclama-t-il sur un ton d'approbation bourru.

Ce n'était plus seulement une expression affectueuse, mais également une demande pressante. Il n'exigeait rien moins que la reddition totale de sa féminité inexplorée.

Elle se recroquevilla sous l'ardeur déterminée de son regard tandis que l'innocence rosissait ses joues.

—Vous avez joué suffisamment longtemps avec moi, *inamorata*, dit-il, le souffle court, en saisissant une boucle de ses cheveux de lin entre le pouce et l'index.

—N-n-non! s'écria-t-elle. Songez à vos responsabilités, Luca! Vous ne pouvez hériter des biens des De Vici si vous épousez une femme qui n'a pas obtenu l'approbation de votre famille. Et vous ne sauriez vous servir de moi pour satisfaire un… caprice, dit-elle d'une voix tremblante tout en battant des cils à la seule pensée de cette indélicatesse.

Il ne put se retenir de jurer dans sa langue maternelle, et un éclair traversa ses yeux cobalt.

—Au diable mon devoir! Je dois vous posséder!

Il se tenait prêt à la dévorer, à la soumettre tel le lion affamé avec sa proie, tandis…

—Excusez-moi, désirez-vous consulter le menu ?

—Oh ! Merci, s'exclama Anna qui, levant les yeux de son Kindle, avisa le serveur au fouloir à pois qui lui tendait deux feuilles de papier texturé.

Pendant les quatorze minutes qu'elle avait passées assise à une table de *Morito* à Clerkenwell, le comte italien s'était préparé à une sérieuse séance de jambes en l'air, et elle avait complètement oublié de commander des tapas.

—Puis-je vous servir quelque chose à boire ?

Elle parcourut la liste des consommations.

—Deux verres de *tinto de verano*, merci.

—Je ne suis pas en retard, si ? demanda James en surgissant à côté d'elle.

Il se pencha pour l'embrasser rapidement, sa peau froide effleurant la joue tiède de la jeune femme, avant de se débarrasser de son sac.

—Un peu, mais je ne t'en tiendrai pas rigueur, répondit Anna dont le visage s'éclaira.

À cause du froid, le visage pâle de James lui donnait l'air d'avoir été taillé dans le marbre par un sculpteur manifestement doué pour les pommettes. Comment pouvait-on être aussi beau rien qu'en se débarrassant de son manteau d'un haussement d'épaules et en marmonnant : « Aujourd'hui, Harris est arrivé avec un chapeau haut-de-forme jaune canari. Le summum du ridicule. J'ai l'impression de travailler dans la chocolaterie de Willy Wonka » ?

Mystère, songea Anna.

—Et puis le comte italien m'a tenu compagnie, dit-elle en brandissant son Kindle.

Le serveur déposa leurs verres de vin en face d'eux.

—Qu'est-ce que c'est ? demanda James en inclinant son verre.

—Du *tinto de verano*. Un genre de vin rouge. C'est agréable.

Ils trinquèrent et James but une gorgée.

—Délicieux.

Anna afficha un sourire radieux.

— OK, voyons un peu les exploits de ce comte italien, dit James en tendant la main pour qu'elle lui donne le Kindle. Si tu admires les prouesses d'un autre homme, je tiens à comparer nos notes.

Anna obtempéra, le sourire jusqu'aux oreilles.

Un assortiment de biscuits apéritifs arriva pour accompagner le vin, et Anna croqua une amande.

— «Il se tenait prêt à la dévorer, à la soumettre tel le lion affamé avec sa proie, tandis qu'elle frissonnait sous la caresse d'une vague de désir extatique…», lut James à voix haute. La métaphore vaseuse me semble extrêmement malvenue. Le lion avec sa proie? Quoi? Des hyènes? Des phacochères? Donc il s'apprête à lui faire l'amour comme un prédateur arrachant la trachée d'un phacochère agité de soubresauts?

Anna commença à glousser.

— Tu gâches tout!

— Moi, je trouve que c'est cette comparaison malheureuse qui gâche tout.

Anna l'observa tandis qu'il poursuivait sa lecture, songeant combien elle aimait le voir occuper un espace dans son lit et dans sa vie, même si elle se serait volontiers passée de la litière de Luther dans sa cuisine. Et, elle n'en dirait rien à James, mais il n'avait rien à envier à ce comte tonitruant. Surtout que James s'était assuré qu'elle sache combien il la trouvait attirante, autant en paroles qu'en actes. Les pupilles de la jeune femme se dilatèrent à cette pensée.

James tapota l'écran pour tourner la page.

— Bla-bla-bla «rendu presque fou par l'excitation, il marmonna des mots qu'ils entendirent à peine… elle vola en un million d'éclats»? Hein?

Il leva les yeux vers Anna.

— C'est sa… C'est le résultat du dur labeur du comte. Elles finissent toujours par voler en éclats ou exploser.

—Ooooh…, dit James. Je vois.

—… Elle pense qu'il s'est peut-être entiché d'elle, mais qu'il se lassera et finira par en épouser une autre. Mais devine quoi ? C'est elle qu'il épousera ! expliqua Anna avant de boire une gorgée de vin.

James lui rendit son Kindle.

—Qu'arrive-t-il après qu'ils ont baisé ? Ils canalisent toute cette énergie en préparant le marathon de New York ? Le comte Trucmuche essaie de passer des sachets de salade prélavée à une caisse libre-service en tempêtant : « Soyez mienne ! » ?

—Non, une fois qu'elle est passée à la casserole, l'histoire s'arrête. Ils se marient. Peut-être y a-t-il une allusion à des enfants, mais c'est tout.

—Pourquoi cette obsession pour le mariage ?

—Les héroïnes de Harlequin ne sont généralement pas très portées sur les coups d'un soir. Ça se termine toujours sur une noce.

—Plutôt sexiste.

—Eh bien, oui. C'est un fantasme d'un autre âge.

—Les clubs ouvriers sont sexistes, ils ne font fantasmer personne pour autant.

—Es-tu sérieusement surpris que certaines femmes modernes et indépendantes rêvent encore de mariage ? Tu as assisté à celui de ma sœur, tu ne devrais donc pas t'en étonner.

James rit.

—J'essaie seulement de comprendre l'attrait de ces habitudes archaïques. C'est tellement désuet, de nos jours. Par exemple, toi. Est-ce que l'idée de te marier te plaît vraiment, alors que tu vis l'euphorie des débuts d'une nouvelle relation ?

Anna grignota une autre amande pour gagner du temps.

—Euh… Je ne sais pas. Je suppose que j'aimerais bien. Repose-moi la question quand j'aurai trouvé l'homme que je veux épouser.

Elle lui adressa un grand sourire.

—Aïe.

—À l'époque où je rencontrais des hommes sur Internet, je jouais à m'imaginer que ce qui se passait pendant notre rencard terminait dans le discours du témoin, poursuivit Anna.

—Tu composais des discours de mariage tout en buvant un verre avec un type que tu voyais pour la première fois ? Waouh !

—Je sais que ça me donne l'air d'une folle, mais ce n'est pas ça. Les couples qui se rencontrent par hasard ne savent pas qu'il s'agit de Leur Rencontre, d'accord ? Si c'est un rencard, tu le sais. Et les discours font toujours allusion à la façon dont les mariés se sont rencontrés.

—Continue, je t'écoute – je calcule juste le poids du serveur qui bloque l'entrée, plaisanta James.

—Ne t'inquiète pas, je ne joue pas à ça avec toi. De toute façon, j'imagine que tu n'en as pas envie. Encore une fois, je veux dire, corrigea Anna en feignant le détachement tant bien que mal.

—Oh, là, là, dit James en attrapant une olive. Mes *intentions*.

—Non ! Changeons de sujet.

—Mais c'est notre premier rencard officiel, celui dont on parle toujours dans les discours, non ?

—Généralement. Ou de la rencontre.

—Mmm. Tu veux bien me passer cette serviette en papier ?

Anna s'exécuta, et James attrapa un stylo à bille dans la poche de son manteau et en fit sortir la pointe d'un clic.

Anna contempla l'enchevêtrement de ses cheveux bleu-noir pendant qu'il griffonnait quelque chose sur la serviette. Il la lui tendit. Elle la déplia.

JE VEUX CARRÉMENT T'ÉPOUSER.

Anna resta parfaitement immobile, souriante, au milieu du brouhaha des conversations et du cliquetis des couverts.

— Voilà. Nous sommes immunisés contre le futur, maintenant, déclara James en faisant de nouveau cliquer son stylo. L'orateur n'aura pas besoin de rappeler mon idiotie à seize ans, ni de raconter que je me suis payé la tête du comte italien Croqueta sur le Kindle d'Anna.

La jeune femme eut soudain l'impression que son cœur allait déborder.

Ils se penchèrent sur leurs menus, et James attrapa la main d'Anna par-dessus la table.

— Tu composes l'anecdote de la serviette en papier pour le discours, pas vrai ? lança James en levant les yeux au bout d'une minute.

— Non ! protesta Anna en redressant la tête, sans avoir rien retenu de la liste des spécialités de la maison. Je pensais aux… gougères au fromage.

— Ils ne servent pas de gougères au fromage.

— C'est justement à ça que je pensais.

Ils rirent, assez fort pour que le couple assis à la table voisine jette un coup d'œil dans leur direction.

Le serveur apparut près de leur table, le stylo en l'air.

— Prêts ? demanda-t-il.

Ils échangèrent un regard et hochèrent la tête.

Alors, au cas où certains d'entre vous l'ignoreraient encore, James et Anna se sont rencontrés au collège…

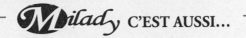 **C'EST AUSSI...**

... LES RÉSEAUX SOCIAUX

Toute notre actualité en temps réel :
annonces exclusives, dédicaces des auteurs, bons plans...
f facebook.com/MiladyFR

Pour suivre le quotidien de la maison d'édition
et trouver des réponses à vos questions !
twitter.com/MiladyFR

Les bandes-annonces et interviews vidéo sont ici !
youtube.com/MiladyFR

... LA NEWSLETTER

Pour être averti tous les mois par e-mail de la sortie de nos romans.
www.bragelonne.fr/abonnements

... ET LE MAGAZINE NEVERLAND

Chaque trimestre, une revue de 48 pages sur nos livres
et nos auteurs vous est envoyée gratuitement !

Pour vous abonner au magazine, rendez-vous sur :
www.neverland.fr

Milady est un label des éditions Bragelonne.

Achevé d'imprimer en décembre 2015
Par CPI France
N° d'impression : 3015310
Dépôt légal : janvier 2016
Imprimé en France
81121541-2